O FILHO-PRESENTE

KABOUNA KEITA

em colaboração com Fred Muller

O FILHO-PRESENTE

Tradução
Irene Ernest Dias

Copyright © Belfond, um selo da Place des Editeurs, 2007

Título original: *L'enfant cadeau*

Capa: Simone Villas-Boas
Foto de capa: Chris Jackson/GETTY images

Editoração: DFL

*A tradutora agradece a Miriam Junghans
pela atenta leitura do texto em português.*

2008
Impresso no Brasil
Printed in Brazil

Cip-Brasil. Catalogação na fonte
Sindicato Nacional dos Editores de Livros. RJ

K19f	Keita, Kabouna, 1951- O filho-presente/Kabouna Keita; em colaboração com Fred Muller; tradução Irene Ernest Dias. – Rio de Janeiro: Bertrand Brasil, 2008. 384p. Tradução de: L'enfant cadeau ISBN 978-85-286-1335-3 1. Keita, Kabouna, 1951-. 2. Homens – França – Biografia. I. Muller, Fred. II. Título.
08-2139	CDD – 920.72 CDU – 929-055.2

Todos os direitos reservados pela:
EDITORA BERTRAND BRASIL LTDA.
Rua Argentina, 171 – 1º andar – São Cristóvão
20921-380 – Rio de Janeiro – RJ
Tel.: (0xx21) 2585-2070 – Fax: (0xx21) 2585-2087

Não é permitida a reprodução total ou parcial desta obra,
por quaisquer meios, sem a prévia autorização por escrito da Editora.

Atendemos pelo Reembolso Postal.

Minha vida, que vou lhes contar, jamais teria sido o que foi sem Boli. Sem você, Boli, sem seu amor, sua benevolência e sua confiança, eu nunca teria tido força, coragem e ambição para fazer todas as travessias que fiz. Nenhuma palavra, nenhuma frase poderá exprimir a gratidão e o amor que lhe devoto.

A meus pais, de quem espero ter herdado a grandeza de alma e a generosidade.

A Marie, naturalmente, por estas quase quatro décadas de vida em comum que estamos completando. Obrigado pelos esplêndidos filhos que você me deu. Obrigado por ter sempre me acompanhado, apoiado e fortalecido. Obrigado por ter ficado ao meu lado apesar de todos os momentos difíceis que lhe impus. Obrigado por sua paciência e abnegação. Obrigado por seu amor, simplesmente.

A meus filhos, enfim, minhas sete maravilhas do mundo. Estou feliz e orgulhoso por lhes deixar este livro, o livro de minhas vidas. Que ele possa acompanhá-los e guiá-los nos momentos de sombras e de dúvidas.

PRIMEIRA PARTE

❦ PRELÚDIO ❦

Bon té kisi dunun ta.
Quem tem grandes coisas a realizar
não pode morrer cedo,
pois as vestes da longevidade não se rasgam.

Eu sou um filho-presente. Isso quer dizer que minha mãe me deu de presente a outra mulher. Não que fui adotado. Não houve documentos, nem declaração administrativa. Simplesmente, minha mãe me ofereceu a uma mulher que não teve a sorte de ter um filho e estava infeliz por isso.

Essa mulher se chamava Boli. Era uma das três co-esposas do pai de minha mãe. As outras duas esposas de meu avô haviam tido muitos filhos, mas ela não. Ser estéril, no Mali, é uma vergonha. Há uma palavra para isso, *boroge*, palavra de que não gosto. Na verdade, eu a detesto. Minha mãe também a detestava. Não queria que falassem assim de Boli, pois Boli era muito importante para ela. Então, ela procurou um modo de lhe demonstrar seu amor e respeito. Minha mãe era rica de filhos — terá dezoito, quatro morrerão ao nascer ou ainda bebês. E o melhor modo que imaginou de afirmar a Boli que não, ela não era estéril, e que ninguém jamais na família a chamaria de *boroge*, foi dar uma de suas crianças àquela mulher que ela amava. Para ela, era algo natural, evidente. Era o mais lindo presente e a mais bela homenagem que podia lhe fazer.

Boli era ainda jovem, tinha aproximadamente quarenta anos. No Mali, idade de ser avó — minha mãe tinha treze anos quando teve o primeiro filho. Boli era muito bonita. Esbelta, não muito alta, mas de belo porte, traços finos e pele bastante clara, tinha o porte de uma peúle. Suas mãos, principalmente, eram inesquecíveis. A hena preta acentuava suas linhas longas e finas, eram mãos de rainha.

Boli era elegante, vestida com "manière de robe", como se dizia, com uma saia comprida e larga, blusa de babados toda em tecido de algodão, ou seja, em batique colorido, e um belo lenço de cabeça bem-arrumado. Os vestidos das mulheres, quando se tem quatro anos, são um espetáculo à parte. Enchiam meus olhos... Havia o tecido amarelo e verde em que dançavam mangas, um outro todo salpicado de castanhas de caju. E ainda um outro que ela usava como lenço de cabeça, vermelho e branco, com suas andorinhas de asas abertas. Lá estavam elas, pousadas em seus cabelos, prestes a escapar, a voar direto para o céu.

Boli era cheirosa, tão cheirosa... Usava o mais suave dos perfumes de mulher. O perfume do *wousoulan*, um incenso feito de uma mistura de resinas, raízes e cascas, a África inteira contida em um pó que se queimava nas casas e impregnava as roupas e a pele...

Não sei em detalhes como as coisas se passaram, mas imagino que tenha sido assim, pelo que conheço de minha família. Dar uma criança a Boli não era como lhe ofertar uma canga de algodão pintado ou um saco de milhete. Era algo que demandava reflexão. Minha mãe, portanto, saiu de Bamako certa noite, com seu recém-nascido nas costas, para passar a noite na casa de sua tia Naba. Era a embaixadora, a conselheira. Era preciso discutir: Founé estava certa? Ela devia dar seu filho a Boli? Como fazê-lo? E como seria preciso agir mais tarde? Tudo isso foi examinado e, finalmente, ficou decidido que sim, Founé havia tido uma boa idéia. Era bom dar um filho a Boli.

No dia seguinte, então, mamãe foi à casa de Boli, acompanhada de Naba, a embaixadora. Ela desatou a canga que me envolvia e me apresentou mantendo seus braços abertos, enquanto Naba preparava Boli para o acontecimento. É claro que elas choraram. Todas as três, sem se conter, e na família todos ficaram felizes.

Ninguém, na família Cissé, esqueceu o presente de Founé a Boli. Isso aconteceu em 1951, em Kita, uma aldeia a 150 quilômetros de Bamako, no Mali. Foi lá que passei meus primeiros anos, eu, Kabouna Keita, filho de Founé Cissé e de Dramane Samba Keita.

KITA

Fiquei cinco anos com Boli, e durante esses cinco anos Boli foi tudo para mim. Eu recebia tanto amor, quase como se fosse demais só para mim. Haveria amor suficiente para pelo menos vinte filhos. Certa vez, eu estava com sede e lhe pedi um pouco de leite. Ela, então, saiu e voltou logo em seguida. Ainda posso vê-la, diante de mim, trazendo em suas mãos tão finas uma panela cheia de leite, litros de leite para matar minha tão pequena sede. Ela mal conseguia levantar a panela, de tão pesada. Assim era Boli.

Com ela, eu era o contrário de uma criança abandonada. Eu vivia com seu olhar sobre mim. Do momento em que acordava até a hora em que ia dormir, eu sentia aqueles olhos cheios de preocupação que me seguiam por toda parte, na choça, no pátio, na rua... Aquele olhar, mesmo quando eu estava brincando na frente de casa, eu o surpreendia no canto da parede, quase doído de tão afetuoso.

Além de todo aquele amor, eu tinha minha mãe. Ela vinha me ver em Kita mais ou menos três vezes por ano. Boli me levava até a estação para buscá-la. Saíamos de manhã bem cedo para chegar no horário. Tínhamos que atravessar uma parte do mercado, depois um campo coberto de orvalho que molhava meus pés descalços... O trem levava três horas para chegar de Bamako. Eu via a grande locomotiva avançar para nós, envolta em uma nuvem que cheirava a carvão e a metal quente. Ajudávamos mamãe a descer suas grandes malas de ferro cheias de presentes trazidos da cidade: brinquedos, balas, e até camisas já costuradas compradas em uma loja de verdade.

E minha mãe sempre dizia a Boli: "Ma, não precisava ter vindo de tão longe", e a apertava nos braços, sem beijá-la como se faz hoje, porque no Mali, nessa época, não se costumava beijar. Quanto a mim, ela não costumava me abraçar, nem me afagar ou beijar. Não queria de modo algum agir como se eu lhe pertencesse, posto que ela havia me dado de presente. Mas sempre se extasiava com meu bom aspecto, meu tamanho, minha saúde. Era sua maneira de dizer a Boli: "Tomei a decisão certa."

Meu pai também me visitava, mas com menos freqüência. A viagem custava caro. Ele, por sua vez, não trazia malas quando vinha, mas sim irmãos e irmãs que eu não conhecia! Meu pai e minha mãe mantinham um fio estendido entre nós, de Bamako a Kita. Mais do que um fio, uma rede tecida com malhas e nós bem apertados, uma rede sólida, indestrutível. Ser um filho-presente fez de mim a mais feliz das crianças.

★★★★

Kita é uma cidade pequena de uma cor só. Tudo lá é ocre, um ocre dourado, as casas feitas de barro, as ruas, as estradas... Uma cidade nascida da terra e que tem cheiro de terra, de terra depois da chuva. É também uma cidade onde as árvores são rainhas: os mognos, as mangueiras, os flamboaiãs, os baobás. Uma cidade sem prédios, sem carros. Ou melhor, com dois carros, que na época pertenciam, ambos, a brancos: havia o do comandante do círculo, um administrador local, e o jipe de um engenheiro agrícola. Encoberto pela poeira que ele mesmo levantava, o jipe atravessava a cidade tão rápido que nunca conseguíamos ver a cara do motorista. De vez em quando, também, víamos passar grandes caminhões fedorentos cheios de amendoim, pois Kita, nessa época, era a segunda região produtora de amendoim do país.

Uma vez por ano, depois da estação das chuvas, toda a família Cissé se reunia para consertar o teto da casa. Em Kita, só os mais ricos tinham telhados de metal ondulado. Os demais tinham apenas telhados retos de terra, que as chuvas acabavam furando. Logo, a água escorria pelas paredes e era preciso rebocá-las. Para isso, fabricava-se o barro vermelho, terra misturada com água. Nosso trabalho, das crianças, era amassar a terra molhada com os pés até que ela se transformasse em pasta. Depois, com essa massa, fazíamos bolas que jogávamos para o telhado, onde ficavam os maiores, que então procediam aos reparos. Era como um jogo, do qual saíamos inebriados de cansaço e de prazer.

★★★★

Em Kita, eu andava. Ainda vejo meus pés descalços na estrada, eles eram da cor da cidade, eram ocre, como as casas e as folhas caídas das árvores depois de uma ventania. A terra estava muito perto de mim, pois eu ainda era bem pequeno, e meus passos, curtos. Eu via aquela terra desfilar sob meus artelhos durante horas. O sol queimava, a chuva molhava, o suor me ardia os olhos, mas eu continuava a andar. Eram duas horas e meia de estrada para ir buscar a madeira necessária ao cozimento das refeições do dia. Todas as manhãs, eu saía com meus primos. Íamos sem camisa ou com uma camisa em brim cáqui enrolada na cintura. O brim cáqui é um tecido militar, o mais barato, que levávamos ao alfaiate para que ele nos fizesse uma camisa e um short. Todos juntos, íamos até a floresta. Lá nos espalhávamos, e cada um ia e vinha entre a vegetação rasteira da floresta e o terreno de base em que empilhávamos o butim. Depois enfeixávamos tudo, enrolávamos um lenço em volta do pulso, de modo a fazer uma pequena coroa que colocávamos na cabeça para assentar o feixe. E voltávamos para casa. Duas horas e meia de estrada. A nuca rija. As pontas dos galhos dançavam diante de nossos olhos, e o sol batia forte. Quando o caminho era reto, o feixe ficava bem equilibrado, mas quando era inclinado, precisávamos pôr a mão na cabeça para segurá-lo. Eu, como era o menor, sempre ficava para trás. De vez em quando, um primo me esperava implicando: "Como é que é, pequeno Keita, você vem ou não vem?" Ele insistia no meu nome porque em Kita eu estava no clã dos Cissé, o de minha mãe, e não no de meu pai, os Keita, e portanto um pouco como um estrangeiro — mas um estrangeiro muito querido. Às vezes, eu pisava em um espinho que se quebrava e entrava em meu pé. Então, tínhamos que parar no barranco e retirá-lo com um alfinete que sempre levávamos na roupa.

Eu andava com meus primos e andava também com Boli. Naqueles dias, fazíamos aquilo que em bambara, a língua oficial do Mali, chamamos de *sira combè*, ir até a estrada. Isso significava ir ao encontro das mulheres que vinham vender suas frutas e legumes no mercado. Percorríamos todo aquele caminho três vezes por semana porque não tínhamos recursos para comprar comida nas bancas dos mercados, e na estrada as mulheres vendiam seus produtos mais barato. Elas chegavam do mato, em que cultivavam seus roçados, com roupas curtas de algodão simples e enormes cestos na cabeça. As mais jovens tinham o torso apertado pelo tecido que prendia os bebês em suas costas. As mais velhas, de seios nus, estragados pela quantidade de filhos que neles tinham se pendurado.

O caminho era penoso, mas depois do esforço eu recebia minha recompensa: goiabas e uma cabaça de coalhada. Trazíamos também inhame, mandioca, grãos de karité, batata-doce, milhete... Ao longo de todo o trajeto, Boli me perguntava: "Você não está muito cansado? Tem certeza de que está bem?" Ou, então, ela me falava de minha família, repetia que eu era uma pessoa importante, que eu tinha dois reis entre meus ancestrais, que meu avô era um homem respeitado...

Quando não estava andando, quando ficava em casa, eu ajudava Boli a amassar o milhete, a debulhar o milho e a descascar os amendoins que comíamos torrados ou cozidos e esmagados e depois misturados com seu óleo, o que, em nossa terra, chamamos de *dakatine*.

Uma vez por semana, também, meu avô me levava ao mercado. Segurava-me pela mão, muito alto — eu mal batia em seu quadril —, muito limpo em seu grande bubu de fustão azul, a cabeça enfeitada com um fez e os ombros cobertos por um turbante solto. Ele era muito digno. Tinha a cabeça raspada, mas ao fim de três dias eu via apontarem uns fiozinhos brancos. Meu avô era um homem importante, um "mascate", um mercador de sal, numa época em que o sal era um produto de luxo. No mercado, ele tinha uma banca. Quanto terminava de instalar sua mercadoria, os homens que passavam paravam: "Cissé! Como vão suas mulheres?"

De volta à casa, recitávamos juntos as orações. Meu avô era um homem culto. Eu não entendia nada do que ele murmurava, mas gostava de sentir que ele me fazia partilhar de suas obrigações. Acompanhá-lo em suas salmodias era para mim uma honra.

★★★★

Em Kita, as noites não se pareciam com os dias. De dia eu era uma criança como as outras. Na verdade, não exatamente como as outras, pois eu tinha a sorte de ter todo o amor de Boli só para mim. À noite, em compensação, eu não era de modo algum uma criança.

Lembro-me particularmente de uma noite, eu devia ter quatro anos, em que eu havia adormecido rápido porque estava esgotado de tanto andar, brincar e trabalhar. Mas, no meio do sono, fui acordado por um barulho que eu tinha aprendido a reconhecer — com o tempo passei a ouvi-lo tão prontamente que já sabia o que era antes mesmo de ter despertado por completo. Um sopro rouco, um sibilar... Logo me aproximei de Boli.

18

Encontrei-a sentada em sua esteira, arfando violentamente. Puxando o ar. Eu não sabia o nome daquela doença, mas sabia que Boli tinha medo de morrer. "Sinto-me como se estivesse no fundo de um poço, sem ar para respirar", ela me disse. Nada pude fazer além de lhe massagear os pés e as mãos, e ela sorriu para mim. Depois, levantou-se e colocou para ferver folhas de café, *bin café*, e outras plantas que cheiravam a anis, para inalar seu vapor.

Mas aquelas infusões não impediam que as crises voltassem, sempre à noite, quando ela estava deitada perto do chão, na poeira. Quanto mais os meses passavam, mais leve meu sono ficava. Às vezes até acontecia de eu me levantar só para ouvir a escuridão. Se ela estivesse silenciosa, se o sopro de Boli estivesse leve, eu voltava a deitar, tranqüilizado. É por isso que minhas noites eram diferentes dos meus dias. Eu estava sendo obrigado a amadurecer de uma hora para outra, era responsável pela pessoa que eu amava mais do que tudo.

★★★★

Em Kita, era impossível não ver Kita Kourou, a montanha que se eleva por cima das árvores, como se tivesse jorrado da terra no meio do mato. Ela domina a cidade de qualquer ponto em que se esteja. Algumas vezes, durante o dia, pode-se ver cintilarem mil faíscas, como se as encostas da montanha estivessem cheias de espelhos. É o espírito de Kita Kourou que envia essas luzes. E disso ninguém duvida. Pois é um lugar sagrado, cheio de falésias, cavidades e grutas nas quais são depositadas oferendas. Chamamos Kita Kourou de "a montanha que fala", e o espírito de "o cara que fala na montanha".

Eu não podia chegar perto de Kita Kourou. Ainda era pequeno demais. Mas quando os adultos da aldeia iam até lá, eu os seguia escondido... Sentia medo, mas ia assim mesmo, quase que apesar de mim, como se estivesse enfeitiçado. Eu queria ouvir a montanha que fala.

No sopé da falésia, eu não passava de um minúsculo pontinho diante da imensa parede que tocava o céu, prestes a cair em cima de mim. Então, gritava com todas as minhas forças:

— *Ê, ô... Aqui é o Kabouna...*

"*Sou de Kita...*"

E a montanha me respondia. Ela repetia logo em seguida, com a sua voz profunda, longínqua:

— *Ê, ô... Aqui é o Kabouna... Bouna... Bouna...*

"*Sou de Kita... Kita... Kita...*"

Era a prova de que Kita Kourou era um lugar mágico. Eu ria e tinha calafrios ao mesmo tempo. Mas não conseguia não recomeçar... e a montanha voltava a repetir o que eu lhe dizia, como em uma peça de teatro bem ensaiada. Só que, um dia, ela mudou de voz. Eu tinha acabado de lhe dirigir minha pequena frase, e ela me respondeu:

— *Kabouna... Na... Na... É o espírito de Kita Kourou que lhe fala... Fala... Fala...*

Fiquei em pânico... Fechei os olhos, tampei os ouvidos com as mãos e rezei: "Espírito, não me amaldiçoe, eu lhe suplico, eu não fiz nada demais." Então, ouvi uma risada. Uma coisa era certa: não era a montanha que estava rindo, era o riso de uma criança viva, e bem viva. Mas eu não queria entender que os primos mais velhos haviam escalado a montanha antes de mim e estavam nas encostas contemplando o fedelho de cinco anos a seus pés, dominado pelo medo.

E recomecei, pois eu adorava aquela sensação que me tomava quando ouvia o espírito falar comigo. O pavor continuava, me percorria por debaixo da pele, mas ao mesmo tempo eu estava seguro de minha força: se eu corresse algum risco, Boli estaria lá para me salvar. Então, eu esperava que alguma coisa acontecesse e tremia de excitação...

Isso me lembra as histórias do contador Dominké. Seu nome verdadeiro era Dominique — era católico —, mas como não conseguíamos pronunciar as sílabas direito, para nós ele era Dominké. Era um artista, dos grandes, e nós lhe pagávamos só para sentir nosso estômago se contorcer e a garganta secar quando ele nos contava tudo que havia acontecido de terrível com os "dois gêmeos", as crianças que a mãe havia abandonado recém-nascidas e que, no entanto, se tornaram grandes guerreiros...

Pois bem, exatamente naquele momento, aos pés da falésia de Kita Kourou, quando o espírito acabara de falar comigo, eu tive a impressão de que ia entrar em um conto de Dominké — do qual eu seria o herói. Era o início de uma história, o início da minha história sobre mim, Kabouna Keita.

❀ JUNTOS ❀

1956, estou com cinco anos. Mamãe veio me ver em Kita. Mas, dessa vez, volto com ela para Bamako, e Boli vem junto. Estamos indo a Bamako não só para que eu reveja minha família, mas também por causa da saúde de Boli. Ela está respirando tão mal, agora, que a todo momento corre o risco de sufocar, e minha mãe espera que em Bamako seja mais fácil cuidar dela. Nesse dia, no trem que se afasta de Kita, estou ao mesmo tempo feliz e infeliz — feliz por reencontrar minha família e conhecer meus irmãos e irmãs, mas infeliz por Boli, que está passando mal, ao meu lado.

Nossa casa fica em Misira, a vinte minutos a pé de Bamako. "Casa" não é bem a palavra. Na verdade, trata-se de um grupo de cinco construções por nós chamadas de "concessões". O conjunto é modesto, construído de barro e rodeado de varandas. Também é muito povoado. Lá estão meus pais, primos, tios e tias, irmãos e irmãs; resumindo: somos mais de vinte, sem contar os que estão por nascer. Mudança de vida, feliz mas radical, pois de agora em diante não sou mais o menino-rei. Terei que aprender a dividir tanto o afeto quanto os metros quadrados, o que não será muito difícil, pois meus irmãos e irmãs imediatamente me adotarão: mal cheguei, e eles já estão correndo pelo bairro me puxando pela mão, como se eu fosse a mascote da turma.

Como a maioria das crianças do bairro, não posso ir à escola. Meus pais não têm recursos para me matricular. Em casa, de quinze filhos, apenas os cinco mais velhos, Abdulaye, Mamadou, Kadjatou, Abibatou e Mamou tiveram oportunidade de aprender a ler, escrever e contar, oportunidade de estudar. Acho isso tão injusto. Não poder me instruir como os outros, nunca consegui me conformar... Ainda hoje sinto a pontada da inveja, da revolta.

Mas talvez tenha sido essa pontada que me levou a me fazer perguntas. Privado de escola, não quero me resignar a passar os dias sem fazer nada. Por quê? Não sei. A única resposta que me vem à mente é Boli. Ela vive aqui, ao meu lado, com o olhar posto sobre mim, seu sopro rouco... Ainda não sei que sua doença tem um nome: asma. Para tratá-la, é preciso pagar o curandeiro e conseguir os remédios. Às vezes são medicamentos estrangeiros trazidos por um tio ou uma tia que os ganharam de algum branco, mas no mais das vezes são apenas nozes de *zéguènè*, uma frutinha amarga, que Boli ferve para inalar o vapor. Não são gratuitos, e além disso meus pais não têm dinheiro suficiente para pagar o curandeiro. Minha mãe, que é uma parteira renomada, não traz francos para casa. As famílias lhe pagam como podem, com roupas, sacos de milhete ou de mandioca. Meu pai trabalha como estivador no porto de Dacar, mas seu emprego é irregular, e o salário, minúsculo. Ri-se muito na casa de barro dos Keita, mas nem todos os dias há o que comer. Dito isso, não há o que lamentar. Em Misira, alguns têm ainda menos do que nós.

Meus pais não me pedem, mas eu o sinto como uma necessidade, uma urgência: preciso ganhar dinheiro. A vida e Alá vão colocar em meu caminho a solução, a minha solução. Ela se chama Baba.

Baba tem cinco anos, como eu, e também não pode ir à escola. Então, em vez de perambular com seus amigos, passa os dias fabricando carrinhos de todas as cores, graças ao alumínio que cata aqui e ali. Ele vende suas produções a jovens de outros bairros, onde há um pouco mais de dinheiro do que no nosso — mais tarde, esses brinquedos de crianças pobres serão moda nos países do Norte, mas na época nem podíamos imaginar isso. Baba não ganha fortunas, naturalmente, mas o bastante para economizar alguns centavos.

Logo nos tornamos companheiros. Ele se parece comigo, é alto e magro como eu, é esperto como eu, é realmente a minha duplicata. A única diferença é que ele tem as pernas tortas.

Sempre que consegue vender três carrinhos no mesmo dia, Baba me diz: "Vem, vamos comemorar na ONU!" É claro que não sabemos nada dessa organização, mas é um nome que ouvimos sem parar no rádio, na beira das estradas. Para nós, dois moleques das ruas de Bamako, é um lugar onde os ricos do mundo se encontram e fazem festa juntos. Então, assim que Baba atinge seu objetivo, olhamos um para o outro com um ar guloso e ele pronuncia a frase mágica: "Vem, vamos comemorar na ONU!" Nossa "ONU" é uma birosca à beira de uma calçada, onde Baba compra alguns "45 rotações" — o nome dado aos biscoitos de milhete — que degustamos longamente com açúcar, molho apimentado ou *dakatine*. Às vezes, luxo dos luxos, há dinheiro bastante para o grande lance: biscoitos e bebida. Não qualquer bebida, algo melhor do que o champanhe que se bebe na ONU, o verdadeiro crush! Crush? A bebida-sensação da época no Mali, uma espécie infame de refrigerante alaranjado de gosto artificial. Mas tenho muito apreço por aquele gosto. Ainda hoje, na minha memória, ele continua inseparável de Baba, daquele pedaço de calçada diante da ONU, onde degustávamos nosso champanhe observando os passantes na rua, com um olhar divertido.

A ONU, para Baba e para mim, é também a ocasião de falar de negócios. Foi assim que um dia, entre duas mordidas de 45 rotações, ele me disse:

— Sabe, Kabouna, de tanto procurar meus fios de ferro por toda parte, eu reparei numa coisa...

— No quê?

— No alumínio...

— O que é que tem o alumínio?

— Outro dia, indo ao centro da cidade, ouvi um senhor dizer que, sem dúvida, deve haver um modo de fazer dinheiro derretendo ele...

— Fazendo o quê?

— Derretendo. É assim que se fabricam os utensílios de cozinha, como aqueles da sua mãe, por exemplo. E um monte de outras coisas...

— É?

—Você poderia tentar, não?

Por que não, na verdade? Eu ainda não tinha pensado nisso, mas de repente me pareceu uma idéia realmente boa. Boa ou má, de todo modo a idéia se meteu na minha cabeça, e não me largou mais. Como o alumínio é um produto procurado, é só encontrá-lo e depois vendê-lo. Por dinheiro.

Onde encontrar alumínio? Isso eu sei: nas latas de conserva. Onde encontrar latas de conserva? Nas lixeiras, naturalmente. Mas, em Misira, não há lixeiras, pois os detritos são jogados na rua. É preciso, portanto, ir até os bairros dos brancos, mas isso não me assusta. A conclusão se impõe, e logo minha decisão está tomada: encontrei uma profissão. Naquele momento, eu estava longe de imaginar o tempo que iria passar nas lixeiras de Bamako.

★★★★

Olho para a estrada de Koulikoro. Ela se estende diante de mim, ladeada por sebes das quais apontam os telhados inclinados das grandes casas coloniais. No meio de cada sebe, um portão grande e bem fechado. Na frente de cada portão, um ou dois grandes barris de metal, sem tampa. Há os vermelhos, sobre os quais está desenhado um cavalo com asas, e os verdes, marcados com duas letras, as primeiras que aprendi na minha vida: "BP"* Alguns estão deformados e enferrujados, outros são novos...

---

* Cavalo alado da logomarca da Móbil e sigla da British Petroleum, multinacionais do petróleo. (N.T.)

26

Todos quase tão grandes quanto eu. Eis o que será o teatro dos meus dias durante os treze anos que se seguirão.

Com mais ou menos sessenta quilômetros, a estrada leva de Bamako a Koulikoro. Mas o que me interessa são os quatro primeiros quilômetros. Por quê? Porque é a avenida Foch do Mali, o lugar onde vivem todos os ricos profissionais brancos, também chamados de tubabos — brancos, em bambara. Naturalmente, os tubabos têm lixeiras de luxo, lixeiras cheias de latas de conserva.

Toda manhã, portanto, às sete horas, enquanto meus irmãos maiores se preparam para ir à escola e os demais dormem tranqüilamente, eu saio de casa, descalço, com um grande saco de juta nas costas. É preciso andar cerca de dez quilômetros sob o sol para chegar à estrada de Koulikoro, mas isso não me assusta, fui bem treinado em Kita. E a cada vez, tenho esperança de trazer um butim maior que o da véspera. Nenhuma lixeira deve me escapar, quanto mais as vasculhar, mais rico eu ficarei.

Então, durante o dia inteiro eu exploro, persigo sem descanso cada latinha, por menor que seja. Olho em toda parte, nas calçadas, nos bueiros, no meio da rua, em todo lugar. Logo, isso se transforma em uma obsessão. Sonho com isso à noite. Quatro quilômetros a palmilhar na estrada, em comprimento e em largura, e nos dois sentidos, metro após metro.

Depois, quando a noite chega, por volta das seis horas, a volta para casa e seu ritual: despejo o conteúdo do meu saco no vestíbulo, conto e reconto as latas antes de fazer o balanço de minha jornada. Depois, faço minha toalete, recito minha oração e, finalmente, posso ir brincar com meus amigos em frente à casa, como qualquer menino de seis anos.

Sexta-feira é o dia da grande oração para os muçulmanos, mas para mim é também o dia do balanço, o melhor de todos! Nesse dia, eu não trabalho, mas chamo um carroceiro que vem à minha casa buscar a coleta da semana. A bordo de sua parelha, como batedores de transporte de valores, vamos até a cidade, à casa de Adama, um ferreiro que conhece meu pai. É ele quem deve derreter as latas e me pagar em função do peso obtido.

Aquele cheiro de metal derretido... Inesquecível. Rápido, estou impaciente, tenho pressa de saber quanto ganhei. Adama me paga nove francos CFA pelo quilo de latas — em uma época em que cem francos CFA valem cerca de cinqüenta centavos de real —, uma miséria, mesmo no Mali. Mesmo que ele tenha dez vezes a minha idade, não vou me deixar impressionar. Faço uma pequena enquete e descubro que a concorrência pode me oferecer vinte francos CFA por quilo, ou seja, mais que o dobro. Exponho claramente o problema a Adama, que fica estupefato com a audácia desse menino que ainda tem dentes de leite. Ele solta "ohs" e "ahs"!

— Ô, menino, é caro demais!

E eu lhe respondo:

— Ô, grande, é isso ou nada!

E foi assim que, aos seis anos, tornei-me meu próprio patrão, com ganhos de aproximadamente mil e quinhentos francos CFA por mês, ou seja, cerca de cinco reais. Posso até começar a economizar.

Mas, quando a noite chega, volto a ser uma criança. Depois que guardo os sacos e encontro a pequena multidão dos Keita, uma outra vida começa. Encontro os amigos, jogamos futebol, dominó, fazemos piadas com os mais velhos, corremos uns atrás dos outros; em resumo, nos divertimos, como todas as crianças.

Às vezes, os griôs, poetas e músicos vêm nos recitar as lendas de nosso povo. Sentados em círculo, em volta de uma grande fogueira, nós os ouvimos, boquiabertos. É divertido, é vivo, uma bagunça, é assustador.

Outras vezes, grupos de *goumbé* chegam ao bairro. Ouço os músicos se aproximando como um trovão vindo de longe... Logo ao ouvirem as primeiras notas, todos saem de casa e correm para a rua ao seu encontro. E quando, finalmente, eles tomam a pracinha, debaixo da amendoeira centenária, a festa pode começar: os velhos batem palmas, as mulheres começam a servir chá e gengibirra, suco de gengibre, os homens preparam os carneiros, e nós, os pequenos, dançamos até cansar. De fato, mais do que uma catarse, o que acontece é uma verdadeira competição. Vence quem tiver executado as figuras mais originais, ousado o passo mais rápido, balançado melhor as cadeiras, impressionado o maior número de espectadores. Tudo como quem não quer nada, mas não é apenas uma brincadeira, o que está em jogo são as reputações.

★★★★

Logo que cheguei a Bamako, me explicaram quem sou eu e, sobretudo, de onde venho. Descobri, então, que trago comigo um nome prestigioso. Com efeito, o fato de não se comer todos os dias entre os Keita não nos torna menos *masasi*, da raça real. E duplamente.

Primeiro, o lado materno: os Cissé. Nosso ancestral, Bululi Diangoba, era descendente do imperador do Ouagadou, atual Gana. E do lado paterno, os Keita. Seu ilustre ancestral, Soundiata Keita, foi o fundador do império Mandinga, atual Mali, que se estendia do Atlântico ao Níger. Meu país, antes de ser o que é hoje, fez parte de uma sucessão de poderosos impérios, da mesma forma que a Guiné, o Senegal ou a Costa do Marfim. No fim do século XIX, tornou-se parte do Sudão francês. E foi somente em 1960, data da independência, que passou a se chamar Mali. A palavra tem duas traduções possíveis, uma oficial, "lugar onde o rei vive", e uma pitoresca, "hipopótamo", o animal emblemático do país.

Não apenas corre sangue real em minhas veias, mas também tenho parentes de prestígio. Modibo Keita, o primeiro presidente do Mali independente, é primo de meu pai e uma grande figura da história malinesa, como De Gaulle para a França, Kennedy para os Estados Unidos ou Indira Gandhi para a Índia. Deposto por um oficial de alta patente, em 1968, ao fim de um golpe de Estado militar, Modibo será deportado para uma penitenciária para condenados a trabalhos forçados no norte do país, onde o deixarão apodrecer por onze anos antes de assassiná-lo em 1977. Hoje, Modibo Keita é uma lembrança contraditória para o seu povo. Reconhecido por ter desenvolvido a política exterior e industrial do país, é igualmente odiado por ter imposto aos seus uma política pseudo-igualitária digna dos sovietes, com o Estado onipotente como único empregador, única polícia e único organismo de controle.

30

Meu pai me levará várias vezes ao palácio presidencial para visitar Modibo. Chegará a comprar, para a ocasião, um suntuoso bubu verde-oliva com finas riscas brilhantes e sapatos de verniz, meu primeiro par de sapatos.

★★★★

Uma estrada asfaltada, grades altas, uma imensa construção de estilo colonial erguida na colina de Koulouba, no alto da cidade... Saudação dos guardas alinhados. O respeito demonstrado quando meu pai declara sua identidade. Depois, uma vez dentro da propriedade, os jardins luxuriosos com gramados de um verde irreal, os grandes conversíveis americanos de cromados ofuscantes, os pavões, os cisnes, as avestruzes... e também aquele casal de leopardos dormitando em um grande fosso.

Logo depois, o interior do palácio. Um luxo, uma abundância que me saltam aos olhos: os pisos bem encerados, sobre os quais eu, o vasculhador de lixeiras, mal me atrevo a pousar a sola dos sapatos novos, os tetos folheados a ouro, as imensas janelas ornadas com espessas cortinas de veludo carmim, os lustres de cristal em cascata, as nuvens silenciosas de empregados com uniformes tão brancos que quase me ferem os olhos... É simples, eu caí em um outro mundo, em uma outra dimensão: como imaginar que existam coisas tão bonitas em meu país, a apenas meia hora a pé de nossa casa de barro? Estou petrificado, aperto a mão de meu pai, incapaz de falar ou de fixar minha atenção.

Subitamente, a voz do arauto rasga o silêncio. Modibo vai se mostrar a nós. E, então... Surge um personagem lendário, diretamente saído das histórias dos griôs, a beleza e a elegância em estado bruto. O homem exala poder. Nada parece atingi-lo do alto de seus quase dois metros. Ele avança em nossa direção, dentro de um bubu de três peças com dobras perfeitas, ele me causa medo. Olho para seus sapatos, são imensos, nunca vi tão grandes. E, além disso, brilham, brilham tanto! Onde estou?

Meu pai e ele começam a conversar. Meus olhos se arregalam. Observo as mãos de Modibo, também são gigantescas. Seus dedos são como estacas nodosas nas quais estão enfiados anéis, cada um mais dourado que o outro. Suas mãos, justamente, lembro-me muito bem de seu contato em minha cabeça.

Estou orgulhoso de ser parente de um presidente? Sim, mas, na verdade, não acredito muito. Todo esse fasto, isso não é a minha vida. E esse Modibo, não o acho nada melhor do que meu avô Cissé. Disso eu tenho certeza. A única coisa que me faria mudar de opinião seria se ele pudesse curar Boli. Mas também não acredito nisso. Só acredito nas lixeiras. E sei que preciso ser rápido. *Ala ka Kénéya di*: que Alá lhe dê saúde! Eis por que a nobreza de minhas raízes sempre me deixou bastante indiferente.

★★★★

Vou fazer oito anos, daqui a pouco faz três anos que estou trabalhando. Os negócios andam bastante bem, pois ganho dinheiro suficiente para comprar remédios para Boli. Mas estou começando a sentir dores por todo o corpo. Vasculhar lixeiras é uma verdadeira ginástica, sempre dobrado em dois a carregar os sacos. E também tem as latas que me cortam profundamente os dedos, as mãos... tudo isso por alguns tostões. E, no entanto, sinto-me capaz de visar mais alto. Começo, portanto, a pensar — tenho tempo de sobra, na estrada de Koulikoro. E, um dia, encontro a resposta. No fundo das lixeiras, naturalmente, pois é ali que passo a maior parte de meu tempo.

    Qual é o objeto sólido que mais se encontra no lixo, além da lata de conserva? A garrafa de vidro. Ora, o vidro é um material mais pesado que o alumínio. Tenho um estalo. Depois de trocar duas palavras com Baba, como sempre meu conselheiro comercial, levo meus pés descalços até o Lido, o maior restaurante de Bamako. Direto ao ponto. Ou você é ambicioso ou não é. Transponho a porta de um imenso entreposto... À minha frente, montanhas de tonéis de cerveja, engradados, e grandes cubas luzindo na penumbra.

    O dono fica tão surpreso ao ver uma criança de Misira vir lhe falar de negócios que esquece de me mandar passear. E até me escuta... Com consideração. Garrafas de vidro? Por que não? Ele pensa, coça a cabeça e me oferece, com um sorriso animador, cinqüenta centavos por garrafa. De bate-pronto, peço oitenta. Eu não esqueci a minha triste experiência com Adama, o ferreiro. O patrão recusa, franze as sobrancelhas, discutimos, negociamos e, finalmente, chegamos a um acordo: setenta centavos por garrafa. Fechado! E, como no caso das latas, consigo que acertemos todas as sextas-feiras à noite, o que me permitirá agrupar meus dois turnos e, portanto, pagar apenas uma corrida ao carroceiro.

    E foi assim que minha pequena carcaça se viu incumbida de carregar não mais um saco por noite, mas dois, e às vezes três, quando os negócios vão bem. Valia a pena: meus ganhos iriam triplicar! Em alguns meses, chego a ganhar cinco mil francos CFA, o que é mais ou menos igual ao salário médio, e tudo isso com oito anos!

Como administrar essa fortuna? Boli será minha tesoureira. Durante todos os meus anos de rua, até os dezoito anos, ela cuidará de minhas economias. Toda sexta-feira à noite, eu lhe confio minhas preciosas notas, ela as coloca em uma bolsinha de couro que nunca sai de seu pescoço. É o nosso segredo, meu e dela; nunca ninguém saberá o que contém aquele estranho pingente que dança por cima de seu bubu. Naturalmente, todos da casa sabem de minhas atividades. Meus pais não me fazem muitas perguntas, mas sei que se sentem muito orgulhosos de mim. E, sem dúvida, também reconhecidos, mesmo que, por pudor, nunca falemos do assunto. O fato é que, graças a alguns francos que lhe dou, minha mãe agora pode comprar açúcar, carne ou ainda legumes para alimentar toda a família. E papai pode ir a Dacar mais freqüentemente para trabalhar, sem falar de meus irmãos mais velhos, que agora têm lápis e borrachas; enfim, equipados para a escola.

❈ BRANCOS ❈

Estou com doze anos, idade de meu primeiro tubabo! Meus amigos e eu brincamos em frente de casa, como de costume, quando um pequeno grupo de brancos vem em nossa direção. No bairro, isso é raro. Eles usam uniforme. Um jovem robusto de olhar sorridente vem até nós e, falando um bambara muito correto, nos pergunta se queremos ver um espetáculo. Surpresa, silêncio e aquiescências. Esse branco se chama Patrick, Patrick Lasselin. Nome que nunca mais esquecerei. Ele e os outros são *gobis*. É assim que, no Mali, são chamados os jovens franceses que prestam o serviço militar em Bamako.

Depois de instalar um projetor, os gobis se escondem atrás de um grande lençol branco estendido na frente da casa. Nossos olhos se arregalam: diante de nós, dezenas de personagens se animam no lençol, uma pequena multidão que conta histórias com vozes engraçadas. Ficamos boquiabertos. Já tínhamos ouvido dizer que os tubabos tinham poderes, mas ali estava a prova: são verdadeiros mágicos!

Eu sempre tenho necessidade de entender. Gosto das histórias, porém, mais ainda do porquê das histórias. Aí tem truque, é claro. Então, assim que a sessão acaba, eu me levanto, me aproximo do jovem robusto e lhe pergunto como funciona. Os outros ainda não se recobraram. Estou sozinho diante dele, e não sinto medo. Ele, por sua vez, acha normal. E me explica, sorrindo: as sombras são das figuras em papel recortado que os gobis movimentam, simulando as vozes.

Para ser sincero, eu desconfiava. Estou menos curioso com o lençol e as sombras do que com o próprio tubabo. É o primeiro que vejo de tão perto, e, fingindo estar interessado no objeto mágico, na verdade, estou mais interessado no que ele tem na cabeça. Afinal, Patrick ficará quase uma hora conversando comigo. E quanto mais ele fala, mais o círculo de amigos vai se fechando à nossa volta. O que fiz é tão ousado... Quase consigo ouvir o ruído dos seus pensamentos: "Então, é possível conversar com um branco? É possível um branco que conversa com um negro?"

Mais inacreditável ainda, levo-o até minha casa. Patrick está encantado. Mas a cara que minha mãe fez! E a das crianças! Hoje, sempre que volto ao bairro, alguém ainda me lembra do dia em que eu falei como um homem com o tubabo de uniforme, aquele que entrou na casa dos Keita para tomar gengibirra!

Devo confessar, os brancos me fascinam. Não só por causa de suas lixeiras. Mas, principalmente, por causa do que existe *por trás* das lixeiras. Pois, de tanto percorrer suas casas, na estrada de Koulikoro, aprendi bastante coisa sobre os tubabos. E coisas estranhas...

★★★★

Estou assim, com o nariz enfiado em uma grande lixeira, pegando lá no fundo uma garrafa de *bourbon*, quando ouço uma voz falando em uma língua que não entendo — nessa época, só sei falar em bambara. É uma voz de mulher que vem do outro lado da cerca. Sou tomado por minha maldita curiosidade. Levanto-me, passo o queixo por cima das tábuas. E, então, vejo uma mulher, é verdade, magra, sem nenhuma forma redonda, toda ossos e pernas... e branca! Ou melhor, com uma estranha cor acobreada, como se tivesse sido cozida pelo Sol. Está deitada sobre uma espreguiçadeira ao lado de uma piscina. Horror! Nada sobre o corpo! Enfim, quase nada; em todo caso, nada que mereça o nome de roupa, apenas dois pedaços de tecido elástico. Estou chocado, apavorado, tanto que acabo caindo e saio correndo a toda velocidade pela estrada de Koulikoro até a minha casa!

O branco é a inteligência, mas também a saúde. Eles não conhecem a doença. A prova é que nunca vejo brancos cegos, nem brancos sem mãos ou braços, nem brancos leprosos, tampouco brancos que tossem como Boli. Os brancos são também, e principalmente, o dinheiro. Os jipes, as grandes motos, as piscinas, os sapatos de couro. E, além disso, os brancos são o poder; aliás, os policiais lhes obedecem, os soldados também.

Não muito longe de Misira, no bairro das escolas, há quadras de tênis, e, na frente das quadras, há soldados vestidos de cáqui montados a cavalo. Há também as bolas que passam por cima das grades, e garotos negros que adoram bolas, como todos os garotos. Mas, se um deles se aproxima para jogar de volta uma que tenha caído a seu lado, os cavalos se lançam sobre ele a galope. Proibido se aproximar! E os brancos vestidos de branco olham, sem se mexer, os cavalos que atacam os garotos negros que fogem.

Aos domingos, às vezes jogamos futebol com eles. De um lado, a equipe Bata, nome que vem da marca de sapatos patrocinadora das competições. Um time todo branco, de meias três-quartos, conjunto de shorts e camisetas, chuteiras. De outro, um time todo negro, sem nada, além dos calções. Nada de camisetas, e muito menos de calçados. Escore: três a um para nós. Devem ser aquelas roupas que os atrapalham, pois a equipe Bata não conseguiu nos vencer nenhuma vez.
Os brancos, às vezes, fazem rir e, às vezes, dão medo, mas sempre intrigam. A cada vez que os observo, as mesmas perguntas ficam indo e vindo na minha cabeça: como será que eles fazem? Será que, um dia, conseguirei ser como eles?

★★★★

Minha profissão é uma aventura. Daquelas que podem matar. Das duas ameaças que me espreitam, não sei qual me apavora mais: os loucos ou os tufões?
Primeiro, os loucos. As únicas coisas que esses homens, que já deixaram de sê-lo há muito tempo, conheceram da vida foram a rua, a fome, a doença, a violência. Toda essa miséria os deixou loucos, realmente loucos. E perigosos. Tão incontrolados quanto incontroláveis. Há um que diz se chamar "Bayard", outro, "Clemenceau de France". Eu me pergunto por quê, mas em todo caso eles são menos engraçados do que seus nomes.

Não se passa um mês sem que se encontre uma vítima, um cadáver estripado jogado em uma caçamba de lixo... E eu, que fiz do campo de caça deles meu local de trabalho, sou um concorrente. No entanto, nada faço além de juntar as latas e as garrafas, mas isso está fora do alcance da inteligência deles, pois as lixeiras são sua única fonte de alimento. Assim, eles me espreitam, têm raiva de mim...

Estou com o nariz enfiado em uma lixeira, como de costume. No momento em que estou saindo de lá com uma lata de leite, que logo jogo dentro do meu saco, surge diante de mim um gigante seminu, de olhos vermelhos. É Bayard. O horrível.

"Vou te matar!", ele urra. "Vou te matar!"

Meu coração bate forte, pois sei o que ele está pensando, mas não quero deixar meu saco cair, o dinheiro de minha jornada. Então, corro, corro tanto quanto minhas pequenas pernas permitem.

Ainda sinto um frio na espinha só de pensar nisso. Eu estava diante de um verdadeiro animal selvagem, disposto a tudo para sobreviver... E, na época, diziam que eles comiam carne humana.

Depois, os tufões.

Eles chegam, trazidos pelas tempestades. Tempestades tropicais inimagináveis. À tarde, uma cor de nanquim sobe do horizonte e invade o céu. Depois, o temporal enche o espaço com um estrondo que golpeia minha cabeça, como que vindo de todos os pontos do horizonte ao mesmo tempo, e um pé d'água desaba sobre a terra. É um fim de mundo que se repete a cada vez: árvores arrancadas, paredes inteiras que desabam. Inchadas em poucos minutos pela torrente de lama e água, as valas se transformam em rios que varrem a estrada, carregam tudo — as carriolas, as bicicletas, as crianças pequenas —, se houver alguma passando por ali... Seus corpos são encontrados depois que a tempestade passa, endurecidos pela terra seca.

Quando vejo o tufão chegar, estou longe demais de casa para voltar e me refugiar, como todo mundo. Com os sacos nos ombros, continuo a inspecionar minhas lixeiras preferidas sem olhar muito à minha volta. A coleta está boa, preciso aproveitar. Mas, de repente, sinto o chão me faltando, meus pés levados por uma onda que parece ter surgido da terra! Não sei nadar, mas não quero largar meus sacos. Assim, em um segundo, vejo-me no meio de uma torrente que corre ao longo da estrada de Koulikoro, uma água cinza, negra, cheia de objetos que roçam as minhas pernas, que batem na minha cabeça. Logo sinto que ela está entrando em mim por todos os lados, nas orelhas, na boca. Cuspo e vejo o céu, as árvores passando acima da minha cabeça, que mantenho como posso fora d'água. O cheiro é de podridão e de floresta ao mesmo tempo. Não tenho a menor noção do tempo que transcorre, uma eternidade... Depois, finalmente, minha mão livre toca um arbusto bem preso no barranco. Terminou a viagem. Agarro-me como posso, meus pés encontram o chão, e finalmente consigo lutar contra a correnteza. E me vejo agachado na beira da torrente, com as mãos feridas, tossindo e cuspindo.

40

De volta à minha casa, descubro que meu pesadelo não foi nada perto do de Boli. Todo mundo está lá para me acolher, os irmãos e irmãs, mortos de preocupação. Mas por que Boli não está com eles? Suando frio e com as pernas trêmulas, vou até seu quarto e encontro-a sentada em sua cama de bambu. Ela não me olha direito, esforçando-se para fazer uma cara zangada, mas percebo que suas mãos estão tremendo. Quando finalmente se volta para mim, leio em seus olhos sinais de um medo que ela mal consegue disfarçar.

— Procurei você por toda parte. Corri, corri e não te achei!

Ela fala com a garganta apertada, e, de repente, me dou conta de que ela pensou que eu tivesse morrido. Ajoelho-me ao seu lado, o sorriso volta ao seu rosto, misturado com lágrimas longamente contidas. Ela parece tão frágil. Em seus dedos que acariciam desajeitadamente meus cabelos ainda molhados, percebo um alívio doloroso.

Entretanto, jamais abrirei mão de minhas caçadas pela estrada de Koulikoro. Mesmo durante os tufões... Então, quando vejo uma vala enchendo, quando sinto meus pés levados pela lama, rapidamente procuro alguma coisa em que me agarrar e que me salvará. Pelo menos quatro vezes fiz papel de rã nas torrentes de lama. Mas nem por isso aprendi a nadar.

****

Os negócios vão mal. Não sei por que, mas há cada vez menos latas nas lixeiras da estrada de Koulikoro. O momento é grave, ainda mais porque, agora, a família se habituou a ver o dinheiro entrar e porque Boli não pode mais ficar sem suas nozes de *zéguènè* nem sem os medicamentos dos brancos. Se eu não fizer nada, ficarei pobre novamente, e isso eu não quero.

É chegada a hora de atacar o centro da cidade.

Nós o chamamos de bairro das livrarias, mas o lugar é bem menos cultural do que se poderia imaginar. Na verdade, uma livraria é um local onde os brancos vão bebericar seu aperitivo lendo os jornais — suas lixeiras são, conseqüentemente, bem fornidas de garrafas. As três grandes livrarias são La Gauloise, Le Berry e Le Chantilly... Comecemos por La Gauloise. Olho para a vitrine comprida, a varanda em cerâmica, a pérgula onde estão instaladas as mesas e cadeiras, as revistas expostas e o nome escrito em bonitas letras vermelhas que piscam à noite. Digo a mim mesmo que estou muito longe de Kita.

Ainda mais longe porque não entendo nada. Eu falo bambara, não francês. E, no centro da cidade, tudo é escrito em francês, todo mundo fala francês. Então, olho para os brancos furtivamente enquanto visito as latas de lixo da Gauloise. Estão a dois metros de mim, e, no entanto, há como que uma parede invisível entre mim e eles. Eles não me vêem, acho que não vêem nem a lixeira em que acabaram de jogar o jornal que terminaram de ler. As mulheres, principalmente, são diferentes. Têm cabelos finos, sedosos, os lábios desenhados, saias apertadas na altura dos joelhos, a pele quase tão clara quanto a coalhada que tomo todas as manhãs. Suas unhas são pintadas, e elas põem na boca cigarros finos de papel branco; usam sapatos que parecem incapazes de sustentá-las, encarapitadas em coisas pontudas que se enfiam na terra.

42

Semana após semana, os negócios vão melhorando. Logo, tornam-se florescentes. Está na hora de mostrar minha prosperidade, anunciar ao bairro que sou um menino promissor, um homem de negócios em franca ascensão. Vou comprar roupas para mim. Não aquelas de qualidade duvidosa, de liquidação, não um short daquele brim cáqui costurado pelo alfaiate, não: roupas novas compradas em uma loja de modas, uma calça, uma camisa, um cinto e um par de sandálias vermelhas. São tão bonitas que suspendo as pernas da calça para que se vejam melhor. Ando olhando para baixo, estou apaixonado por minhas sandálias. E, para coroar, presenteio-me com um par de óculos escuros. Incomodam-me mais do que o próprio sol, mas faço muita questão de usá-los. É preciso parecer rico. Todos sabem disso, dinheiro chama dinheiro. Então, para que todos vejam que os comprei novos, não tiro a etiqueta e deixo-a bem à mostra.

Não ria, funcionou! Agora falam comigo como se eu fosse um senhor. Os donos dos estabelecimentos me dirigem a palavra, e eu começo a entender algumas palavras, de tanto ouvir o francês. E logo obtenho autorização para ir direto às cozinhas, pegar as garrafas na fonte, sem passar pelas lixeiras.

Entrar nas livrarias é um grande passo superado. Eu podia ver os tubabos, agora sinto o cheiro deles: o cigarro das mulheres, o charuto dos homens, o couro das poltronas, as águas-de-colônia, o chocolate, o café, o licor... Tenho vertigem. A vertigem do Ocidente.

É nessa época que me vem a vontade de partir. De ver como as coisas se passam lá, do outro lado do mar. Não digo nada a ninguém, o desejo é confuso demais. Sei apenas que irei à França, que voltarei com muito dinheiro e comprarei uma casa para Boli, uma casa sem poeira, com janelas grandes, uma cama de verdade, afastada do chão, na qual ela poderá respirar livremente... Tenho certeza de que sou capaz. Alá e Boli me protegerão.

❁ A PORTA DA ESCOLA ❁

Novo sonho, novo encontro. Sr. Roger, o dono da Gauloise, um homem de aproximadamente 50 anos e com um coração do tamanho do mundo. Ele será o primeiro a me dirigir a palavra e o primeiro a me abrir as portas de sua livraria. Sempre parece estar brincando, mas eu compreendo seu humor. Os conselhos que me dá são conselhos de pai, principalmente este, o mais precioso:

— Por que você não vai à Aliança Francesa? Lá eles te ensinarão francês. Não precisa pagar...

Nem ao menos sei o que é a Aliança Francesa, mas essas palavras são inesquecíveis para quem sonha, com o nariz enfiado nas lixeiras, em um dia ir à França ganhar muito dinheiro. "Aprender francês... Não precisa pagar..." Será que o sr. Roger tem idéia do pequeno grão que acaba de semear?

E aqui estou eu, transpondo o pórtico de um grande prédio colonial. Um gesto que irá se repetir quase todas as noites durante três anos. Um gesto que me abre uma porta tão grande e tão alta que mesmo eu, que não recuo diante de nenhum sonho, não imaginei suas dimensões: a porta da escola.

Aos quinze anos, sou o mais velho da turma, 30 alunos, acho. E o único que ganha a vida trabalhando. É lógico que percebo que não sou como os outros, mas isso não me paralisa. Tenho um caderno, alguns lápis, sou um *aluno*!
No começo, ensinam-nos a ler e a escrever foneticamente. Mostram-me o desenho de uma chave e eu escrevo *xave, x-a-v-e-*. Nosso professor também mostra imagens a todos os alunos, e dizemos em bambara o que estamos vendo, depois ele escreve a palavra no quadro e a tradução em francês, antes de nos fazer repeti-la e de nos ensinar a escrevê-la. Logo me torno capaz de desenhar as letras em meu caderno, depois as palavras que fazem surgir objetos, animais, histórias. À minha volta, há crianças que se irritam por ter que alinhar frases estúpidas, como "O hipopótamo é forte". Mas eu acho realmente esse animal forte. Foi graças à sra. Lucas e ao sr. Poirier, da Aliança Francesa, que aprendi a domar os hipopótamos.

Meu irmão mais velho, Madou, fica abismado. Ele freqüentou a escola, mas ignora o que eu estou maquinando todas as noites no prédio da Aliança Francesa.
— Quem fez isso, menino? — ele me pergunta, quando vê o caderno que acabo de colocar sobre a esteira.
— Eu.
— Como assim, você? Não diga bobagens. De onde você tirou isso?
— Madou, garanto que fui eu.
—Você? Não é possível. Quem te ensinou a escrever?

46

Madou acredita tão pouco em mim que sou obrigado a provar, escrevendo novamente as palavras na frente dele. Ele faz uma cara... O silêncio que percorre o círculo de irmãos e irmãs... O sorriso que ilumina o rosto de Boli... Muito melhor do que ter um tio-avô presidente.

E a cada vez que pego a estrada para a Aliança Francesa, quando sinto o cansaço me tomar e vejo as lixeiras dançando diante de meus olhos, volto a pensar no "não é possível!" de Madou. Então, ergo os ombros e volto a caminhar em direção ao meu robusto hipopótamo.

A Aliança não me ensina apenas a ler e a escrever. Ela me apresenta a França. Enfim... uma certa idéia da França. A das atualidades cinematográficas que os professores passam para nós na tela dobrável, com um projetor que ronrona no fundo da sala. Uma musiquinha alegre, Jean Mineur e sua picareta, os anúncios de caramelos La Pie qui Chante, do sabonete Bébé Cadum e dos xampus Dop.

E lá está o general De Gaulle com seus grandes braços, suas grandes frases, uma espécie de tio Modibo ao molho tubabo. Freqüentemente, também, vemos André Malraux. A cada vez eu me pergunto por que os franceses têm um louco como ministro. Nem Bayard e Clemenceau têm tantos tiques no rosto. E aquelas frases que não acabam nunca, aquela boca cheia de papa de milhete!

Ouço nomes que soam como uma canção: a sala das Quatro Colunas, a Assembléia Nacional, Pigalle, os Champs-Élysées, Mademoiselle Chanel, Grace de Mônaco, Catherine Deneuve, a menina Piaf, Eddy Merckx, "o canibal"... Assim, de sessão em sessão, na tela, uma França se constrói em minha cabeça, um país onde todo mundo usa roupas limpas e de bom caimento.

Depois da época das atualidades projetadas na Aliança vem a do cinema, o verdadeiro. Vou ao Hilal, não muito longe das livrarias. É um pequeno cinema de bairro para os malineses — aqueles que podem pagar —, com bancos de cimento... mas sem teto. Ao entrarmos nele, nunca temos certeza de que veremos o fim do filme. Ficamos ao bel-prazer do céu, que, como se sabe, tem temperamento caprichoso. Trinta e cinco anos depois, nada mudou: o Hilal continua sem teto...

O outro cinema da cidade é o Vox, no bairro das embaixadas. Este é reservado aos brancos. Não que seja proibido aos negros, mas simplesmente não nos ocorre a idéia de ir até lá. É como o tênis... É claro que no Vox tem teto, cadeiras e uma variedade maior de filmes.

Muitas vezes levo comigo dois ou três amigos e pago seus ingressos. Eles ficam contentes, claro, mas como só falam bambara, não entendem nada do que acontece no filme... Então, eles riem quando todo mundo ri, ou fazem cara de medo quando seus vizinhos prendem o fôlego.

Meu primeiro filme será *Cais das brumas*, com Michèle Morgan e Jean Gabin. Depois, os filmes de capa e espada com Jean Marais, como *O capitão*. E também os westerns, como *O trem apitará três vezes*.

Adoro os westerns, os cenários grandiosos, a ação, as diligências, os índios, e depois os brancos em cima de seus belos cavalos que sempre ganham no final. Um pouco como a nossa polícia montada, em Bamako, que patrulha as ruas. A única diferença é que nossos cavaleiros nada têm de heróico e não se chamam Burt ou Kirk, mas Robert ou Marcel... Vamos ver também os filmes importados de Bombaim, com sáris dourados, as jovens heroínas românticas de olhos maquiados, danças e cantos em profusão. Só não sei que são filmes indianos, pois todas as projeções são dubladas em francês. Monument Valley, Ménilmontant ou Taj Mahal... para mim tudo é França, sem distinção. E a França é Paris, naturalmente. Que choque, a primeira vez. As grandes lojas, as fachadas de pedra, os gramados bem desenhados... E também aqueles bulevares imensos e tão limpos. E aquelas luzes que se acendem logo que a noite começa a cair. É possível enxergar como durante o dia, e isso é, realmente, um sinal de riqueza. Há também os automóveis, os conversíveis, o ronco dos motores, e igualmente as roupas, os chapéus, tudo que faz com que as mulheres sejam tão bonitas!

E, aos quinze anos, é impossível ignorar as mulheres.

Não me lembro mais do nome do filme... mas me lembro de uma estrada reta no interior da França, árvores delicadamente alinhadas, campos tão vastos que tocavam o horizonte, flores na relva, a brisa no meio das flores. Quase como se a tela cheirasse a primavera. Na estrada, há uma bicicleta nova, e na bicicleta, uma mocinha. De repente, o vento de abril levanta, apenas, um pedacinho de sua saia, e vejo um pouco de pele, na coxa... Está fresco na sala de projeção, mas eu estou em brasa.

Por essa época, penso com freqüência em Michèle Morgan. Em seus olhos, tão claros que a fazem parecer doente, em seus cabelos tão lisos que ela parece estar usando um boné de metal brilhante... Seu rosto se inclina, seus lábios roçam os lábios de um homem, ali, na nossa frente, nós, meninos alinhados nos bancos de cimento do Hilal. Ela não se dá conta do que está fazendo conosco, essa heroína impudica! E dizer que em nossas casas os pais nunca se deitam antes que as crianças tenham adormecido...

Essas pessoas que se beijam na frente de todo mundo têm um ar tão feliz! Tudo é tão mais simples entre eles... Parecem nunca se perguntar o que darão a seus filhos para comer à noite. Aliás, eles andam com as mãos nos bolsos do casaco. E quanto a isso não há dúvida: é preciso ter vencido na vida para se permitir esse gesto. Na verdade, eles andam com as mãos nos bolsos porque têm frio, simplesmente, mas eu ainda não sei disso. Assim como não sei como eles fazem para soltar fumaça pela boca, mesmo quando não têm cigarros. Como Michèle Morgan em *Cais das brumas*. Tento imitá-los, mas não dá certo. Como eu poderia entender tudo isso se não sei nem mesmo o que significa a palavra "inverno"? Essas pessoas, em compensação, parecem não nos conhecer, nós, negros. Nunca vemos negros nos filmes. Não quero pensar demais sobre isso, pois a imagem não é a de um sonho, mas, antes, de um pesadelo: vejo-me só, um pontinho negro no meio de casas brancas, mulheres brancas, multidões brancas...

✼ DO OUTRO LADO DO MAR ✼

— Tenho que mandar um documento para um cliente. Você pode fazer isso pra mim?

O sr. Roger não se cansa de me ajudar. Ele acaba de me arranjar mais um ofício. Trabalho como entregador para ele. Com isso, além das latas e das garrafas, ganho quinze mil francos CFA por mês, três vezes o salário médio. Em resumo, sou um homem rico. E, além disso, tenho um novo nome.

Quem me batizou foi o chofer de táxi. Todos os dias cruzo com ele, eu com meus grandes sacos nas costas, ele atrás de seu volante. Ele e eu varejamos os mesmos bairros, aqueles onde estão as melhores garrafas e também os melhores clientes. Cumprimentamo-nos, pedimos um ao outro notícias dos negócios. Um dia em que precisei dar uns murros em uns malandros, uns meninos safados maiores do que eu que pensaram que eu os deixaria me depenar sem me defender, ele me interpelou:

— Ei, Capone, quer um café com leite? Eu te convido!

Ele não deve saber exatamente quem é Al Capone, e eu muito menos. Mas tanto para ele quanto para mim, Capone é um tipo que sabe se fazer respeitar. Então, respondo-lhe com um grande sorriso de satisfação, e vamos festejar meu batismo em um pé-sujo da esquina.

Naquele dia, passei a ser Capone.

Não sou o único que tem um apelido, longe disso. Tenho um amigo que todos chamam de Johnny Halliday. Naturalmente, ele chama sua namorada de Sylvie. Conheço também uma menina que se apresenta como Jeanne Moreau, e uma outra como Mireille Mathieu. Mais tarde, encontrarei um cara que adotou Guy George,* sem saber, é claro, como o titular do nome chegou às manchetes dos jornais. É tudo uma questão de música, muito mais que de sentido, e uma maneira de ampliar o universo. É por isso que continuarei Capone, para o bem e para o mal.

O trabalho de mensageiro me leva a um novo bairro de Bamako, o bairro das embaixadas. China, Líbano, Polônia, Bélgica, Suíça, Alemanha... Nenhuma escapa ao meu olho curioso, mas apenas uma mudará o curso de minha história: a dos Estados Unidos.

De tanto ir lá, todos os dias, ou quase, por causa dos clientes do sr. Roger, acabei ficando conhecido. Um homem importante reparou em mim, o sr. Straubas, adido cultural encarregado de promover a imagem dos Estados Unidos entre os malineses. Como o sr. Roger, é um homem encantador. Digo a mim mesmo que ele gostou de mim, eu sinto e tenho orgulho disso. Nada melhor para me fazer soltar a língua.

---

* Assassino em série que agiu entre 1976 e 1997, e ficou conhecido como a Fera da Bastilha e o Matador do Leste de Paris. (N.T.).

Então, faço mil perguntas sobre seu país. Ele me responde com prazer. Como seu francês é excelente, nem me dou conta de que sua língua materna é diferente. De conversa em conversa, acabamos simpatizando um com o outro. Tanto que, um dia, ele me abre uma nova porta. A porta de sua imensa sala de projeções... A América me acertou em cheio.

Os filmes que verei nada têm em comum com aqueles do Hilal ou da Aliança Francesa. São documentários dedicados aos *superstars* do esporte e da música, eu fico zonzo. Vejo carros duas vezes mais compridos do que os carros franceses, prédios cinco vezes mais altos que os de Paris, e atrizes com seios enormes! Nem vou falar desse assunto. Na América, os hipopótamos são realmente muito fortes.

Melhor ainda, há negros por toda parte... Nas ruas, nas quadras de esportes, no palco. Negros que cantam, aclamados por multidões brancas em delírio, que andam nas ruas de braços dados com garotas louras. Negros que sobem aos pódios e recebem medalhas entregues por mãos brancas. O pesadelo se afasta, esqueço a imagem do pontinho negro na multidão branca. Se eu for aos Estados Unidos, serei como todo mundo... Aliás, já me vejo recebendo uma medalha no alto de um pódio ou dando autógrafos para garotas de vestidos vaporosos.

Observei, sim, que lá as pessoas falam um dialeto que não é o francês, provavelmente um tipo de bambara local, mas como os documentários são legendados em francês, não tenho grande dificuldade em entender o que dizem. Não vejo de modo algum por que eu deveria aprender aquele dialeto, já que todos os meus interlocutores americanos da embaixada me entendem perfeitamente... e sem legendas. Eu falo francês, eles falam francês, fala-se francês nos filmes, e pronto! Quanto ao sr. Straubas, ele não me desencoraja. Ao contrário. Ele acha que é uma boa idéia querer ir até lá. A América não é o país de todos os sonhos, onde qualquer imigrante, por mais humilde que seja, pode ficar milionário? Em todo caso é o que ele me diz, esquecendo-se de me falar de alguns detalhes que só mais tarde perceberei. O meu sonho americano, devo confessá-lo, ainda é bastante vago. E o sr. Straubas cuida para que eu não mude de idéia.

Um dia, passei na embaixada da China antes de ir à dos Estados Unidos. Pessoas sóbrias, que dizem apenas "bom-dia", "é para o senhor" ou "tenha um bom-dia", mas que também gostam de mim. Pelo menos eu acho, pois o guarda que monta sentinela no portão me deu um presente.

De volta à embaixada dos americanos, como o sr. Straubas não está, alguém me diz para esperá-lo na sala de projeção. Para passar o tempo, tiro o presente do guarda chinês da bolsa e abro. É um livro em francês. Gosto especialmente da capa e do formato pequeno.

Nunca consegui terminá-lo.

— O que é isso?

O sorriso do sr. Straubas imediatamente se crispou. Nunca o vi daquele jeito... Ele fica quase tão vermelho quanto a capa do meu livro.

— Quem lhe deu isso?

Não tive nem tempo de lhe responder. Ele me arranca das mãos o presente e começa a rasgar todas as páginas, uma a uma, vociferando no dialeto de seus filmes.

—Você não deve ler isso!

— Mas...

—Você sabe quem são eles?

— ...

— Sabe o que eles fizeram?

Ele está falando em francês, mas não entendo nada do que diz. *Quem são eles? O que eles fizeram?* Mas quem são "eles"? O fato é que, por tê-lo visto enfurecido, nunca mais verei o sr. Straubas com os mesmos olhos. Mais tarde, virei a entender que a Guerra Fria não havia terminado, que a Guerra do Vietnã estava em seu auge, que os adidos culturais não são escolhidos entre os esquerdistas... Mas, nesse dia, não tenho a menor noção dessas coisas. Nem ao menos conheço o nome de Mao Tse-tung. Sou apenas um menino do Mali, muito longe de Washington e de Moscou, e sonho.

Não paro de sonhar, aliás. Cada vez mais, para ser exato. E, nesse momento, meu sonho tem um destino: o Harlem. Primeiro porque no Harlem há muitos negros, e também porque lá estão os Harlem Globetrotters. O basquete eu conheço bem. Com meus amigos, há muito tempo nós jogamos na terra batida, assim, só para passar o tempo, mesmo sem cesta, com um simples aro recoberto e pregado em uma prancha fixada na parede. Mas entre os nossos passes e os daqueles caras na tela há um mundo. A bola dos Globetrotters é mágica, ela dança, gira, viravolteia como um pássaro. É claro que, à noite, em Misira, a gente se esforça para reproduzir os arremessos de meio-de-campo, os arremessos de costas, e todo o resto. "Se esforçar" é a expressão exata.

Vendo os filmes, constato, em todo caso, que os negros passam o tempo todo vendo os campeonatos de basquete e de boxe, ouvindo concertos, comprando roupas que fazem as dos franceses parecerem do século passado. A América é tão mais sexy do que a França! Burburinho, movimento, heróis negros de ombros atléticos, garotas de rabos-de-cavalo que pulam e gritam em volta das quadras de esporte... E, além disso, lá tem cor, toneladas de cores! Os documentários da embaixada americana são todos em cores, ao passo que os da Aliança Francesa são todos em preto-e-branco. Românticos, é verdade, mas somente em branco e preto. Em branco, sobretudo. Em resumo, tenho mil e uma razões para achar que o Harlem é um lugar onde eu me sentirei como um peixe na água. A França é legal, Paris é formidável, mas o Harlem é Eldorado. Em resumo, a América é a França... só que melhor!

Enquanto espero, preciso economizar para comprar a passagem. Então, quando saio da embaixada, volto para casa, para dormir tranqüilamente até as seis horas do dia seguinte. Às sete, pego a estrada de Koulikoro para a coleta das latas. Às treze, estou de volta a casa. Deixo meu butim no vestíbulo, engulo rapidamente uma bolacha de milhete, dou um beijo em Boli, rezo e lá vou eu, rumo às livrarias do centro da cidade, para catar minhas garrafas. Às dezessete horas, estou na Gauloise. O sr. Roger me paga um crush e depois me passa os documentos a serem entregues nas embaixadas. O percurso leva aproximadamente uma hora e meia. Logo que termino, corro para a Aliança para tentar pegar uma aula. Depois disso, se ainda tiver tempo, mas principalmente energia, a recompensa: corro para a sala de projeção da embaixada americana para encher os olhos!

Nunca volto para casa antes das nove da noite. Quase sempre a família já jantou. Delicadamente, descarrego meus sacos no vestíbulo, faço uma pequena toalete antes de ir ver Boli em seu quarto. Nunca bato em sua porta sem sentir uma pontadinha no coração, principalmente quando ela demora a responder. Sento-me ao seu lado na esteira em que está deitada e conto-lhe como foi meu dia. Ela adora me ouvir. Principalmente desde que passei a lhe contar os filmes que vi. Em toda a sua vida, Boli nunca foi ao cinema. Então, o cinema sou eu. Represento as cenas para ela, com os gestos, a sonoplastia, as vozes. Ela arregala os olhos como uma menininha na platéia, sempre pede mais, mesmo as histórias que já lhe contei mil vezes! Ela ri, às vezes tanto que começa a tossir, a sufocar. É como se uma mão invisível lhe apertasse a garganta, e então tenho que parar para acalmá-la. E sinto o mesmo medo que me acordava à noite, em Kita.

Depois de beijar Boli uma última vez, faço minha oração da noite e, finalmente, vou me deitar. Divido um quarto com seis de meus irmãos e irmãs, mas todos já estão dormindo há tempos quando me deito.

É a minha hora secreta. Acendo uma pequena lanterna de bolso e abro a primeira revista, uma das fotonovelas que catei nas lixeiras dos brancos. *Intimidade, Nós dois...* As fotos estão rasgadas e sujas, mas eu as saboreio. Finalmente estou a sós com elas... todas aquelas mulheres de saias justas e salto alto. Ninguém para me flagrar examinando-as em todos os sentidos. Todas aquelas mulheres lânguidas, de curvas generosas e em poses lascivas, aqueles homens tão viris, os beijos tórridos, os enlaces selvagens, as palavras licenciosas... Tudo isso me excita demais! Decididamente, os brancos não são nada pudicos. É como se entre eles tudo pudesse ser dito, tudo pudesse ser mostrado. Bom augúrio para minha futura viagem...

Toda noite, as imagens fervilham em minha cabeça e eu me sinto em ebulição; eu queria tanto estar no lugar de John, Peter ou Marc, aqueles tubabos ricos e elegantes diante dos quais as mais lindas mulheres se extasiam. Ah, as mulheres! Sonho acordado com as "coxas leitosas" de Pamela, a "cabeleira macia" de Catherine, a "boca animal" de Suzanne — adoro esta expressão, "boca animal". Sem falar dos "fartos seios de brancura virginal" de Sophie e das "costas desnudas" de Claudine... É impressionante como as leituras da juventude podem marcar: nunca mais cruzei com uma Claudine sem imediatamente pensar em suas "costas desnudas"!

Essas estranhas leituras, além do efeito que têm sobre minha virilidade incipiente, também me revelam o Ocidente. Ou, mais exatamente, o modo de vida dos ocidentais. *Intimidade* é muito mais instrutiva do que se imagina. Nela eu descubro as últimas novidades: a geladeira, a máquina de costura, as máquinas de lavar, os secadores de cabelo Calor, os ferros de passar, os transistores, a televisão... Fico sabendo como os brancos comem: os turnedôs ao molho bearnês, o linguado à meunière, a baguete com manteiga e os croissants, os morangos com chantilly e aqueles grandes elásticos amarelos que eles enrolam interminavelmente em seus garfos. Porém, mais do que o conteúdo de seus pratos, o que impressiona é a quantidade ridícula de comida que neles se vê. Incompreensível: os brancos são ricos, têm ar saudável, e, no entanto, não comem nada, ou quase nada.

Quando termino com as Claudines e os espaguetes, volto a ser um adolescente como os demais, o tempo suficiente para ler alguns *comics*, as histórias em quadrinhos americanas. Nestas, nada de "seios generosos", mas superpoderes e super-heróis. Meu preferido é Zembla, que pode pegar o Sol com as mãos sem se queimar. E termino com algo sério, este sim um jornal digno desse nome: *Salut les copains*. Porque sou um roqueiro, um roqueiro de verdade! Sei tudo sobre o Golf Drouot, o Olympia, os Meias Negras, os Gatos Selvagens, conheço o meu Johnny Halliday como a palma da minha mão, aprendo as letras de Antoine com deleite de especialista. Sou um roqueiro à malinesa, mas ainda assim um roqueiro.

✹ CAPONE DE BAMAKO ✹

Estamos em 1968, tenho dezessete anos e uma turma. Amigos que me chamam de Capone e que posso convidar para a farra porque ganho mais dinheiro do que seus próprios pais.

Se quisesse, eu poderia até fazer parte da juventude dourada de Bamako. Da "alta", como se diz. A "alta" são os filhos dos malineses ricos, dos funcionários em sua maior parte corruptos, que me olhavam atravessado do carro do pai quando eu percorria as lixeiras, mas que hoje param suas grandes motos japonesas para vir me cumprimentar ou me convidar para suas festas. Em resumo, procuram se aproximar. Mas não sou bobo. Sei que agem assim principalmente para me pedir que os introduza nos ambientes que acabaram por se tornar meus, os dos tubabos que gostam de mim. Eles sabem que eu me relaciono bem, então tentam a sorte.

Mas eu prefiro os meus amigos, os do bairro, os mesmos desde que eu era bem pequeno. Para eles, eu sou um cara que venceu na vida mas com quem podem se divertir. Não fico alardeando que ganho a vida muito bem, porque guardo todo o meu dinheiro para a minha viagem e para Boli. Exceto o que gasto com presentes e principalmente com roupas, porque a moda é sagrada!

 Minha panóplia roqueira é completíssima. Compro calças de veludo, cintura baixa e boca-de-sino. Amarelas, verdes, laranja, lilases, todas, tenho todas. Casacos, idem, de todas as cores e de todos os materiais. Nada menos confortável a quarenta graus à sombra, mas quem está na chuva é para se molhar. Combino tudo com camisas cinturadas, sempre cinturadas, camisas floridas, com jabô. Ah, as camisas! Contemplo, não sem orgulho, meu reflexo nas carrocerias dos carros. Invento um modo de andar, um movimento dos quadris... O estilo! E as camisas sociais, que refinamento! São as minhas camisas, principalmente, que fazem de mim o rei de Bamako e o futuro rei do mundo.

 Nos pés, uso Palladium, o sapato da moda, e não um qualquer, e prefiro o branco com duas listras pretas. Eu poderia ter comprado as botas de couro, de bico quadrado, com que sonho — e tiras dos lados —, mas é preciso escolher: a passagem de avião para o Harlem ou as botas. Para me consolar, uso botas de napa de saltos plataforma ou uma espécie de sapatilhas de verniz parecidas com as dos toureiros... Ridículo? E daí? Meus anéis talvez sejam um pouco grandes, minhas pulseiras de prata um pouco largas, meus casacos de cor um pouco berrantes demais, mas no espelho nada vejo além de Capone, o maioral, um cara legal que vai longe. Que logo vai partir para o Harlem e apertar a mão dos Globetrotters.

 É por isso, aliás, que cuido especialmente do meu penteado. Vi, nos documentários americanos, que os cabelos são um ponto essencial de prestígio. Para se afirmar, nada melhor do que o *magic mushroom*, um corte *à la* Jackson Five, que cumpre a promessa sugerida pelo nome: o cogumelo mágico tem tudo a ver comigo.

Nada disso, no entanto, fará de mim o matador em que pretendo me transformar com o sabonete Astral, uma descoberta revolucionária que guardo em segredo: mais sensual que o mais sensual dos perfumes — e eu os experimentei entre os piores. O sabonete Astral dá a minha pele, estou convencido disso, um aroma único de efeitos devastadores: com ele, as garotas de Bamako desabam em meus braços.

Assim paramentado, estou sempre pronto para ir ao Caribou 230.

Vamos lá no domingo à tarde. Mas, antes disso, minha turma e eu nos encontramos em casa, onde minha mãe preparou bolachas de milhete. Comprei o chá e a menta, e sirvo o "calor branco", leite quente. Brincamos, rimos, nunca falamos de coisas sérias. Nessas ocasiões, Boli sai de seu quarto. Ela passou a ferro o seu bubu mais bonito e está tão cheirosa que acabamos esquecendo seus olhos doentes e sua respiração sempre prestes a se extinguir. Ela não fala, mas se encosta em mim, sufocando risinhos como se tivesse, ela também, quinze anos.

Eu não seria o que sou se ela não tivesse estado aqui, os olhos pousados sobre mim, como em Kita, quando eu brincava na rua com as outras crianças.

O Caribou 230 é um monumento em Bamako, um pouco como o Drugstore dos Champs Elysées — e continuará sendo, quarenta anos depois. Na verdade, é uma lanchonete onde todo mundo se encontra para tomar um crush, e fazer o que no Mali chamamos de *grin*, uma pequena reunião informal debaixo da árvore da conversa ou em um café. Assim que me vê chegar com a minha turma, Malamine, o dono, aumenta o volume de seu aparelho de som e tira uma caixa de garrafas de coca-cola falsa que me vende pela metade do preço, porque sabe que eu sempre levo gente para o seu comércio.

Ficamos uma hora, o tempo de nos ambientarmos. Pouco a pouco, outras turmas chegam e começa o enfrentamento, estritamente estético. Trata-se de exibir, cada um, seus sapatos, camisas, enfeites. Olhem o meu cinto, é o mais largo de Bamako, vejam o cetim da minha camisa, não há outro mais brilhante... Somos jovens, bonitos, e elegantes. É preciso que todos saibam disso! Na África, somos chamados de "os estilosos", os loucos por estilo.

E vem a fase dos chás dançantes, aos sábados e domingos. São realizados na casa de um, na casa de outro, entre três da tarde e sete da noite. Somos cerca de vinte rapazes e moças no pátio. Lá estão todos os meus amigos, Johnny Hallyday e sua Sylvie, Mireille Mathieu e Jeanne Moreau. E Cliff Richards (nome verdadeiro: Salif), Jeff Hamilton (Hamidou) e o meu grande amigo Milton Santos (Yatt).

Desde que comprei uma vitrola Teppaz, sou o organizador oficial de todas as festas do bairro. Ela custou vinte e dois mil francos CFA, uma verdadeira fortuna, mas não me arrependo, pois de agora em diante nenhuma festa surpresa acontece sem mim. Chego com minha pilha de discos e meus alto-falantes, que tenho o cuidado de colocar bem perto de grandes jarras de terra que sempre se encontram nos pátios, para melhorar a acústica.

Meu primeiro disco compacto será do Trio Majesty, um grupo congolês muito em voga. Logo em seguida cedi à tentação de *Je t'aime moi non plus*, que eu tinha que ouvir escondido. Mais oficial, tem *Aline* e *Les marionnettes*, de Christophe, *Laisse tes mains sur mes hanches*, de Adamo, *Et moi, et moi, et moi*, de Dutronc, *Tous les garçons et les filles* e *Sans aucun prétexte*, de Françoise Hardy, *N'avoue jamais*, de Guy Mardel... Devo dizer, confesso, que gosto das canções tristes. No fundo, sou um romântico. Mas, para ser convidado para as festas surpresas de domingo à tarde, tenho que comprar também Otis Redding, os Beatles e James Brown. Porque a vida não é só música lenta, tem também o *jerk*.

Acho que o papel de animador da festa me agradava, porque, depois de ter sido disc-jóquei, tornei-me projecionista... O sr. Straubas me perguntou se eu gostaria de mostrar aos outros, aqueles que não têm a minha sorte e que vivem nas ruas, os filmes que assisto na embaixada. É mais forte do que eu, fico orgulhoso. Ele realmente deve gostar muito de mim para me confiar uma responsabilidade dessas. Se eu soubesse...

Então, o sr. Straubas me empresta o material e algumas bobinas, e coloca à minha disposição os serviços de um empregado da embaixada, chamado Alfred. Depois me mostra como o projetor funciona, e lá vamos nós, Alfred e eu, seguindo as pegadas dos irmãos Lumière.

Naturalmente, conto para minha família e meus amigos, que, é claro, contam para suas famílias e seus amigos. De maneira que, quando chegou a hora, havia mais de cem pessoas reunidas na frente de nossa casa! Coloco a bobina, ligo a bateria, aciono o projetor, um retângulo esmaecido surge nas paredes de terra da família Keita, e eis que aparecem as torres de Manhattan, as limusines, os hambúrgueres, as louras platinadas... Na platéia, ninguém, acredito, havia pisado em uma sala de cinema. Os olhos se arregalam, os queixos caem, e depois gritos, risos... O maior fuzuê.

Alfred e eu recomeçamos dezenas de vezes, até nas aldeias mais afastadas. Todos os sábados à noite, depois de termos transportado, aos trancos e barrancos, em uma carriola velha puxada por um cavalo, o nosso cinema ambulante, as imagens invadem a parede de um barraco. O jogador de basquete Billy Russel, os boxeadores Ali, Foreman, Joe Louis, os músicos Miles Davis, Jimi Hendrix... Quando penso nisso, digo a mim mesmo que eu injetei América em doses industriais em meu país!

Felizmente, nessas noites de sábado, se os espectadores ficam estupefatos, é menos com o que vêem na tela — vindo dos tubabos, nada pode surpreendê-los de verdade — do que com o que vêem atrás do projetor: eu. Que Alfred lhes traga a luz, ok, mas o fato de que Capone possa fazê-lo em seu lugar é mais incrível do que o cinema!

❈ BOLI VAI EMBORA ❈

1969, estou com dezoito anos. Logo o homem pisará na Lua e, no espaço de alguns dias, eu vou viver aquilo que a vida pode trazer de mais cruel e de mais doce.

Meu sonho se transformou em um verdadeiro projeto: com minhas economias, vou poder comprar uma passagem de avião para Nova York. Logo ao aterrissar, irei direto para o Harlem, conseguirei um emprego de mensageiro, ficarei o tempo de juntar dinheiro suficiente e voltarei a Bamako para abrir um restaurante e dar a Boli a casa mais clara da cidade. Projeto o mais preciso possível porque o tempo urge. Boli respira cada vez pior, está esgotada, a visão diminui e ela emagrece a cada semana. Até a bolsinha de couro pendurada em seu pescoço parece estar lhe pesando agora...

Eu nada lhe digo de meus planos. Não por temer que ela me impeça de ir, mas sim que a preocupação acabe por matá-la. E depois, será que ela entenderia? Para ela, o único e verdadeiro sucesso está em encontrar uma mulher amorosa e com ela fazer o maior número possível de filhos. No máximo, ela imagina que eu poderia comprar uma nova carriola, não como essa que eu uso agora, com duas rodas torcidas e um pangaré despelado, mas uma charrete de verdade, nova, com quatro rodas e um cavalo garboso. Da charrete ao avião... a distância é grande demais, então eu me calo, e digo a mim mesmo que, embora a faça sofrer ao partir, quando voltar, dentro de um ou dois anos, eu a farei transpor a soleira de *sua* própria casa.

Boli nunca chegou a fazer isso. Ela partiu no dia 6 daquele mês de julho de 1969, em plena estação das chuvas, rumo a um lugar aonde não posso acompanhá-la. Boli partiu na ponta dos pés, ternamente.

Eu nem estava ao seu lado naquele dia. Eu, que tantas vezes me levantei à noite para ouvir sua respiração... Quando ela morreu, eu estava trabalhando. Não pude lhe dizer adeus. À noite, quando voltei para casa, ouvi as mulheres chorando alto, vi os homens prostrados, e entendi. Ou melhor, senti em mim um buraco sem fundo. O poço que tanto a amedrontava agora estava em mim... As pessoas falam comigo, me abraçam, mas não escuto nada. Lá fora, a chuva não pára de cair, o céu está inconsolável. Ele chora por mim as lágrimas que não tenho, eu não tenho forças. E continua a chorar quando saímos, todos juntos, rumo ao cemitério de Niarela.

Agora, estamos em casa, de volta do cemitério. Mamãe me entrega a bolsa, aquela que Boli carregou até o último suspiro em seu pescoço. Dois anos mais tarde, em Nova York, pensei que a tinha perdido, mas finalmente a encontrei no fundo de uma sacola no momento em que deixava a América. Só de pensar nisso sinto um nó na garganta.

Agora, meu pai me chama para falar comigo. É a primeira vez. Ele baixa a cabeça para esconder as lágrimas, me agradece pelo que fiz nos últimos anos, fala de seu orgulho, por Boli, por eles, por todos da casa. Agradece, também, por eu nunca ter feito Boli sentir que não era minha avó de verdade. Ele tem razão: Boli não era minha avó. Era muito mais do que isso.

Ele terminou de falar. Não respondo nada, estou perturbado demais e fechado em meus pensamentos. Ouço a vozinha que, dentro de mim, cochicha: "Por que partir, agora?" E uma outra que responde: "É preciso partir, é preciso partir mesmo assim, porque Boli está me olhando. Ela compreende, agora, que devo ir até o fim do meu sonho, posso partir porque ela velará por mim lá de cima, ainda melhor do que antes." Minha decisão é tão firme, minha certeza tão sólida que, de repente, vejo a herança que Boli me deixou: a força, aquela força que me forjou. Boli, embora tão frágil, insuflou-a em mim dia após dia, com seu imenso amor.

Daqui por diante, não se passará um ano sem que eu vá a sua sepultura para cumprir um sacrifício, *sonniké*, como se diz entre nós. Comprarei um carneiro, galinhas ou ainda uma vaca, e degolarei o animal segundo o rito muçulmano, rezando por Boli. Depois, chamarei as crianças e os miseráveis do bairro para convidá-los a partilhar conosco o festim em memória de minha avó. *Boli Ala ka an to nyogonyé*. Boli, que Alá nos reúna em seu reino.

★★★★

Apenas três meses depois de ter perdido a mulher da minha vida de criança, encontrarei a mulher da minha vida de adulto.

A jornada de trabalho terminou, agora vou curtir o tempo com a minha turma, Yatt, Sylla, Salif, Hamidou, Modibo, Bamody e Niang. Percorremos o bairro, discutimos, brigamos, zoamos.

Eis a ponte de madeira que leva à estrada de Koulikoro. Uma mobilete, ao longe, vem em nossa direção. Nem precisamos dizer qualquer coisa, a brincadeira se impõe: vamos lhe barrar a passagem, assim, por nada, para nos divertir, para mostrar que somos os donos do pedaço. A mobilete se aproxima. Cem metros, cinqüenta, vinte, dez... Mas o piloto não desacelera. E, pelo jeito, não tem a menor intenção de parar. Nessa velocidade, temos que admitir: se ficarmos aqui, haverá mortos. É ele ou nós.

Não acreditamos no que nossos olhos vêem: o cara nem fez menção de frear. Passou por nós a toda velocidade, e ficamos assim, petrificados, vexados, humilhados. Olhamos uns para os outros. Quem se atreveu? Quem correu o risco de...? De onde veio tal afronta? Resumindo, não estamos parecendo muito espertos. Particularmente atingido em minha dignidade de chefe do bando, assumo o comando:

—Vocês conhecem esse cara?

Silêncio constrangido. Repito a pergunta, agastado, e dois de meus amigos logo começam a caçoar:

— Por que vocês estão rindo assim?
— Capone, bem... não é um cara.
— Como assim?
— É uma garota!
— Uma garota?

Vergonha... Logo fico sabendo que ela mora no bairro. Para lhe dar uma lição e satisfazer minha curiosidade, resolvo ir ver a insolente de perto. Não terei uma explicação viril, é verdade, mas estou disposto a não deixar meu prestígio tão tristemente abalado. No dia seguinte, mando um menino bater em sua porta e lhe dizer que Capone a espera um pouco adiante, na rua. Digo a mim mesmo que ela não percebeu que fui eu, Capone, que ela atacou. Ela não perde por esperar...

O menino vem em minha direção, encabulado:

— E então?

— ...

—Você a viu ou não?

— Sim, sim, eu a vi, mas...

— Mas o quê?

— Ela disse que não quer sair...

— Como assim, não quer sair? Você disse que sou eu que a estou esperando?

— Sim, sim, Capone, eu disse.

— E então?

— Então ela não quer sair, Capone...

Não acredito no que estou ouvindo! Não somente essa menina se permitiu nos humilhar, mas também se recusa a vir falar comigo! Dane-se, eu vou lá. Vamos acabar com isso de uma vez.

Aproximo-me de sua casa com passos firmes. Basta olhar para a casa para saber que a família não é como a minha. Nela, nada de barro. Paredes cuidadosamente emboçadas e telhado de chapa ondulada. Do vestíbulo, no fim do corredor, vejo uma varanda de piso lajeado em preto e creme: essas pessoas vivem como brancos, nota-se. O menino, que foi na minha frente, chama com uma voz que ele pretende cheia de autoridade:

— Marie-Jeanne!

Marie-Jeanne: o nome revela que é católica. Mais uma razão para vê-la de perto, a garota da mobilete. Minha maldita curiosidade.

Ao longe surge uma silhueta na contraluz, descalça. Que logo desaparece. E volta, agora calçada. Saltinhos batem no chão enquanto ela vem em nossa direção, ao longo do corredor. Uma canga apertada no quadril, ombros nus, cabelos curtos como os de um menino... Aqui está ela, na minha frente, de queixo empinado, os olhos amendoados me olhando, sem sequer esboçar um sorriso. E meus joelhos estão fraquejando. Como na enxurrada na estrada de Koulikoro, sou arrebatado, afundado, asfixiado, e me aferro como posso à minha reputação de manda-chuva.

Ela deve ter apenas dezesseis anos, mas em seus olhos está escrito, em letras grandes, bem claras: "Se você pensa que tenho medo de você..." Calada, ela espera que eu, o Capone de Misira, fale. E balbucio uma bobagem como:

— Você parece boazinha... E, no entanto, a mobilete, ah... Por que você foi tão malvada?

Em resumo, uma debandada. Fui a nocaute. Ela continua sem dizer nada, mas viu muito bem que estou na lona, a seus pés, caidinho. Ela venceu, esqueço a mobilete e meu título de chefe do bando, e gaguejo, mais encabulado do que nunca:

— Posso voltar esta noite? Gostaria muito de falar com você...

— Não. Tenho dever de casa. Trabalho da escola.

E dá meia-volta, os saltinhos batem no lajeado, sua silhueta toda em curvas desaparece na contraluz... Puf, sumiu! Fico lá, plantado como um idiota, com a figura dela impressa no fundo de minhas pupilas. *Akerabarayé*. Fim da brincadeira, a vida real está começando.

Marie-Jeanne ainda não sabe disso, mas eu sou cabeça dura. Meus primeiros anos o demonstraram. Com ou sem dever de casa, na mesma noite estou de volta ao vestíbulo. Desta vez, sem o menino. Vou direto até a varanda, sem me anunciar. Uma empregada está limpando a casa.

— Gostaria de falar com Marie-Jeanne.

A empregada se levanta, sai correndo. Logo depois, vejo entrar uma mulher alta, esbelta, de pele clara, maçãs do rosto salientes, faces encovadas, vestida com um magnífico minibubu — ou seja, cortado com mangas curtas — em tecido adamascado azul-celeste. Ela passa por mim me examinando como se eu fosse uma fruta estragada em uma banca do mercado. E, sem se deter, continua seu caminho e desaparece. Agora é a vez de Marie-Jeanne, um pouco menos esquiva. Após um ou dois cumprimentos banais, ela me traz um banco e nós nos sentamos, tensos e desconcertados... O silêncio se instala, ou melhor, se incrusta. Nunca me senti assim antes. Pouco à vontade, infeliz, e, no entanto, fortemente convicto de que não quero estar em nenhum lugar do mundo que não seja este. Não sei por quê, mas quero acreditar que essa garota muda e calma está sentindo o mesmo que eu. Muito presunçoso. Após uma troca de gentilezas, peço-lhe que venha comigo até o vestíbulo, e lá, antes de chegarmos à porta de entrada, as comportas do meu coração se abrem, e as palavras saem em um jorro: eu a amo, eu quero, preciso revê-la, sei que ela é a mulher de que eu preciso, eu... Não sei mais. Em resumo, ela tem que aceitar sair comigo, agora, já, esta noite.

— Não posso, tenho dever da escola.

Sim, eu sei. Ela já disse. Estou a ponto de repetir minha declaração, mas ela dá meia-volta em direção à varanda sem nem uma palavra a mais. Então sinto que meu estômago se retorce cada vez mais forte enquanto suas curvas se afastam. Adeus, esperança? Não! Por um furtivo instante, como que apesar dela mesma, Marie se volta e mais uma vez olha para mim antes de sumir. Ela olhou para mim! Ela é minha! Ela vai ser minha mulher! Estranha certeza a minha, naquela noite, ao voltar para casa... sobre um único olhar, eu construo todo um futuro para mim, vejo-me apaixonado, feliz, marido, pai, avô, como Boli sonhava para mim. E enquanto sou vencido pelo sono, deitado em minha esteira sobre a terra batida do meu quarto, ao lado de meus irmãos, sonho com curvas femininas entrevistas à contraluz. Minha Pamela, minha Claudine, minha Suzanne. Encontrei todas as mulheres em uma só!

E não me enganei, por mais incrível que isso possa parecer. Marie é, hoje, a mãe dos meus filhos.

Tudo aconteceu tão rápido... Um pouco mais de tempo, e depois de tanto me ver voltar incansavelmente de manhã e à noite, ela acaba por concordar em sair comigo. Por minha vez,

faço-a descobrir os prazeres da ONU. É lá que lhe direi "Você ainda não sabe, mas vou lhe fazer belos filhos".
Ela não ri de mim. Apenas sorri, simplesmente. Mesmo que eu a tenha feito chorar muito desde então, esse sorriso continua entre nós.

Passou-se um mês desde que vi avançar sobre mim a mobilete desgovernada. Um mês desde que as dificuldades começaram.
A própria Marie me conta sua história, uma noite, no quarto que Yatt nos emprestou. De uma família católica de Koulikoro, ela perdeu os pais quando era pequena. Desde então, vive com uma de suas irmãs mais velhas, Françoise, a mulher de minibubu em tecido adamascado azul-celeste.
Françoise é uma personalidade importante em Bamako: é dama de companhia da mulher do presidente da República do Mali, nada menos do que isso. Enfim... ela se considera uma personalidade importante. Na realidade, não tão importante quanto ela acredita, pois, afinal de contas, uma dama de companhia nada é além de uma empregada de luxo. Mas Françoise acredita ferrenhamente nisso. Mais tarde, acabarei descobrindo que ela está longe de ser uma inteligência fulgurante, e que na escola teve muita dificuldade...
Mas o fato é que Françoise zela por sua irmã como uma leoa. Educou-a, mandou-a à escola. E espera fazê-la seguir os estudos de enfermagem e casá-la com um homem tão importante quanto ela. O fato de eu ser o Capone de Misira não apenas não a impressiona como a horroriza: sou um muçul-

mano, um pobre que revira as lixeiras para ganhar a vida, um ignorante que nunca pôs os pés na escola, e, para culminar, líder de uma turma que está sempre nas ruas. Em outras palavras, não sou bem-vindo na casa de belas paredes emboçadas. Sou mesmo tão indesejável que, a partir do momento em que Marie aceitou sair comigo novamente, Françoise mandou fechar a porta do vestíbulo, coisa que nunca se faz em Bamako.

Desde então, sou obrigado a encontrar Marie entre a saída das aulas e sua volta para casa. Nada cômodo. Às seis da tarde, eu me planto em frente ao liceu. Tudo está calmo, vazio, ordenado. De repente, saindo dos grandes prédios brancos, uma multidão de crianças se joga no pátio, de todas as idades, meninos de short, meninas de canga e salto alto, rapazinhos de calças cáqui ou de *coulouchi moucouoda*, calças bufantes à malinesa, todos com o material debaixo do braço ou em um embornal. Eu me sinto tão diferente. Deveria sentir rancor, mas meu sentimento é outro. Graças a Marie, tenho a impressão de também participar um pouco daquele mundo. Minha querida noiva é boa aluna, séria e aplicada. E essa gravidade, essa segurança e determinação me agradam. Ela é feita do mesmo barro que eu. Nós nos reconhecemos, com ou sem Françoise.

Não esperei muito tempo para apresentá-la aos meus pais, de tão seguro que estava quanto a nós dois.
    Deste lado também há obstáculos. Segundo o costume, falei primeiro com uma tia. Sua resposta não foi nada animadora:
    — Com uma católica, vai ser difícil.

Mas estou confiante. Sei que, uma vez tomada a minha decisão, meu pai e minha mãe a aceitarão, apesar de tudo. Eles sabem do que sou capaz, e minha posição na família me autoriza.

Chega o grande dia. Na varanda em que faço Marie entrar, não há piso lajeado, mas terra batida, alguns bancos de bambu; no chão, esteiras em que meus pais estão sentados, e um único móvel: o guarda-comida fechado por um mosquiteiro. Vê-se que moram no lugar umas vinte crianças, que saem de todos os cantos.

Meu pai está sentado em seu lugar, sempre o mesmo lugar, sempre silencioso. Quando minha jovem noiva entra, ele não a encara, não sorri para ela, mas logo faz a pergunta que interessa:

— Qual o seu nome de família?

— Mariko. Marie-Jeanne Mariko.

— Mariko? Ah, você é uma Bamana. Isso é bom.

Apenas uma palavra, mas foi o suficiente. Marie não tem como saber que acabou de ser aceita, porque ignora as interdições ligadas à nossa casta, a dos Masinsi. Se ela fosse de casta inferior, Diabaté, Kouyaté ou Kanté, meu pai teria proibido o casamento. Mas como ela vem da etnia dos Bamana, meu pai nada tem a objetar. Melhor assim... De qualquer maneira, sua opinião não teria mudado nada, ele deve ter percebido.

Marie também não entende o sentido dos olhares que minha mãe lança em sua direção enquanto lhe serve água e educadamente pede notícias de sua família. Eu sei bem o que ela está observando: essa moça tem pé chato? Não, felizmente, pois mulheres assim trazem infelicidade. A moça tem queixo proeminente? Não, felizmente, porque mulheres assim enterram o marido, o que significa que ficarão viúvas cedo. Enquanto observa a recém-chegada, minha mãe lhe explica sua ascendência, a de seu marido, interroga Marie sobre a dela... Ela não se dá conta de que Marie, apesar de orgulhosa por estar autorizada a freqüentar uma linhagem real, está espantada com a falta de lâmpadas elétricas, de torneiras, de móveis...

Além dos olhares perscrutadores e das perguntas carregadas de sentido, algo dessa entrevista ficará para sempre na memória. Marie-Jeanne descobriu o que é uma mãe. Ela, que só conhece o adamascado azul e frio de Françoise, vê que existem mulheres que podem amar com doçura e aquecer o coração das meninas sem nada pedir em troca. Pouco importam a terra batida e as castas superiores. Na casa dos Keita, há Founé, uma mulher de olhos cheios de luz, sorriso generoso, uma mulher que dá vida, de braços sempre abertos para todas as crianças perdidas. E isso, Marie nunca esquecerá. E ela sempre voltará à nossa modesta casa de Misira, mesmo quando eu estiver a milhões de quilômetros dela.

Enquanto Marie entra no lar dos Keita, Françoise se empenha em me impedir de colocar os pés em sua casa. Suas garras são longas, afiadas.

Um dia, quando eu estava conversando com meus amigos no bairro, uma mobilete pára perto de nós. Dessa vez não era uma linda garota que a dirigia, mas um militar uniformizado, cara de mau, com expressão de desprezo. Ele planta seu olhar hostil em mim e manda:

—Você aí, Capone, cuidado, é melhor parar de ver Marie-Jeanne, está ouvindo?

E, sem esperar resposta, saiu pipocando em sua mobilete. Mal posso acreditar. Ele se atreveu a me ameaçar. E de que maneira! Ele é tão ridículo, esse sujeito de uniforme aboletado em sua mobilete chinfrim. Minha raiva não é nada perto da de Marie. Pois minha noiva não é do tipo que se deixa impressionar. Seja Capone, o chefão de Misira, ou Françoise, a dama de companhia do palácio, ela, a estudante, não tem medo de nada. Mal terminei de lhe contar o acontecido, ela deu meia-volta e voltou para casa. Não sei o que Françoise ouviu essa noite, mas uma coisa é certa, ela desistiu de recorrer ao exército para nos separar. Só lhe restaram os insultos, e ela não os economizou quando, finalmente, atreveu-se a se dirigir a mim sem se valer dos militares de mobilete. Ouvi de tudo, inclusive esta expressão, a única que não esqueci: "Filho de pobre". Para dizer toda a verdade, eu também não economizei meu vocabulário. Insultos eu conhecia, e daqueles que machucam. Conclusão: aconselhei-a a procurar um homem em vez de se interessar pelo da irmã. Não foi muito elegante, hei de convir, principalmente porque, sem saber, eu atingi o ponto certo.

O destino, o *maktub*, se encarregou de Françoise. Ela ficará sozinha o resto da vida. Nenhum homem terá coragem de lhe pedir em casamento. Françoise, meu pior pesadelo. Que Alá me perdoe, mas não estou certo de tê-la perdoado. Enquanto isso, ela me machuca, tanto mais porque logo farei Marie chorar.

Ainda não lhe falei de minha partida, e isso está me consumindo. No entanto, não mudei de idéia. É verdade que eu poderia ficar, poderia desposar minha querida noiva agora que tenho dinheiro bastante, teríamos, os dois, um bom trabalho, muitos filhos, como Boli queria. Mas faz muito tempo que sonho com aquela passagem de avião para Nova York, para lá, do outro lado do oceano. E eu teria a sensação de estar traindo a mim mesmo. Paciência, Marie vai chorar. Resolvi não lhe pedir que me espere, mas mesmo assim, enquanto isso durar, rezarei com muita fé para que ela esteja livre quando eu voltar.

❄ A GRANDE PARTIDA ❄

Estou doente pela primeira vez na vida. Este fim do ano de 1969 realmente não está sendo como os outros, e por pouco eu nem vi 1970.

Naquela manhã, no entanto, levantei-me muito bem-disposto, como sempre. Foi só à tarde, depois do turno das garrafas, que comecei a sentir os primeiros sintomas: ondas de calor, suores, as pernas bambas e, principalmente, um grande cansaço surgido de forma repentina. Era como se eu tivesse sido drogado.

Como ainda tinha documentos a entregar antes das aulas na Aliança, não dei bola. Continuei... Até a noite, na hora de voltar para casa. Mesmo então, era mais forte do que eu. Caminhando pela estrada, comecei a pensar na roupa que vestiria para encontrar Marie. Cheguei ao vestíbulo, coloquei os sacos com as garrafas no chão, e... apaguei! Só voltei a mim no dia seguinte à tarde.

Estou com frio, morrendo de frio, tremendo, batendo os dentes, e, no entanto, sinto o suor escorrendo pelas minhas têmporas. Meu corpo pesa uma tonelada, todos os ossos me doem, tenho a impressão de estar moído de pancadas. Parece uma onda de lama, só que pior. Malária, uma doença não muito desconhecida, mas perigosa. Precisarei de quatro semanas de cama para me recuperar.

Naturalmente, com o dinheiro que ganho poderei me tratar com os remédios dos brancos, mas meus pais não confiam muito neles. Há algum tempo corre o rumor de que os que foram vacinados pelos brancos ficaram mancos. Sou, portanto, obrigado a engolir detestáveis infusões à base de folhas de *mali yirini*, a árvore do Mali, cuja receita a família de minha mãe guarda há gerações, e que na verdade nada é além de um poderoso vomitivo ao qual se acrescentam açúcar e folhas de menta para disfarçar o gosto. O tratamento é tão eficaz que a ele deve se seguir um outro, à base de folhas de *kinke-liba*, para recuperar o estômago danificado.

Durante um mês, entre minha família e amigos, a casa está sempre cheia. E tem Marie, que vem me ver todas as manhãs e todas as noites... Por vezes, posso confessá-lo agora, em algumas noites, escondida de meus pais. Como só paixão não alimenta, ela traz uns pratinhos preparados por ela mesma, apimentados com amor, pois sabe que um dos efeitos da malária é destruir o paladar. O que não me impedirá de perder quinze quilos durante essas quatro semanas. Mas, dos males o menor: conheço muitas pessoas que morreram dessa doença, e que ainda morrem, ano após ano, sem que nada mude. No fundo, tenho certeza de que devo minha vida a Boli. E a Marie. Conseqüentemente, estou me sentindo ainda mais atormentado do que antes. Como lhe dizer que resolvi partir?

Certa noite, com um bolo no estômago e um nó na garganta, dou um salto no escuro e confesso, finalmente. Marie me ouve, o rosto inclinado para que nossos olhares não se encontrem. Acaricio-lhe as mãos. Ela não reage. Sinto-me ao mesmo tempo aliviado e imensamente triste. Paro de falar, Marie continua sem dizer nada. Um tempo interminável transcorre; então, ela começa a falar, bem devagar. Ela tem medo, diz. Não por ela, não por nós dois, mas por mim: medo do desconhecido, medo da distância. É tão longe lá, do outro lado do mar... Lentamente, como eu esperava, sinto sua revolta, sua raiva. Tento reconfortá-la. No entanto, ela sofre, e continuamos a conversar até tarde da noite, porque nada pode nos tranqüilizar, nem a ela nem a mim: no fundo, sinto tanto medo quanto ela.

Marie não entende esse desejo que me persegue há tantos anos. Acha que estou fugindo dela, do casamento, de nossas famílias, de Françoise... e tento lhe explicar que, ao contrário, é para construir um futuro sólido para nós que quero partir. Não se trata de fugir, mas de construir, de ganhar bastante dinheiro, de aprender o mais que puder para, ao voltar, abrir um restaurante. "Não o *meu* restaurante, mas o *nosso* restaurante." Pouco a pouco, de tanto me ouvir, Marie começa a acreditar. Sua raiva vai passando, sinto-a se aconchegar ao meu corpo; ela deixa nascer um clarão de esperança. Finalmente, poderemos nos despedir.

Depois de Marie, devo contar a meus pais. Como eu esperava, com eles é mais fácil... No fundo, mesmo que céticos — "você vai realmente entrar em um avião?" —, eles se mostram também confiantes. Talvez não estejam nem mesmo surpresos. Desde que passei a ser chamado de Capone, eles sabem que sou capaz de tudo. Por que não andar de avião? E por que não Nova York?

Agora estou leve. Mas agora que contei o roteiro, é preciso rodar o filme. *Capone na América!*

★★★★

Faço as contas. Na bolsa de Boli há exatamente oitocentos e trinta mil francos CFA, uma verdadeira fortuna, talvez duzentas vezes mais do que tudo o que meu pai conseguiu ganhar ao longo de toda a sua vida, e um terço do que eu ganhei em treze anos de trabalho.

Exatamente no dia 3 de janeiro de 1970, o sonho se transforma em papel, o papel que o funcionário da agência me entrega em troca do meu dinheiro. Partida em 2 de fevereiro para Dacar, Washington, Nova York, embarque às dez e meia, decolagem à meia-noite. Passagem só de ida... Saio de lá ainda mais leve do que antes. Gastei metade da minha fortuna.

Duas semanas depois, monto bravamente na garupa da mobilete de Marie, rumo à embaixada americana. Nada muito diferente da minha rotina, mas dessa vez não estou indo lá para entregar documentos nem para ver um filme. Vou pegar meu visto. Marie se recusa a ir a comigo além da cerca. É doloroso para ela, acho.

Entro nos escritórios que não conheço. Pedem meu passaporte, a passagem, e finalmente me entregam o famoso abre-te-sésamo. Surpresa: são trinta e cinco mil francos CFA. Não me haviam dito que era preciso pagar. Não procuro entender, e pago sem reclamar a soma pedida. Mas acontece algo ainda mais desagradável: eu havia pedido um visto múltiplo, que permite trabalhar graças ao *Green Card*, mas não consigo;

dão-me um visto de turista, válido por três meses, como para todo mundo. Não me atrevo a perguntar por quê. Seja como for, agora nada pode me deter. Assino mais alguns documentos, mostro minha caderneta de saúde... Pronto, finalmente me deixam partir, desejando-me boa viagem. Nada além disso, nem uma informação sobre os Estados Unidos, sobre o que vou encontrar lá, sobre o que devo levar. Por quê? Eles temiam que eu me assustasse ou achavam que eu já sabia tudo? Quantas vezes, nos meses que se seguiram, eu me fiz essas perguntas! Em todo caso, uma coisa não lhes escapou, a taxa de câmbio para converter meus CFA em verdinhas. Fui para a América com exatamente seiscentos e sessenta e quatro dólares no bolso. Nem um *centavo* a mais.

O que sobra de minhas economias será assim repartido: papai, vinte mil francs para as necessidades da casa. Marie, cinco mil francos para a gasolina da mobilete e para comprar roupas. Para os amigos, finalmente, mil francos para ir ao cinema e tomar alguns crushs à minha saúde. E foi assim que se evaporaram meus oitocentos e trinta mil francos CFA, treze anos de lixeiras e garrafas, de estrada de Koulikoro. Não tenho mais nada nas mãos, além de meu futuro.

★★★★

1970: De Gaulle e Nasser nos deixarão no outono. Os Beatles estão prestes a anunciar sua separação; o Concorde se prepara para romper a barreira mítica dos dois mil quilômetros por hora... Enquanto isso, em 2 de fevereiro de 1970, o rei da atualidade sou eu! Embarco esta noite.

Passo o dia todo com Marie, sem falar, ou quase; já nos dissemos tudo. Sobretudo nos tocamos, para guardar na pele uma lembrança que permaneça. Só no fim da tarde volto à minha casa para me despedir e preparar a bagagem. Despedida simples, sem frases nem efusões. Em casa também sabemos o essencial, para que ficar repetindo? Simplesmente seguimos o costume. No Mali, para celebrar uma partida, quem está indo deve servir para si mesmo um copo grande de água, do qual bebe apenas a metade antes de derramar o resto na jarra ou na cabaça de onde ela foi tirada. Agindo assim, a pessoa estará ao mesmo tempo protegida por toda a viagem e certa de que voltará com boa saúde!

Curiosas horas, durante as quais não sei mais onde estou. Uma hora tenho vontade de rir às gargalhadas, no momento seguinte sinto como se tivesse levado um soco no estômago. Depois, um pensamento me aflige: nem sei onde vou dormir! Logo em seguida, me tranqüilizo: "Boli cuidará disso." E já me imagino daqui a um ano, desembarcando no aeroporto de Bamako, com os braços carregados de presentes.

É hora de me vestir. É claro que escolhi cuidadosamente minha roupa. Fui à grande loja da cidade, Mali Élégance, comprar uma camiseta branca com um hipopótamo nas costas e MALI escrito na frente em letras douradas, uma camisa florida de manga comprida em que estão escritos os nomes das maiores capitais do mundo, uma calça de veludo cotelê verde-oliva, meias vermelhas de algodão e sapatos sociais de couro preto que tive o cuidado de mandar engraxar por dez centavos.

Finalmente, para completar minha panóplia de aventureiro, investi em um pequeno blusão bege em tecido jeans acolchoado. Estou pronto, com a bolsa de náilon preta na mão.

Nela coloquei, dobradas para ganhar espaço, 5 camisetas de cor, a mesma quantidade de cuecas brancas, 3 pares de meias, 1 vermelho, 1 preto e 1 verde, 2 calças, 1 de veludo preta e 1 amarela em tecido, 3 camisas, 1 florida, 1 em jeans e outra de jabô, 1 par de sandálias, 1 coberta de tecido de algodão grosso feita especialmente por minha mãe, 1 toalha, 1 escova de dentes, 1 tubo de creme dental e o sabonete Astral — aos meus pés, as *pom-pom girls*... Em um canto, enfiei uma barra de mingau de milhete seco e compactado preparado por minha irmã. Se eu tiver fome, basta colocar um pouco de água e está pronto. E finalmente, o mais importante, o mais precioso, a parte da África que levo comigo: o meu *konowolonwoula*. O *konowolonwoula* é uma veste tradicional malinesa, uma túnica que se coloca pela cabeça, em tecido grosso de algodão, comprida, até os joelhos. A minha é cor de areia. Como manda a tradição, uma grande faixa preta atravessa o tecido ao meio, proteção contra o mau-olhado e os espíritos maléficos, os *sheitan*. Toda criança ganha o seu *konowolonwoula* ao nascer. E cada um guarda o seu pelo resto da vida. Não é usado com freqüência, mas a tradição manda que seja colocado debaixo do travesseiro todas as noites. O que estou levando foi feito para mim por Boli.

A noite caiu. Rumo ao aeroporto Hamdalaye. Meus pais não me acompanham, por pudor, mas não estou sozinho, não se preocupe. Yatt, meu melhor amigo, entrou comigo no táxi.

Atrás de nós, logo se forma um cortejo de veículos: Marie, naturalmente, mas também todos os meus irmãos e irmãs, e os amigos, que nos seguem como podem, de mobilete, a cavalo, a pé... No fim, há algo em torno de cinqüenta pessoas me acompanhando, de sorte que no terminal tudo acaba virando uma grande festa. Todo mundo quer se aproximar, tocar em mim, falar comigo, felicitar-me, beijar-me, sou um *rock star*, digo adeus aos meus fãs, a multidão está em delírio... Só Marie se mantém recolhida, ela prefere esperar o último olhar. Ele vem, como o resto. Mais pesado do que todo o resto.

★★★★

Alfândega, passaporte, embarque: pronto, estou dentro do avião.

De repente, a felicidade, o sofrimento, a emoção, a euforia, tudo desaparece: eu ainda não tinha pensado nisto, mas o objeto dentro do qual acabo de me instalar é um monte de placas de metal que vai sair do chão. As turbinas ainda nem começaram a roncar e, de repente, sinto um nó no estômago, o suor pingando do rosto, minhas mãos tremendo. Procuro me tranqüilizar: "Como foram os brancos que inventaram essa máquina, ela forçosamente é bem bolada e forçosamente sem riscos. A prova é que só há brancos, ou quase, aqui dentro. Eles não teriam embarcado se o avião fosse cair..." De nada adianta. Sinto uma bola de ferro no estômago. E quando o avião sai da pista, estou a ponto de suplicar às aeromoças que me deixem descer.

Passo o primeiro vôo inteiro, até Dacar, amarrado à poltrona com tanta força que mal consigo respirar; falar, então, nem pensar! Quanto aos braços da cadeira, seguro-os com tanta força que minhas impressões digitais ainda devem estar lá...

Anunciam a chegada a Dacar, preparamo-nos para desembarcar, primeira aterrissagem. Estrondo dos pneus tocando a pista, eu prendo a respiração. Ufa, terra firme. Nesse ritmo, se eu continuar suando desse jeito, terei perdido cinco quilos quando chegar a Nova York! Desembarque, conexão, duas horas de espera, e embarcamos em um outro avião, um enorme Boeing com um cocuruto acima do nariz. Agora sim, deixei a África para trás, e finalmente arrumo coragem para olhar as moças de coque que andam de um lado para o outro nos corredores.

É bonita, é delicada, é educada, uma aeromoça... "Está tudo bem, senhor?", "O senhor está bem acomodado?", "O senhor já pode desafivelar o cinto." Ah, não, o cinto não! "Aceita algo para beber, senhor?" Mal posso acreditar. Com o que, então, um negro que sobe às nuvens torna-se um senhor. É uma descoberta.

Oito horas depois — evidentemente, não fechei os olhos nem por um segundo —, nova aterrissagem, desta vez em Washington. Estou na América... Pela primeira vez desaperto — um pouco — o cinto de segurança, mas estou suando em bicas. A aeromoça me dá um sorriso de compaixão — devo estar mais branco do que os tubabos que me cercam... E começa tudo de novo. Outra decolagem, a terceira! Só os brancos para infligir esse suplício a alguém! Mais uma horinha de vôo, ainda.

O avião mergulha na noite. E logo, sob as nuvens, linhas retas e cinza, pontos que deslizam em todos os sentidos... Fecho os olhos. Nova York...

SEGUNDA PARTE

❈ AMÉRICA! ❈

4 de fevereiro de 1970, oito horas da manhã. Como Armstrong e Aldrin alguns meses antes, Capone pisa na América. Calma, vai dar tudo certo. Sobretudo não perder o controle, manter a cabeça fria. Afinal, basta seguir os outros passageiros.

Chegada à alfândega, controle dos vistos, carimbos nos passaportes... Ainda não abri a boca, mas já notei uma coisa que está me deixando preocupado: todos à minha volta falam aquele dialeto que muitas vezes ouvi nos filmes da embaixada, em Bamako, com a diferença de que aqui, na fria imensidão deste aeroporto, não há legendas e eu não estou entendendo nada. É neste exato momento, no controle alfandegário, que começo a me dar conta do... inimaginável! Apuro os ouvidos, observo... Nem uma palavrinha em francês. Pânico. Sim, hoje posso confessá-lo, naquele exato momento entendi que acabava de aterrissar em um país cuja língua me era totalmente estrangeira. Evidentemente, aquele dialeto que eu ouvia nos filmes nunca havia me preocupado de verdade, visto que o sr. Straubas e seus compatriotas da embaixada falavam comigo em francês dos mais fluentes... Os pensamentos me vêem à cabeça aos borbotões: eles *só* falam essa língua? Haverá, na verdade, duas línguas, a dos brancos e a dos negros da América? Os americanos entendem o francês, ainda que não o falem?

Afasto-me um pouco da multidão para me refazer do susto. Por que não me disseram nada lá na embaixada? E, no entanto, Straubas gostava de mim; bem, eu acho. Será que eles quiseram esconder isso de mim? Quando penso que não tive coragem de fazer nenhuma pergunta... Sinto-me desamparado, como uma criança abandonada na noite. Depois vêm a raiva, o ódio. Tenho vontade de gritar, bater, bater *em mim*, principalmente!

Agora, os passageiros se dirigem à saída da bagagem. Imediatamente me junto ao grupo: perdê-los de vista é perder minha única referência. Pego minha bolsa e sigo a multidão até a saída. Então, mais um choque, terrível: o frio! Mal coloquei o nariz para fora e meu corpo ficou completamente gelado. Sensação brutal que me lembra a que tive quando soube da morte de Boli. É pavoroso. Aquilo me fere, me açoita, faz todo o meu corpo doer: o rosto, os olhos, as orelhas, a boca, os dentes, a nuca, as mãos, os pés. É como se eu estivesse sendo atacado por um exército de seringas invisíveis. Um pesadelo. E depois, começo a bater os dentes sem conseguir parar — será que estou com febre? Está saindo fumaça da minha boca, como Michèle Morgan em *Cais das brumas*? E pensar que tantas vezes eu tentei imitá-la, sem conseguir... Quanto às mãos... Inútil dizer que não tenho luvas, lógico, nem ao menos sei o que é isso. Olho a temperatura marcada em frente ao terminal: — 16°. Ontem, em Bamako, fazia 35°, mais de cinqüenta graus de diferença! Até isso Straubas se eximiu de me contar... Ou será que peguei o avião errado? Então, que lugar será este em que acabo de aterrissar? Parece tão pouco com o que eu via no cinema, com o que eu tinha em mente.

Imagine... Um garoto de dezenove anos plantado na saída de um aeroporto, com seu pequeno blusão transpassado pelo vento glacial de uma nevasca, que acaba de descobrir que é incapaz de falar uma palavra na língua do país a que está chegando, não consegue fazer seus dentes pararem de bater e pergunta a si mesmo por que seus dedos estão ficando entorpecidos... Trinta anos se passaram, mas aquele menino continua ao meu lado, ao lado do homem que sou hoje.

Tentando esquecer a dor, aproximo-me de um tubabo que estava comigo no avião. Ele vem de Dacar e fala francês, eu sei, pois ouvi-o falando com seu vizinho.

— Com licença, senhor...
— Sim?
— Gostaria de ir para a cidade.
— Mas... você está na cidade!
— Eu gostaria de ir para o Harlem.
— É a primeira vez?

Tudo de novo; sinto-me tão burro. Por sorte, o homem é afável, sorridente.

— Estou indo para Manhattan — diz ele. — Se quiser, venha comigo que eu lhe mostro onde deve descer.

Agradeço-lhe com um sorriso e grudo nele, esforçando-me para esconder que estou ficando petrificado pelo frio. Saída do JFK. Estacionamento dos ônibus. Naquele em que entramos está escrito GREYHOUND em grandes letras vermelhas. Não largo meu peixe-piloto, que, tendo percebido que não tenho condições de me virar sozinho, compra gentilmente um bilhete para mim. Sento-me e esfrego todo o corpo com força, para me esquentar. E pensar que na véspera, comprando meu blusão na Mali Élégance, eu acreditava estar preparado para enfrentar qualquer situação! Olho furtivamente para o meu guia, sentado no banco à minha frente. Estou me coçando para lhe perguntar se, realmente, aqui não se fala francês de jeito nenhum. Apesar dessa pergunta estar me roendo por dentro, não a faço. Nem essa nem qualquer outra, aliás. Não tenho coragem. No entanto, já estou pagando caro por não ter feito as perguntas certas na embaixada americana. Mas é mais forte do que eu. Na minha terra, a gente observa, pensa... E depois age, sem perguntar nada a ninguém. É uma questão de brio. De dignidade. Talvez eu esteja com medo de ser visto como um pateta. Se for isso, eles conseguiram fazer com que eu me sentisse assim.

O ônibus fecha as portas e começa a andar. Veja só, não há muitos negros à minha volta... Na verdade, apenas três, entre aproximadamente cinquenta pessoas: o motorista, o fiscal e um outro passageiro. Aí está ele, justamente, o fiscal. Um homem grande, de cabelos esticados, trajando um elegante terno azul-escuro sobre uma camisa azul-celeste impecavelmente passada. Dá gosto vê-lo. Finalmente um irmão que tem classe, como nos filmes. Meu guia se vira para mim:

— O senhor sabe para onde vai?

— Harlem.

— Sim, isso eu sei, mas o senhor tem onde ficar?

— Sim, senhor.

Orgulho, mais uma vez... Melhor morrer do que inspirar pena. E depois, eu estava dizendo a verdade, custava acreditar em mim? Se eu lhe confessasse que não falo uma palavra de inglês, que só tenho roupas de verão, que não conheço ninguém aqui...

O trajeto dura quarenta e cinco minutos. Quarenta e cinco minutos durante os quais ainda tenho a sensação de estar dando um enorme salto no tempo. Com o nariz colado no vidro do Greyhound, não deixo passar nada. Todas essas estradas que se cruzam e recruzam, essas filas de grandes carros multicores que correm em todos os sentidos, esses aviões que decolam e aterrissam à nossa frente, é louco esse vaivém em todos os sentidos, um formigueiro gigante! E esse ruído de fundo abafado pelos vidros do carro, esse alarido que se adivinha lá fora... esses imensos painéis publicitários, também, que recortam o cinza do céu. Estão por toda parte, de todas as cores, vermelhos, amarelos, verdes cintilantes! Sem falar dos prédios, tão altos que não consigo ver seus telhados. Mas como as pessoas fazem para viver dentro deles?

Tem as grandes avenidas, as colunas de fumaça que sobem das tampas de esgoto, os semáforos de três cores suspensos no alto das ruas, as sirenes incessantes... Inclino a cabeça, viro para um lado, viro para o outro, me contorço, não sei mais o que fazer! E tem também todas essas pessoas andando rápido pelas calçadas. As pessoas, pois é... As que estão bem vestidas e saem das lojas com os braços cheios de sacolas. E as outras, caídas no chão ou agarradas às lixeiras. É estranho, elas me lembram os loucos de Bamako. Mas não, não é possível, isso não pode existir na América!

— É aqui que o senhor desce.

Mal tenho tempo de agradecer ao meu anjo da guarda, e já me vejo na plataforma da estação central, Penn Station. Escadas que sobem e descem sem parar, e aquela construção, imensa. A mutilação, sempre... Pessoas apressadas que correm de um lado para o outro. Elas olham para o chão, não se vêem, não vêem os outros, e eu sequer existo para elas. Está ficando cada vez mais parecido com um pesadelo.

Vejo ao longe um grupo de negros que saem da estação. Vou segui-los, devem estar indo para casa, no Harlem, como eu. Um pouco adiante, passo por uma fila de táxis... Nesse ponto, pelo menos não me sinto um expatriado. Em minha terra também há táxis amarelos... Bem, nada a ver com esses: em Bamako, o que chamamos de limusine é uma velha 4L desconjuntada com trezentos mil quilômetros rodados. Chamo: "Táxi!". Nada. Terrível confirmação: com o sotaque francês, vai ser difícil. Recomeço. Desta vez, uma passante — nossa, uma sósia de Françoise! — me aponta um dos carros. Aproximo-me e o motorista me faz sinal para entrar. Coloco minha bolsa no porta-malas e me jogo dentro do veículo. O que eu falei? "Harlem!", lógico, é a única palavra que conheço. O homem se volta para trás... John Wayne dez anos mais velho.

O carro parte a toda a velocidade, e o cara começa a falar comigo. E não pára mais, até o fim do trajeto! Eu, é claro, sou incapaz de lhe responder, mas isso não parece incomodá-lo. Ele fala, fala, faz gestos largos como se nada estivesse acontecendo. Estranho... De repente, o carro pára tão bruscamente quanto havia arrancado.

— Harlem!

John Wayne se vira para trás e rosna alguma coisa. Como eu não esboço nenhuma reação, ele aponta o taxímetro me mostrando três dedos. Mexo na bolsa e estendo uma nota de cinco dólares. Ele me dá o troco, eu saio do carro e pego minha bolsa no porta-malas. Gostaria de lhe dizer até logo, mas eu mal havia terminado de fechar a porta e ele já partira novamente, buzinando como um louco furioso... *Welcome to America!*

Após umas dez horas de vôo, três decolagens, três aterrissagens, um ônibus, um táxi, finalmente o ponto de chegada: Harlem, rua 125. Neste exato momento, lembro como se fosse hoje, pela primeira vez na minha vida eu me sinto só, realmente só. Estou perdido, com fome, não sei onde vou dormir, e meus dedos estão tão gelados que vão se quebrar como vidro, tenho certeza. Tenho que me mexer, tenho que achar o quanto antes um modo de me aquecer. Finalmente, é o frio que vai me salvar do pânico.

Subo a rua 125 tomado pela angústia. Diante de mim, só negros. Finalmente uma sensação agradável? Não exatamente... Não parecem acolhedores, de jeito nenhum. As expressões são tão frias quanto o ar, nada a ver com os sorrisos e os cumprimentos de Bamako. Mais impressionante ainda, as pessoas não parecem ricas... Como aquele homem grande e descarnado que está falando sozinho, ali, do outro lado da rua: reparando bem, ele se parece, sem tirar nem pôr, com o louco que tentou me matar, alguns anos atrás, na estrada de Koulikoro.

Chego a um cruzamento. De um lado e de outro, muitas lojinhas iluminadas e cheias de gente. Aproximo-me de uma loja de roupas. Empurro a porta, sem dizer uma palavra, evidentemente. Observo, passo a mão nos tecidos, avalio sua espessura, e finalmente vejo uma japona de lã azul-marinho exposta em um manequim. Parece tão quente... Uma vendedora me diz alguma coisa, não respondo nada, mas lhe mostro a roupa. Por seus gestos, compreendo que não é do meu número. Ela me faz um sinal para que a espere e volta dois minutos depois com um outro modelo que me dá para experimentar. Olho-me em um espelho, fecho os grandes botões, levanto o colarinho. Impecável, classe e conforto ao mesmo tempo, esta japona é feita para mim, vou levá-la!

Agora, preciso pagar. Tive tempo de reparar no número 12 da etiqueta, na frente do pequeno cifrão de dólares. Estendo o casaco para a vendedora, ela confirma seu preço com os dedos, dou-lhe uma nota de vinte, confiro o troco que ela me dá e saio da loja. Ufa! Deu tudo certo. Então, de uma hora para outra, como que por mágica, sinto-me restabelecido. E cheio de orgulho: meu primeiro êxito em terras americanas!

Agora que estou coberto, "só" preciso achar um teto. Pelo menos por esta noite... Depois, veremos.

Continuo subindo a 125. Por sorte, a noite ainda não caiu. Algumas centenas de metros acima, um pequeno bar chama minha atenção. Aproximo-me. Ouvem-se música e gargalhadas. Olho através do vidro e entro. A mesma coisa, nada de brancos no horizonte. É a única coisa parecida com o que vi nos filmes da embaixada...

Ninguém presta atenção em mim. Aproximo-me do balcão e peço um café. Em francês, bem entendido. A garçonete vem em minha direção e pede, suponho, que eu repita. Conformado, repito, e como continua não entendendo, ela pede ajuda às pessoas no salão, que caem numa gargalhada. Vergonha, sinto-me impotente. Pior, humilhado. Mas como faço questão de não demonstrá-lo, olho bem firme em seus olhos e repito mais uma vez. Alguém, então, grita para a garçonete:

— *Coffee, give him a coffee, Peggy!*

Mais gargalhadas; a moça me serve o café em silêncio. Foi trabalhoso e vexatório, mas pelo menos agora eu sei pedir um *coffee*.

Fico mais ou menos uma hora neste bar. O tempo de me aquecer e de fazer o balanço. Nada brilhante, este. Gastei toda a minha fortuna para estar em um país onde, é o mínimo que se pode dizer, não me sinto bem recebido e onde nem ao menos consigo me fazer entender! Será preciso uma intervenção de Alá e de Boli para eu sair dessa, e rápido. Quanto mais eu penso, mais obcecado fico: a noite vai cair e o frio vai me matar, isso é certo. Definitivamente, preciso encontrar um lugar onde dormir esta noite. Mas, saindo do bar, só me resta continuar subindo a 125.

Outro ponto de táxi. Três carros estão à espera de passageiros. Por que sou atraído pelos motoristas de táxi, como se a salvação viesse dali? Por causa da cor dos carros? Talvez. Em todo caso, bato no primeiro vidro.

— Boa-tarde!

Nenhuma resposta. Bato na segunda.

— Boa-tarde!

Nada, ainda. Pior, um sujeito, um branco, fecha o vidro com força, rosnando palavras que não compreendo, mas cujo sentido posso facilmente imaginar. Último carro.

— Boa-tarde!

— Boa-tarde!

Nem acredito em meus ouvidos. Repito, só pelo prazer:

— Boa-tarde!

— Acabo de lhe responder. Boa-tarde!

— O senhor... o senhor fala francês?

— Como você pode ouvir, *brother*.

Um milagre, obrigado, obrigado, obrigado! Não posso deixar de ver nisso um sinal: foi Boli, tenho certeza, quem colocou este encontro providencial em meu caminho! Depois de me apresentar, pergunto-lhe de onde ele vem. "Haiti." Nunca ouvi falar, mas não importa: ele fala francês, ele me entende, e isso é realmente o essencial. Começamos a conversar. Explico-lhe que acabo de sair do aeroporto e não sei para onde ir. Ele olha para mim, acende um cigarro e, em seguida, após intermináveis segundos, acaba dizendo:

— O Blue Note.

— Como?

— Você pode ir até o Blue Note.

— O que é isso?

— Um bar, um pouco mais acima, na esquina da 125 com a avenida Frederick Douglas. São amigos haitianos. Talvez eles estejam precisando de ajuda com a louça. Espere cinco minutos, vou ligar para eles.

— Obrigado.

Espero tiritando, e ele volta:

— Está tudo certo, pode ir, avisei a eles que você vai chegar.

Ele me explica como ir até lá, eu lhe agradeço, agradeço de novo e sigo caminho. Enquanto ando, digo a mim mesmo que realmente tive sorte. Alá e Boli colocaram esse homem em meu caminho, tenho certeza...

Chego ao Blue Note. Já não era sem tempo, pois, apesar da japona, o frio me pegou e estou tremendo como vara verde. Empurro a porta. O lugar está tão enfumaçado que não se vê um palmo à frente do nariz. A música está no máximo e, como no outro bar, ninguém me dá a menor bola. Dou uma olhada rápida. Nenhum branco no salão. De repente, uma mulher com jeito de estivador, maquiada como um carro roubado, se aproxima:

— E aí, filho, você é o Kabouna?

— Sim, senhora.

— De onde você é?

— Do Mali, senhora.

— Onde?

— Da África... E a senhora?

— Haiti.

— Como o chofer do táxi?

Gargalhadas de fazer as paredes tremerem.

— Mas é claro! Como é que você acha que chegou aqui?

Sinto-me um pouco idiota.

— Aqui é a 125, menino, você está no quarteirão dos antilhanos!

— Isso significa que... todo mundo fala francês, então?

Outra gargalhada.

— É, filho! Bem, francês é um pouco demais... Você vai ver, é um pouco como a nossa cozinha, uma mistura interessante: um pouco de inglês, um pouco de francês e um pouco de crioulo. Tem até uns que, às vezes, põem um dialeto no meio. Mas não se preocupe, a gente sempre acaba se entendendo!

E ela não pára de gracejar... Acho que está caçoando de mim, mas não faz mal. Estou tão feliz e tão aliviado que tenho vontade de pular em seu pescoço. Sem saber, fui parar na quadra francófona do Harlem. Estou salvo.

—Você chegou quando, filho?

— Hoje de manhã, senhora.

— Pare de me chamar de senhora, meu nome é Claudia. E vou te apresentar uma pessoa. Tony, venha cá. Tony!

Um homenzinho de barba branca e óculos embaçados me estende a mão.

— Isso é Tony, meu marido — diz Claudia, sem sequer olhar para ele.

O "isso" me chama a atenção. A vida de Tony não deve ser fácil...

— Oi, garoto, como você se chama?

— Kabouna.

— Kabouna? Nome esquisito... E de onde você vem?

— Do Mali.

— Do Mali? Está ouvindo, Claudia? O menino veio da África! Quando você chegou?

— Hoje de manhã.

— E com quem você veio?

— Com ninguém. Vim sozinho, senhor.

— Mas que idade você tem?

— Dezenove anos.

— Mais essa, agora... Mais essa...

Ele repete essas palavras para si mesmo, fitando-me como se eu tivesse caído de outra galáxia.

— E o que você veio fazer aqui, filho?

— Trabalhar, senhor.

Agora é a vez dele de rir. Um riso realmente desbragado.

— Essa é boa! Está ouvindo, Claudia, o menino diz que veio trabalhar!

O que deu nele? Realmente não entendo o que foi que eu disse de engraçado. Mas não tardarei a entender, depois de dar uma volta pelo bairro... Enquanto espero, Claudia, seu marido e eu trocamos algumas palavras. Conto a eles como aterrissei ali, o que me levou até eles. Tony, então, acende um cigarro e em seguida, depois de baforar toda a fumaça na minha cara, me pergunta:

— O que você sabe fazer?

— Eu... Já trabalho há muito tempo, o senhor sabe, eu...

— O.k., tá bom, garoto! Vou te propor um negócio.

— Sim?

— Tudo bem, você vai ficar e dormir aqui. Mas, em troca, você lava a louça e faz a limpeza. Então, o que acha disso, filho?

Mas como? É claro que isso me serve!

— Obrigado, senh...

— Tony.

Ufa... pronto, já tenho um teto! Graças ao chofer de táxi. Tenho que encontrá-lo novamente. Para lhe contar, mas principalmente para lhe agradecer mais uma vez. Claudia me pergunta se não estou com fome. Embora não tenha coragem de lhe dizer, sinto-me capaz de devorá-la quase inteira, mas antes de qualquer coisa ela já está me estendendo um sanduíche que eu engulo em três mordidas. Que bom, não tenho a menor idéia do que seja, mas está tão bom!

— São sessenta centavos, pequeno!

Entrego-lhe uma nota de cinco dólares e pergunto se ela pode trazer mais dois.

— Dois? Mas há quantos dias você não come?

Não é só a fome, são todos aqueles gostos novos. Primeiro o pão, grandes quadrados de pão branco, chato, macio e elástico. O molho, espesso, adocicado. E a coca-cola. Verdadeira, não uma imitação, como aquela que eu bebia no Caribou 230 antes de ir dançar. A original vale a pena, com certeza. Leve, espumante... O "café", em compensação, não tem, de jeito nenhum, gosto de café. Tem cheiro de papelão, plástico ou detergente, a escolher. Digo a mim mesmo que seria bom se Claudia fosse passar uma pequena temporada na casa de minha mãe, no Mali.

A noite caiu. Como não fecho os olhos há mais de vinte e quatro horas, começo a dar mostras de cansaço. A música e a fumaça me dão dor de cabeça, mas estou tão esgotado que poderia dormir ali mesmo, com a cabeça sobre os braços, no balcão. Então, uma mulher jovem entra no bar. Nem teve tempo de fechar a porta atrás de si, e a voz tonitruante de Claudia a interpela:

— Elisa, vem cá, quero te apresentar o Kabouna, ele veio da África.

— Da África? — pergunta a jovem, estendendo-me a mão.
— Mas você chegou quando? E o que você...

Claudia a interrompe bruscamente:

— Mais tarde a gente te conta. Por enquanto, ele vai nos ajudar na cozinha.

— OK, boas-vindas pra você, meu irmão.

Ela se aproxima de mim e acrescenta, piscando o olho:

— Não se preocupe, ela tem um jeito rude, mas é gentil...

— O que é que você está dizendo aí, Lisa?

— Nada, patroa, estou perguntando de que país ele vem...

Por volta das sete horas, chegam os primeiros clientes. Instalam-se no balcão e pedem uma cerveja atrás da outra. Depois, a cada hora chega uma nova leva de *habitués*. E logo, muito rapidamente, a sala do Blue Note está arrebentando de gente. Umas cinqüenta pessoas, todos negros. Elas esbarram umas nas outras, bebem, fumam, riem alto, todo mundo parece se conhecer, e Claudia, qual uma rainha em meio à sua corte, pontifica do alto de um banco de bar de acrílico rosa. O tempo todo, a *jukebox* toca Aretha Franklin, Marvin Gaye, Otis Redding, os Jackson Five, os Temptations, Percy Sledge... Não falta ninguém!

Estou caindo de cansaço. Minhas pálpebras pesam uma tonelada e os olhos se fecham contra a minha vontade. Infelizmente, ainda falta muito para eu ir me deitar. Claudia me mostra a cozinha. Um reduto imundo e sufocante, no qual eu devo lavar a louça enquanto Elisa prepara os pratos, tudo sob o olhar vigilante da patroa que, sempre no alto de seu poleiro, não deixa passar nada. Um detalhe: quando começo a perguntar como se esquenta a água para lavar a louça, sinto sob meus dedos que ela já está saindo superquente da torneira... Continuo me abstendo de qualquer comentário, Claudia choraria de tanto rir.

Finalmente, os últimos clientes passam pela porta de saída. São três da manhã. Elisa e Tony já foram embora há muito tempo. Só Claudia ficou comigo, para me dar as instruções. A louça é enxugada, o chão, lavado, e as mesas, conscienciosamente lustradas e depois enfileiradas lado a lado. Estou moído.

— Tudo bem, menino?
— Tudo bem, tudo bem...
— O.k., vamos nos deitar. Eu fecho tudo.
— Está bem.
—Você pode ficar aí, se quiser, ela disse apontando o banco de napa vermelho-vivo com o fundo todo rasgado. Você tem um travesseiro?
— Sim, sim, está tudo bem.
— O.k., então, boa-noite, menino, e até amanhã.
— Boa-noite, Claudia.

E assim termina minha primeira jornada em terras americanas. Estou tão esgotado que não tenho forças nem para abrir a bolsa para tirar meu *konowolonwoula*. Vou dormir sem tirar a roupa nesse banco que fede a nicotina e a álcool. Não faz mal, tenho um teto. Agradeço mais uma vez a Alá e a Boli, e mergulho no sono... Em um canto de minha cabeça, a imagem da rua, onde eu certamente teria sucumbido se aquelas pessoas não tivessem cruzado o meu caminho.

Cinco rápidas horas depois, Claudia e Tony me sacodem. Eles moram pertinho, logo atrás do bar, mas, extenuado como estou, nem os ouvi entrar!

— Dormiu bem, menino?
— Sim, obrigado.
Abro a bolsa para pegar meu sabonete Astral e vou fazer uma toalete sumária na cozinha. Depois, espremido entre as baterias de panela e os produtos de limpeza, ajoelho-me para fazer a primeira das cinco preces do dia a Alá.
— Está com fome? — Tony me pergunta gentilmente.
Primeiro café-da-manhã americano. Descubro mais sabores novos: o suco de laranja, os pãezinhos redondos e o monte de bolinhos chamados *bagels, donuts, pancakes,* o queijo cremoso, os cereais, a manteiga de amendoim... Para dizer a verdade, já estou cansado desses sabores insípidos e dessas consistências todas iguais. Mas, ao mesmo tempo, estou reconfortado: aqui, como na minha terra, há comida sólida no almoço. As quantidades não são muito diferentes daquelas, enormes, de bolachas de milhete e de coalhada que eu devorava todas as manhãs antes de sair pela estrada de Koulikoro afora.

Os primeiros clientes chegam por volta das dez horas para almoçar. Assim que terminam, tiro os pratos e talheres, e começo a lavar a louça. Elisa, por sua vez, pega no serviço um pouco antes de meio-dia. Quando ela chega, acompanho-a na cozinha para lhe dar uma mãozinha. Mas eu nunca sirvo na sala, nunca. É o território de Claudia e Tony. Três e meia: fim do serviço. Como na noite anterior, limpo o chão, lustro as mesas e arrumo as cadeiras. Logo chegam os primeiros clientes da noite.

Nem preciso dizer que nem vi minhas duas primeiras semanas na América passarem, não é?

No décimo sexto dia, começo a pensar. Tenho onde dormir e o que comer, é verdade. Mas não tenho salário e já torrei cem dólares dos seiscentos e sessenta e quatro de minhas economias. Além do mais, ainda não arranjei forças para visitar a cidade. Está na hora de tomar uma atitude.

Não disponho de mais que uma hora ou duas por dia, mas é o suficiente para eu me aventurar fora do Blue Note. No décimo sétimo dia, eu me arrisco... Começo a explorar prudentemente as ruas dos arredores, e depois cada vez mais longe. Nenhum branco, isso se confirma, e, apesar do frio siberiano, todo mundo está sempre na rua. Vejo as pessoas conversando, interpelando-se de uma calçada à outra, provocando umas às outras para rir... Têm um jeito simpático, mas eu me pergunto se passam todos os seus dias assim, ouvindo música e fumando esses cigarros esquisitos. Algumas centenas de metros acima, descubro um buraco. Não um simples buraco, como na África. Um buraco na calçada, com balaustradas e escadas. Não tenho a menor idéia do que seja. Em Bamako, jamais cavamos o chão, a não ser para enterrar as pessoas. Será um túmulo? Não, sem dúvida, porque vejo uma enorme multidão descendo por ele, como que atraída pelo que há lá dentro. Aproximo-me, mas não tenho coragem de seguir os pedestres... A luz acinzentada, o cheiro, aquela espécie de rumor... tudo me repele. Então, dou meia-volta para ir até o Blue Note perguntar o que é aquilo. Eles têm dificuldade em compreender minhas perguntas, depois, em parar de rir, e mais ainda em me explicar. O metrô: um trem debaixo da terra... Por mais que eu me esforce para entender, é impossível para mim imaginar como isso funciona, e principalmente para que serve. Será que os americanos não têm bastante espaço do lado de fora, por que colocar trens circulando debaixo da terra? E como se pode respirar ali? É escuro lá dentro? E pensar que no Mali só há um trem, e, mesmo assim, nem todos os dias... Naturalmente, irei ver esse buraco, um dia. Mas não agora. Tenho medo demais. Enquanto espero, passeio, ouço, olho, em resumo, me impregno da vida do bairro, e procuro o meu chofer de táxi, aquele a quem devo o fato de ter encontrado um teto. Preciso absolutamente encontrá-lo, é muito importante, para lhe dizer o que sinto.

Finalmente, é no Blue Note, só duas semanas depois, que o avisto em uma mesa no fundo da sala, copo na mão. Dirijo-me para ele com um grande sorriso. Vejo que ele me reconhece imediatamente, abro a boca para cumprimentá-lo, e então... impossível emitir um som! Um nó me aperta a garganta, os olhos marejam... Ele está pasmo, e eu também. E eu soluço como uma criança! Eu, que estava certo de que minhas últimas lágrimas haviam se evaporado com a alma de Boli... É o que chamamos chorar de reconhecimento. Mas há também o cansaço, o medo, o exílio, e tudo isso explode diante desse homem que arregala os olhos.

Na hora não me dou conta, mas a cena não passa despercebida no Blue Note. Claudia e Tony confessarão a mim mais tarde, quando tomarem consciência de todo o caminho que precisei percorrer para chegar até eles. Mas, nesse dia, eles me vêem como um bom trabalhador, um imigrante disposto a tudo para se dar bem, um cara decidido. E têm diante de si simplesmente um rapazinho de dezenove anos, longe da família e de sua terra.

Ainda ouço a voz de Claudia:
— Aqui você está em casa, Kabou. Fique o tempo que quiser. E agora, você terá um quarto seu.
— É realmente muito gentil o que vocês estão fazendo por mim, mas eu gostaria de encontrar um trabalho. Quero dizer, um outro trabalho, em outro lugar. E se ficar com o quarto de vocês, vou pagar por ele.
Claudia suspira, balançando a cabeça.
— Está ouvindo isso, Tony?
— Deixa pra lá, menino, não precisamos disso. A gente te cede o quarto e você fica o tempo que quiser.
— Se vocês não quiserem dinheiro, então continuarei ajudando na cozinha.
Completamente enternecidos, eles protestam, mas eu não dou o braço a torcer. Explico-lhes que não há razão alguma para que eu seja hospedado de graça. Posso imaginar o que estão pensando: "Ah, rapaz valente! Finalmente um cara honesto, e trabalhador, e além disso..." Mas eles não entendem que, para mim, é uma questão de liberdade. Não dever nada a ninguém para poder partir quando eu quiser.

O quarto fica em cima do Blue Note. É minúsculo, cinco ou seis metros quadrados, no máximo. Tenho a impressão de estar atravessando a soleira de um reino: pela primeira vez na vida, tenho um lugar só para mim, com porta, chave, cama, cadeira, mesa de madeira e lavabo para fazer a toalete e minhas abluções... Chega daquela sala com cheiro de nicotina e vapores de álcool, do banco de napa furada que me martirizava as costas, da toalete e das abluções que eu fazia espremido entre as vassouras e os detergentes.

Agora que estou "em casa", finalmente vou poder abrir minha bolsa e desembalar minhas coisas, a começar pela mais preciosa: meu *konowolonwoula*. Aperto-o no peito, respiro o Mali a plenos pulmões... Eu havia esquecido como era o cheiro do Mali. Sinto um nó na garganta. De repente, vontade de escrever para Marie. Agora que estou diante de uma mesa minha, sentado em uma cama que é minha, sinto profunda necessidade de lhe enviar uma carta. Não posso esperar, é urgente. Peço a Claudia papel e um envelope emprestados e escrevo, rápido, começo a contar... Até agora, eu não havia tido muito tempo para pensar em Marie, mas escrevendo as primeiras palavras, meu coração imediatamente fica apertado: sinto sua falta infinitamente, cruelmente. Pergunto a mim mesmo, e depois a ela, como ela está vivendo, o que está fazendo. Como têm sido seus dias. Está triste, está com medo, ainda confia em mim? Sente minha falta? E em seguida, infelizmente, como toda vez que penso nela, a sombra ameaçadora de Françoise logo vem planar, como um abutre, sobre nós.

Françoise...

O que mais ela terá tramado? Terá dado uma trégua a Marie ou, ao contrário, atacado para me golpear mais um pouco? Não tenho muitas ilusões, infelizmente... Ela sem dúvida não reduzirá a pressão tão cedo e continuará, mais do que nunca, seu trabalho insidioso de me solapar...

Marie, pequena Marie do meu coração: você conseguirá resistir? Terá essa grandeza de alma? Espero que você não sucumba, não sei se isso é claro para você. Não estou mais aí para apoiá-la, para pegá-la em meus braços e devolver os golpes, e você... Você está sozinha para enfrentar os ataques de sua irmã. Envio minha carta com o coração apertado. A resposta demora demais a chegar.

De tanto percorrer os arredores do Blue Note, acabei fazendo amizade com os caras que passam a vida ali. Agora eles sabem quem eu sou, de onde venho, onde vivo e o que procuro. E entendo por que Tony me achou engraçado quando eu disse que tinha vindo para trabalhar. No bairro, esse tipo de iniciativa é muito raro... Em outras palavras, as pessoas aqui não são entusiastas do trabalho. Sejamos claros, elas não fazem nada o dia inteiro. Mas são muito simpáticas e divertidas... quando não estão afundadas na marijuana ou no rum puro.

Cumprimento-os, faço perguntas... e é assim que descolo meu primeiro biscate: ajudante e angariador de clientes em uma loja de roupas usadas no alto da 125. Sem salário fixo, e muito menos registro trabalhista, mas com uma comissão por cada cliente que eu fizer entrar na loja. Nenhuma maravilha, mas é um começo. E depois, com um pouco de sorte, esse trabalho me fará conhecer pessoas que me farão conhecer pessoas. Afinal de contas, foi sempre assim que aconteceu, como com o sr. Roger na Gauloise. O que conta, por ora, é menos o que eu tenho e mais o que isso vai me trazer.

Trabalho das dez às dezenove horas, depois pego o serviço no Blue Note. Como sinal de minha promoção no seio da família, agora, além de cuidar da louça, eu sirvo na sala. Minha jornada termina por volta das duas da manhã. E, como de costume, faço minhas abluções, a oração, e deito em minha cama. E sempre, antes que o sono chegue, as mesmas imagens me passam pela cabeça... Terra vermelha, uma lixeira verde na estrada de Koulikoro, um bubu vermelho e branco que dança diante de mim, a mobilete de Marie... Pronto, adormeço.

Ao longo do tempo, vou cavando meu espaço no bairro. Todo mundo me conhece e eu conheço todo mundo. Tenho até um grupo de amigos, a maioria haitianos e antilhanos. Sou o único que trabalha de verdade, mas todos os dias nos encontramos na hora do almoço para saborearmos juntos as *chick and cheese*, asas de frango com queijo — de que logo me torno fã. Apesar da ociosidade, da droga, do álcool e das arruaças quase cotidianas, aqui reina uma verdadeira solidariedade. Sem dúvida porque, além de negros, somos todos imigrantes, à margem da cidade e dentro do mesmo barco.

Para eles, agora sou Kabouna, o africano, um garoto que desembarcou sozinho na América para fazer fortuna, o mais novo dos caras da rua, todos homens de mais de trinta anos e que muitas vezes parecem ter quinze a mais. No começo, eles não falavam comigo. Não entendiam muito bem de onde eu tinha saído. Agora, sinto que me respeitam. Mas meus irmãos de bairro não têm ambição, não falam de restaurante nem de uma moça que os espera em sua terra. Parecem não ter futuro. E eles esperam, e esperam... O quê? Nunca saberei.

O biscate na loja não me rende grande coisa, aproximadamente cento e vinte dólares por mês, e a metade dou a Claudia e Tony pelo aluguel do quarto. Ser independente não tem preço. Depois de separado o dinheiro da comida, restam-me trinta dólares, que eu reservo. Assim, não preciso mexer no meu capital.

Não uso mais minha bolsinha, a que Boli trazia no pescoço. Eu a perdi. No entanto, eu tinha certeza de que a havia colocado em minha bolsa... mas não consigo achá-la. Será um sinal? Por isso, guardo o dinheiro comigo, no fundo de meus bolsos. Mas respeitando uma técnica do Mali que Boli me ensinou. O dinheiro que sai, por exemplo, o que vou gastar para comer, fica sempre no fundo do bolso direito. O que economizo nunca deve sair do meu bolso esquerdo. Assim, eu sempre pago com a mesma mão, aquela pela qual saem e entram os valores. Esse hábito foi herdado de uma antiga crença malinesa segundo a qual o dinheiro, se tocado pela mão esquerda, nunca mais volta. Mantive-o por toda a vida. Quase que inconscientemente. Quando quero comprar alguma coisa, enfio a mão no bolso direito da calça, apenas. Mas como hoje tenho uma conta bancária, meu bolso esquerdo não tem mais serventia.

Faz seis meses que pus os pés na América. Minha vida está bem organizada, mas não me satisfaz mais. Quero ver outros lugares.

Se ficar em Nova York, se continuar assim, vou perder tempo, o tempo que me separa da volta para casa e de Marie. Sinto que posso fazer bem mais, e melhor. É chegada a hora de partir. Para onde, como e por que fazê-lo, ignoro-o, mas é agora. Meu visto? Está vencido há três meses, mas isso não é o que mais me preocupa. Todos aqui estão sob a mesma insígnia, como se a expressão "trabalho no mercado negro" tivesse sido inventada para nós! Me dei conta de que o mais importante, para as autoridades, era que nós trabalhássemos, clandestinamente ou não. Desde que não seja assaltante, estelionatário ou traficante, você pode ficar em paz. Afinal de contas, não me pagam muito e estou quieto em meu canto. Por que os agentes do Estado viriam me perturbar?

Chegou o dia de descer no buraco. Respiro fundo, tomo coragem e obrigo minhas pernas a seguirem os corredores subterrâneos até a plataforma... Imóvel no meio da multidão que irrompe à minha volta, olho para as luzes, o túnel, o piche no chão, a máquina que vem rugindo em minha direção, e penso em todos os braços que cavaram a terra, que tiraram a poeira, que puxaram cabos, vigas de aço, toneladas de material para que esse trem possa rodar debaixo da rua, sob as torres imensas de Nova York. Quantos à minha volta estarão pensando nesse peso sobre nossas cabeças? Sinto-me só, mais uma vez. Tão sozinho. Mas não dou meia-volta. Entro no vagão e me obrigo a ficar até o fim da linha... É assim que vou amansar o metrô, dia após dia. No começo ficando sempre na mesma linha, com o mesmo ritual. Olho um mapa, aponto com o dedo uma linha e depois a percorro de uma ponta a outra, nos dois sentidos. Vou aprender a conhecer Nova York lavrando-a sulco por sulco. Certamente não é o modo mais prático ou mais rápido, mas pelo menos eu nunca me perdi!

Canal Street. É aqui que começa o bairro chinês. Depois de só ter convivido com negros durante seis meses, encontro os meus primeiros asiáticos, a algumas ruas mas a anos-luz da 125. Em Chinatown, as pessoas são tão trabalhadoras quanto meus amigos do Blue Note são preguiçosos. E todos falam inglês corretamente. Eu, ainda não. Ou melhor, de tanto ouvir e viver aqui, eu me viro, ou seja, começo a entender o que me dizem e posso pedir as coisas mais simples. De fato, nunca falarei inglês de verdade. Minha língua é o *slang*, a gíria das ruas. Nada difícil, basta começar todas as frases com "*brother*", "*I got*" ou "*what*", e terminá-las com "*fuck*" ou "*motherfucker*".

Canal Street, chego lá a conselho dos meus irmãos da 125. Segundo eles, com os chineses há como ganhar bem a vida. Meu primeiro biscate lá não será o mais glorioso de minha carreira: camelô... Todos os dias me abasteço de produtos *made in China* ou *made in Taiwan*: relógios, bijuterias e outros trecos, e vou revendê-los adiante, na mesma linha do metrô, naturalmente. A cada relógio vendido por dois dólares, embolso um dólar. Cinqüenta por cento de participação é realmente rentável, mas não ficarei muito tempo nesse biscate. Sempre me recusei a entrar em armações odiosas desse tipo em Bamako, e não vai ser aqui, em Nova York, que irei aceitá-las. E depois, não vale a pena correr risco de ser preso pela polícia: seria uma catástrofe! E eu morreria de vergonha. Não, o que estou procurando é um trabalho de verdade, com um cargo e horários fixos.

De tanto vaguear por Chinatown, finalmente encontro o trabalho de verdade que eu queria. Fico sabendo que estão precisando de alguém para lavar louça no Shanghai Palace. O Shanghai é o maior restaurante chinês da cidade, nada menos do que novecentas refeições servidas por dia em quatro andares. O lugar, que pertence às doze maiores famílias de Chinatown, é o ponto de encontro de toda a comunidade chinesa de Nova York. O homem que me contrata é um chinês de idade indefinida, de capa e chapéu. Poderia ter quarenta anos ou um século, ter vivido pelo menos dez guerras, mas nunca abre a boca sem concluir que "na minha época, os jovens pelo menos sabiam trabalhar". Fico me perguntando como poderia ser na época dele, porque no Shanghai Palace ninguém pára de trabalhar um minuto!

E aqui estou, de volta à louça... Mas desta vez com horários convenientes, das onze às dezesseis horas, e principalmente um bom salário, três dólares por hora. Detalhe engraçado: sou o único negro no meio de uma nuvem de asiáticos. Na verdade, o trabalho é extenuante. Chego às dez da manhã, almoçamos todos juntos na cozinha e, depois, não paro um minuto até as quatro da tarde. As condições de trabalho são penosas: ficamos confinados em subsolos escuros, sob lâmpadas frias apenas penduradas em fios, suando por todos os poros no vapor permanente que sai das máquinas e das pias. Esfalfamo-nos como animais, nem um segundo de descanso, gritos, ordens, gente correndo por todos os lados. Sempre saio de lá esgotado. E as costas doem, o corpo todo dói, de tanto vergar minha grande carcaça sobre pias baixas demais para mim.

Passados dez dias de minha contratação, estou sempre tão exausto que começo a me achar idiota, e principalmente improdutivo, por não fazer nada entre as quatro e as seis da tarde, quer dizer, entre o fim do serviço no Shanghai e o começo do outro, no Blue Note. Então, como em Bamako, vou me virar para encontrar um biscate complementar. Serei lavador de carros em uma pequena garagem da East Broadway, um pouco mais acima, no prolongamento da Canal Street. Minha parte é o acabamento: pego o carro depois que foi lavado entre os rolos, dou uma polida e depois passo aspirador na parte interna. Mais uma vez, sou pago por peça, setenta centavos por carro, o que equivale a dizer que meu salário é tão flutuante quanto magro.

Deixarei o trabalho ao fim de um mês. Mais uma vez, é um encontro que me salva, com um cliente regular, desta vez um branco, que todas as semanas traz o carro para lavar. Trocando amabilidades, acabamos simpatizando um com o outro. Um dia, ele me fala do Madison Square Garden, a mítica sala de espetáculos dos filmes da embaixada. No Madison, há as maiores lutas de boxe e memoráveis partidas de basquete, com aquelas *pom-pom girls* que tanto me fizeram sonhar em Bamako. Então, quando esse homem me sugere que eu dê uma voltinha por lá para ver se há alguma possibilidade de trabalho, eu imediatamente agarro a oportunidade. Logo no dia seguinte encontro um bico como guardador de estacionamento no quarto subsolo. No intervalo que eu queria, bem entendido, entre dezesseis e dezoito horas. Depois do Shanghai a três dólares por hora, o *car wash* a setenta centavos por carro, o Madison será uma mina: é a primeira vez que vejo as notas verdinhas. Graças às gorjetas, há dias em que chego a fazer a féria de... cem dólares! Agora eu sinto que começou... As paredes do meu restaurante começam a tomar forma, tijolo por tijolo. Como em Bamako, vou construindo aos poucos, subo um degrau depois do outro, com paciência.

Agora, meus dias se organizam da seguinte maneira: despertar às seis, abluções e oração no meu quartinho, café-da-manhã e serviço no Blue Note até nove e meia, Shanghai, louça até quatro da tarde, em seguida rumo ao estacionamento do Madison, de onde saio às seis, e de volta ao Blue Note, onde dou uma mãozinha até o fechamento, por volta das duas manhã. Ao todo, o equivalente a seis períodos de vinte e quatro horas por semana.

Não tenho exatamente tempo para flanar, mas não faz mal. Estou feliz porque a máquina está em movimento e bem azeitada, e isso é o mais importante. Além disso, trabalhar tanto tem outra vantagem: não tenho tempo para gastar nem para pensar muito nos meus parentes. As imagens de minha terra se apagam, pouco a pouco... Meu único elo com Bamako é Marie. Escrevemos um para o outro todas as semanas, sem falta. Eu lhe conto minha vida, minhas emoções, meus dias, minhas descobertas. Quanto ganhei, quanto economizei. E ela me conta a sua, dá notícias da família, fala da preparação para o concurso de enfermeira que vai fazer, de suas amigas, das roupas que comprou... Mas, principalmente, ela me tranqüiliza. Repete que me ama, que está me esperando, que me entende. A única sombra no panorama, eu o sinto, é Françoise, que ainda está atrás dela, conscientemente minando o seu moral. Como sou obrigado a mandar a correspondência para o endereço dela na presidência para ter certeza de que vai chegar, ela aproveita. Marie, pequena Marie do meu coração, será que você conseguirá resistir?

Domingo é o meu dia de liberdade. Aproveito para explorar novos bairros, o Queens, o Bronx... Sempre de metrô — agora me sinto em casa em seus vagões e galerias — e sempre sozinho, porque tenho dificuldades em criar vínculos fortes, talvez porque mantenho em um canto de minha cabeça a idéia de que não estou aqui por muito tempo, de que um dia irei embora. De manhã, passo a ferro minha roupa preferida, um macacão jeans, sob o qual enfio, conforme a estação e as circunstâncias, um pulôver grosso, um casaco de malha com capuz, uma camisa de seda ou uma camiseta com a figura do meu ídolo do momento, James Brown. Economizar, aqui ou em Bamako, não me impede de cuidar da aparência. Gosto demais de me vestir. Ou você sabe se vestir ou não sabe! Mas o momento mais doloroso para mim é quando me vejo obrigado a deixar de comprar um blusão ou um par de botas. No entanto, só vou à Jamaica Avenue, a mais barata de Nova York... Mas lá também tenho que tomar cuidado. Olho as vitrines, sinto meu estômago se crispar de vontade, e então penso com muita força no meu restaurante, em Bamako, no dia em que Capone voltará aos seus, coberto de ouro e de peles. E sigo em frente, rumo ao West Harlem.

As semanas e os meses vão passando sem que eu perceba. Daqui a pouco vou fazer vinte e um anos. Já faz seis meses que trabalho nas entranhas do Madison. E começo a me sentir cheio disso tudo, mais uma vez. Quero algo melhor e mais digno. Quero, principalmente, subir à superfície, aproveitar, eu também, os espetáculos que acontecem quatro andares acima. Vejo os cartazes, ouço as pessoas a quem devolvo os carros me contando dos jogos, dos concertos... Mas o sonho está fora do meu alcance. Afinal, foi também porque existem esses lugares que eu vim para Nova York. E vivo como uma toupeira no fundo do estacionamento. Isso tem que acabar.

Pouco a pouco, saio da sombra, pego os elevadores, um andar, dois andares... Vagueio pelos corredores, apresento-me, faço perguntas, aproximo-me da superfície como quem não quer nada... Mas nada de trabalho. O tempo está passando e estou ficando aborrecido. As coisas não estão mais caminhando bem. Tem o estacionamento, mas tem também o Shanghai. Descobri que os chineses só trabalham entre eles mesmos, e que o acesso ao serviço no salão sempre estará vetado para mim, porque não sou um deles. Mais um subsolo. De desanimar. E não é só isso. Como estou sempre ligado, vejo que alguns de meus colegas desaparecem de um dia para o outro e que outros me viram as costas ou começam a falar chinês quando me aproximo. Estranho... E francamente desagradável. Os rumores acabam chegando até mim. Fala-se de seqüestros, de máfia, de acerto de contas. O clima piora a cada dia, os olhares estão ficando esquivos, as bocas se fecham e agora cada um se aferra à sua tarefa, ignorando o vizinho. O trabalho já não era nada agradável; agora, está ficando insustentável.

Mudar de atividade é a única solução. E, como sempre, saio perguntando. Falo com os clientes do Madison mais bem colocados, os mais ricos. Um deles me aconselha a ir à Broadway. Só pelo nome, já é um bom programa.

— Você vai ver — ele diz —, lá todo mundo se conhece. Uma vez lá dentro, as coisas caminharão por si mesmas.

E lá vou eu, de metrô. Saio do buraco e, então, que deslumbramento! A rua 42, Times Square, as telas gigantes... Pareço uma criança, não sei para onde olhar, as luzes, as imagens, tudo cintila, tudo brilha, tudo desaparece e reaparece, em um movimento incessante, como um grande carrossel. Não preciso esperar muito para que uma porta se abra. De um endereço para outro, mandam-me para um ateliê de confecção clandestino mantido por paquistaneses. Propõem me contratar imediatamente para carregar, descarregar e entregar as encomendas. Aceito imediatamente... para desistir duas semanas depois. Mais uma vez, não me sinto bem e não me sinto em meu lugar nesse biscate à beira da ilegalidade. Mesmo assim, aproveito para enriquecer copiosamente meu guarda-roupa: jeans, casacos, camisetas, todos "caídos do caminhão", naturalmente. Sem comentários. Ou melhor, sim, um só: para um cara bem-vestido como eu, a tentação era realmente grande demais.

De volta à estaca zero. Continuo com os trabalhos no Blue Note e no Shanghai, mas como nenhum dos dois me convém mais, será preciso procurar mais longe.

Faz quase dois anos que saí do Mali, e o balanço não é nenhuma maravilha. As paredes de meu restaurante ainda não têm muitos tijolos. E ainda não vi grande coisa dos espetáculos e das *pom-pom girls*. Pensando bem, realmente não estou muito certo de que está valendo a pena ter saído de Bamako... Das latas de lixo aos subterrâneos de Nova York, a ascensão é pequena, é o mínimo que posso dizer. E como sempre nesses casos, começo a odiar Straubas, e isso me dá um certo alívio.

Por todas essas razões, é também a primeira vez que me deixo abater de verdade desde que pus os pés aqui. A primeira vez, também, que tenho tanta dúvida. Não tanto de mim, ainda que... mas principalmente daquilo que ainda posso descobrir, tendo em vista o que encontrei até agora. Pois, por enquanto, o sonho americano parece mais uma miragem do que uma realidade. E se é verdade que aterrissei na pátria de todos os possíveis, tenho sobretudo o sentimento de continuar à margem. Um pouco como na estrada de Koulikoro quando eu catava as latas de conserva e observava de longe, muito longe, a vida dos ricos brancos. Já à margem. Sempre à margem...

Não vim aqui para ficar em segundo plano. Não passei treze anos na rua nem percorri milhares de quilômetros para ser relegado dessa maneira aos subterrâneos de Nova York. Não esqueço a sorte que tive de cruzar com aquele chofer de táxi que me permitiu encontrar um teto e um trabalho. Assim como não esqueço o extraordinário acaso — acaso? — que me fez aterrissar em plena comunidade francófona. Mas isso tudo não basta, não é mais o bastante para me apaziguar. Ao fazer o primeiro balanço, não estou certo de que tenha valido a pena deixar para trás minha terra, meus parentes e amigos, e tudo aquilo que levei mais de dez anos para construir... Dúvidas, angústias, perguntas. Será que vou conseguir? Quanto tempo ainda será preciso esperar até que eu possa ter nas mãos o que vim buscar aqui? E Marie, quanto tempo ela vai querer, vai poder ainda esperar por mim? Bolo no estômago e nó na garganta: cada mês que passo aqui não oferecerá a Françoise uma oportunidade a mais de atingir seus fins?

E as questões de fundo, as que perturbam mais, sem dúvida: além de ter sido ludibriado, não terei, eu também, me enganado? Será que me extraviei? Será que sonhei alto demais? Ou, pior... obliquamente? Sempre construí minha vida da mesma maneira, puxando-a para cima. Cinco anos e meio de lixeiras, primeiro com as latas, depois com as garrafas, em seguida rumo às embaixadas, os documentos a entregar, o curso na Aliança...

Resumindo, sempre um pouco melhor, sempre um pouco mais. Nem tudo é negativo, apesar de tudo. Ter partido já constitui uma vitória. E não das menores. Pelo menos eu o fiz, tive coragem — a loucura — de ir até o fim de meu sonho. E depois, em dois anos, conheci pessoas, aprendi uma língua, descobri um monte de coisas e trabalhei sem corroer meu capital inicial, que, por ora, monta a aproximadamente mil e quinhentos dólares, apesar de estar bem distante do que eu havia fixado como meta...

Não, nem tudo é negro, mas cinza, apesar de tudo... Muitas razões pelas quais está na hora de fazer outra coisa. O que, onde e como, não sei, mas não tenho mais vontade de continuar assim, de insistir teimosamente em estradas sem saída. Sinto que andei muito, preciso respirar e, sobretudo, finalmente aproveitar um pouco a vida.

Estou atravessando um momento difícil, mas a idéia de voltar para casa nunca me passa pela cabeça. Está fora de cogitação desistir antes de ter tentado tudo. Mesmo que eu tenha que pagar caro por isso. Brio, é claro, orgulho, naturalmente, mas também Boli, que, sei e sinto todos os dias, olha por mim lá de cima. Impossível decepcioná-la. Tenho que conseguir, ir até o fim. Ela não me legou sua alma e sua força para que eu me mostrasse indigno dela. Voltar agora seria mais do que um fracasso: uma afronta e uma vergonha que não posso sequer imaginar, nem por um segundo. Vou conseguir!

Será, provavelmente, mais demorado e mais complexo do que o previsto, mas hei de vencer, palavra de Capone!

Ocorre-me, então, a idéia de aplicar uma receita que já me era familiar em Bamako: como agora eu conheço a Broadway, por que não comprar ingressos por pacotes e vendê-los às escondidas nas portas antes do início dos espetáculos, com uma margem de lucro? Nada legal, um pouco reles, é verdade, mas também não faz mal a ninguém, então por que não? E dá certo. Aliás, bastante certo, a ponto de nunca me sobrar nenhum ingresso e de eu tirar alguns punhados de dólares, que me servirão para as despesas do dia-a-dia. A experiência não é das mais honrosas, mas tem pelo menos três vantagens: não tenho um patrão atrás de mim nas horas em que faço isso, não gasto meu capital inicial e aproveito para assistir aos espetáculos.

Meus primeiros espetáculos! Concertos de blues e de jazz, comédias musicais, mágica, cinema, tudo. Lembro-me de um cara que fazia um *one-man show* em *slang*, a cada noite improvisando conforme as reações do público — chamava-se isso de *stand up*. E de um filme, *No calor da noite*, o primeiro que eu veria cujo herói é um negro, interpretado por Sidney Poitier.

É a minha fase Broadway. Solto um pouco as rédeas. Deixo de lado o "imigrantezinho bem-comportado" que só pensa em labutar e em encher o bolso esquerdo... Volto a ser, por um verão, um rapaz de vinte anos como os outros. O bairro está cheio de vendedores de discos. E de tanto rondar as caixas de discos, tornei-me amigo dos negociantes. Nada difícil. Eles são jamaicanos, falam *slang*, como eu, e têm senso estético — o penteado deles, principalmente, é interessante, *dreadlocks* que vão até a cintura.

Desta vez eu não peço trabalho. Não há trabalho, eu sei. Converso, ouço as novidades, compro, bebo com eles em suas bancas, fumo... Algumas noites, meus novos companheiros compartilham comigo excelentes pratos caribenhos, como o *colombo* e o frango defumado, e trago-lhes mandioca e manteiga de karité, que descobri na 125. E como eles têm a boa idéia de ficar abertos até tarde, é rum e reggae até de manhã. E nunca faltam aqueles cigarros esquisitos. Eles os fumam o dia inteiro. Não digo não, por via das dúvidas. Como recusar uma erva que tem o nome da minha bem-amada? Bem, para dizer a verdade, eu não havia feito a ligação entre uma coisa e outra.

E há também a Motown. Um som único, uma revolução, uma música que nunca conseguiram superar. Nunca me recobrarei do impacto da descoberta daquele gênero lançado por Berry Gordy. Os nomes eu já conhecia bem: Percy Sledge, Otis Redding, James Brown, Aretha Franklin, os Temptations, os Jackson Five, Jimi Hendrix... Mas, naquela estação, tornei-me um verdadeiro especialista. Com meus amigos jamaicanos, éramos capazes de conversar horas a fio sobre o assunto. Em apenas dois meses, comprei quase cem 33-rotações, uma loucura. Mas não me arrependo, e desde então nunca mais encontrei nada melhor.

Esse período Broadway não podia durar para sempre, mas felizmente o vivi, porque acho que, sem ele, eu não teria conseguido ir adiante, partir novamente. É verdade que aquelas semanas foram uma maravilha. Voltei à minha idade. Mas eu sabia onde parar. Quando me ofereciam LSD ou *speed-ball*, um coquetel explosivo muito em voga na época, eu dizia não. E Deus sabe como era muito mais fácil encontrar porcarias daquele tipo do que um trabalho!

A mesma coisa no que diz respeito às meninas. Mas eu fui valente! Porque Nova York, naquela época, era... indescritível. Estávamos na esteira do *peace and love, flower power, summer of love*, e tantas coisas mais. Todos irmãos, todos iguais, todos lindos, viva o amor, viva a paz, viva a liberdade... Que programa! Para o malinesinho que eu era, aquela vida delirante era como um imenso mercado dos prazeres. Drogas, bebidas, garotas, garotos, tudo. Era só se servir, era de graça... *Free* era a palavra da moda. Heróico, isso sim é o que eu fui! Porque não me verguei, nunca provei do fruto. Não, eu não cedi. Por quê? Não preciso de grandes discursos: eu havia dado a Marie minha palavra de honra de que lhe seria fiel, simplesmente. Havíamos feito um pacto, ela e eu. E se um de nós traísse o outro, não apenas lhe diria, mas nossa história terminaria. Ver minha partida já foi bastante penoso para Marie, não vou lhe infligir outros sofrimentos. Questão de retidão. E de respeito. E, além disso, eu a amava. Com a certeza de ter tido a sorte de encontrar muito cedo aquela que seria a mulher da minha vida.

Marie nunca saberá das torturas a que resisti por fidelidade, só para respeitar minha palavra. Mas, de todo modo, olhar não é proibido.

Como esquecer aquele verão de 1972 no Central Park? Mulheres de todas as cores, como frutas maduras, cada uma mais bonita que a outra. Um jardim do Éden por onde desfilo meu macacão última moda e meu corte Jackson Five, cheirando a água-de-colônia barata — o sabão Astral já era. Peito aberto sob um agasalho esportivo aveludado com o nome do time dos Harlem Globetrotters. Viram, meninas? Vejo muito bem que não ficam indiferentes ao meu charme, elas me rodeiam como abelhas em volta de um pote de mel. O efeito Capone, sem dúvida alguma.

Para dizer a verdade, aqui ainda não sou tão famoso como em minha terra, então deambulo pelas alamedas, flano ou me sento em um banco, e olho. Alguns tocam gaita, violão ou *djembé*, outros dançam ou cantam, fazem ioga, lançam um bumerangue, um *frisbee*... Moças completamente nuas, deitadas na grama, pintam o corpo todo e depois se enlaçam para misturar as cores — não estou mentindo! E eu, eu sorrio para elas em minha nuvem de água-de-colônia, sem deixar passar nada. E elas respondem a meu sorriso, e eu exulto. O calor úmido daquele verão de 1972... Inesquecível.

Depois do verão, o outono. Hora de reagir. Dessa vez, é Chang, um dos poucos amigos que fiz no Shanghai, que pronuncia a pequena frase que abre portas:

— Kabouna, por que você não vai para a Califórnia?
— Onde?
— A Califórnia, na costa Oeste.

Eu nunca havia ouvido falar dessa região, mas não lhe digo nada.

— Para fazer o quê?
— Tem trabalho lá, você deveria ir ver. As colheitas...
— Colheitas de quê?
— Laranja, limão, toranja, essas coisas. Tenho um amigo que trabalhou lá, ano passado. Parece que é muito pesado, mas pagam bem. E tem casa, comida e roupa lavada. Os trabalhadores temporários ficam morando na própria fazenda.

Cada vez mais interessante.
— E você sabe qual é o salário?
— Não, mas... você prefere ficar aqui?
Ele está certo. Não, é claro, tudo menos ficar.
— E depois, pelo menos lá você terá sol! É a costa Oeste.
Um lugar onde nunca chove, como na sua terra.
Não muito bem informado sobre o clima malinês, o pequeno Chang, mas bom vendedor, devo admitir.
—Acho que tem um grupo indo para lá em breve. Vou me informar com Frederico, o amigo de quem lhe falei, e te mantenho informado.

Califórnia... A máquina de sonhar voltou a funcionar. Uma viagem, o sol, um novo trabalho, novos encontros, exatamente o que preciso neste mês de setembro. Tanto que não consigo deixar de pensar nessa oportunidade como um sinal do destino — Boli? — que não devo ignorar. No entanto, antes de dizer sim, preciso me aconselhar com Mama Pizza. Não faz muito tempo que a conheci, mas já nos sentimos muito próximos.

A primeira vez que entrei em sua loja, na 116ª avenida, e eu estava simplesmente com fome de pizza.

— *A slice of pizza* — pedi com meu sotaque bem carregado, que já havia feito algumas pessoas rirem.

A mulher atrás do balcão se aproximou de mim. Um respeitável par de tetas apertado em um vestido bem florido, cabelos cuidadosamente alisados, penteados, cobertos de laquê, um batom nada acanhado, ar displicente e ao mesmo tempo pronto para abrir os braços. "Esta mulher tem cara de cantar blues para apaixonados", pensei. *Aw ka kéné*, "a mulher é bem-posta", como dizemos no Mali para elogiar.

— *A slice of pizza* — repetiu ela, imitando o meu sotaque. Eu poderia ter ficado ofendido, e no entanto, pelo modo como ela me olhou, senti que não estava caçoando de mim. Ao contrário, foi como se soubesse tudo da minha vida, como se eu tivesse voltado a ser o menino das latas de lixo e aquela pessoa, com seus seios de matrona e seu sorriso de mulher bem-vivida, estivesse me dizendo que ia me proteger contra tudo o que pudesse me acontecer de ruim.

Em muito pouco tempo contei-lhe minha vida, e ela me ouviu. E, aliás, nunca mais deixou de me ouvir. Sinto-me bem em sua casa. Sua loja não tem nada de bonita, com a fórmica solta, as mesas pregadas no chão, paredes não muito limpas. Mas Mama Pizza conhece todos os seus clientes e fala com eles como se fossem da família. Principalmente comigo. Sou o seu filho da África, seu menino perdido à procura de amor. Sempre que ela me estende o prato, noto que minha fatia de pizza é maior que a dos outros.

Muitas vezes vou visitá-la depois do serviço no Shanghai. Fora a medida da cintura, somos muito parecidos. Ela vê o mundo como eu, ela me entende e eu a entendo, ela me ouve e eu não tenho medo de lhe confessar que estou com medo ou perdido. Com ela, nada de brincadeira nem de música, conversamos em voz baixa, ou não dizemos nada. Ao seu lado, sinto-me protegido, e isso me faz bem. Não posso mais viver sem ela.

Ela será a única pessoa, nesses cinco anos de exílio, que me fará lembrar do Mali. Mama é africana em sua maneira de ser, mesmo não sendo uma imigrante da primeira hora, pois sua família chegou à Virgínia no início do século XX. Quando falo com ela, estou em casa, estou em minha terra. Durante esses cinco anos, Mama será a única que me verá fraquejar, duvidar, e até sofrer. Ela sabe tudo da minha vida. Conhece Boli, conhece Marie, conhece minha família. Com Mama, estou em casa.

Depois de beijá-la e de dividir com ela um pedaço de pizza, conto a Mama a proposta de Chang. Como de costume, ela me ouve balançando a cabeça, com um ligeiro sorriso nos lábios.

— E então? O que você acha, Mama?
— Quando você vai?
— Não sei, daqui a alguns dias. Chang ficou de confirmar.
— É uma idéia muito boa, Kabou. Conheço um pouco a Califórnia. Estive lá há uns quinze anos. Fui trabalhar para uma família de Los Angeles. Eu cuidava das crianças. Um lugar bonito, você vai ver.
— Lá tem sol?

Ela dá uma gargalhada.

— Sim, claro, mas isso não é tudo! Tem as pessoas, a mentalidade, o modo de vida. Mas, cuidado...
— Com o quê?
— As colheitas. É duro, Kabou, muito duro...
— Foi o que Chang me disse.
— Ele conhece?
— Não, mas...
— Meu sobrinho trabalhou nelas há cinco ou seis anos. E olha, posso te dizer que quase não o reconheci quando ele voltou!

— Como assim?
Outra gargalhada.
— Ele tinha ficado magérrimo, completamente grisalho, parecia... Parecia um verdadeiro branco. Resumindo, tive que forçá-lo a comer pizzas de manhã, à tarde e à noite para que ele recuperasse o aspecto humano.
— Isso não me assusta, Mama, estou acostumado a trabalhar duro.
— Eu sei. E depois, você é forte como um leão, hein, Capone?
Mama gostava de caçoar desse apelido que me haviam dado.
— Não se esqueça de vir se despedir, hein?
— Mama...
— Anda, vai cuidar da vida; Claudia e Tony devem estar te esperando!
A última vez que revi Mama Pizza foi em 2000, no verão, quando levei um de meus filhos a Nova York. Ela não estava mais "bem-posta" de jeito nenhum. Estava magra, consumida pelo diabetes, pelo câncer, com princípio de Alzheimer... Entre ela e Boli, ficou um ponto comum, muito triste: por mais que eu tenha querido salvar as duas, não consegui segurar nenhuma... Prefiro guardar a imagem que tenho dela no outono de 1972, quando estou prestes a rumar para o Oeste.

Não há mais dúvidas, está decidido: agora, que venha a Califórnia! Preciso escrever a Marie.
Dois dias depois, encontro Chang na saída do Shanghai.

—Tem um grupo saindo amanhã para San Fernando.
—Amanhã?
— Sim, às seis e meia.
— Legal, as coisas estão caminhando!
— Frederico vai te esperar no ponto do ônibus se...
— Se o quê?
— Se você resolver mesmo ir.

É lógico que vou, mas antes preciso resolver alguns assuntos. O primeiro, pedir demissão do Shanghai. E não é difícil, o velho chinês que me contratou mal me dirige um olhar. Parece me olhar com desprezo, como se eu não estivesse meses a fio trabalhando como um escravo no subsolo do seu restaurante. Deve estar dizendo a si mesmo que, na sua época, os jovens não iam assim, sem mais nem menos, para a Califórnia...

Em seguida, rumo ao Blue Note, onde devo participar minhas intenções a Claudia e Tony. A reação deles é diferente, como era de se esperar. Claudia chega até a me apertar contra o seu corpete bem recheado.

— É muito bom que você vá, Kabou.
— Ela tem razão — acrescenta Tony.
— Los Angeles, Hollywood, Rodeo Drive, o Novo México... — murmura Claudia para si mesma.

Seu olhar fica mais sombrio.
—Você tem sorte. Eu queria tanto ter ido lá...
— Mas...
— Não é para gente como nós, entende?

Não, para dizer a verdade, eu não entendo.
—Tudo isso é sonho, Capone, um cartão-postal! Você me imagina lá, entre palmeiras, na praia, com o sol, as estrelas de cinema e os carros bacanas?

— Não perturbe o rapaz com as suas histórias, Claudia — interrompe Tony.

Ela se cala e suspira. Estou procurando o que dizer quando ela retoma:

— E depois, Capone, é normal...

— O que é normal?

— Você é uma estrela, não? Então você estará no lugar certo no meio de toda aquela gente bonita!

Não sei se ela está falando sério ou não. Mas, no fundo, quero acreditar que sim.

— Aconteça o que acontecer, quero que você saiba de uma coisa. Seu quarto estará sempre aqui, ele é seu.

Neste momento, uma imagem passa diante de meus olhos. Vejo-me dois anos antes empurrando a porta do Blue Note, batendo os dentes de frio, com os dedos congelados e um buraco na barriga... como quem acaba de cair em um outro planeta. E depois aquele chofer de táxi providencial. E aquela sorte inesperada de ter encontrado Claudia e Tony, e de aterrissar aqui. Ao me abrirem as portas e o coração, eles me deram oportunidade de me aprumar e de me virar. Dois anos... Uma eternidade. Por pouco não começo a chorar... Então, como não encontro as palavras para lhes agradecer, abraço-os, longamente, apertando-os com força em meus braços, bem forte...

❈ SAN FERNANDO ❈

Na manhã seguinte, às seis e meia, vou, como previsto, para o ponto de ônibus. O Greyhound ainda não chegou, mas já há algo em torno de dez pessoas esperando em silêncio, num frio glacial. Um detalhe não me escapa: só há homens e, principalmente, só negros!

Um jovem branco chega, então, assoviando, mais ou menos vinte e cinco anos, cara de malandro, camiseta laranja bem grande e um boné peruano colorido com uns pompons pretos. Destoante, é o mínimo que se pode dizer. Olho para ele, ele olha para mim. Sorrisos.

— Frederico?
— Capone?
— Sim, sou eu.
— Oi. Primeira vez?
— O quê?
— A Califórnia.
— Sim, foi Chang que...
— Você vai ver, vamos nos divertir por lá, vai ser bem diferente daqui, meu irmão!

Logo se cria uma energia entre nós dois, como entre dois velhos amigos que se reencontram para mais uma farra. Como dois amigos de fé. Frederico é engraçado, falastrão, descansado e dono de uma sorte insolente. Sempre com um sorriso no canto dos lábios, como se os golpes da vida não pudessem atingi-lo. Conversando, logo fico sabendo que o rapaz é também um verdadeiro andarilho, que nunca parou de percorrer o país, desde os dezesseis anos, em busca dos melhores projetos ou das melhores oportunidades de trabalho. Esta é, sem dúvida, uma das razões pelas quais nos entendemos tão rápido. Falamos a mesma língua, a da aventura, da viagem e dos riscos.

Fico sabendo que ele é órfão desde os oito anos, que não esquenta lugar e quer conhecer tudo do mundo. Do mundo e... das mulheres, que ele não consegue não seduzir, ao passo que eu, dois anos mais novo do que ele, continuo sendo o noivinho de Marie. Frederico me parece ser um bom malandro, de bem com a vida, sempre prestativo, e isso cai bem no momento de partir para o outro extremo do continente.

As horas e os quilômetros passam. No ônibus, todo mundo está cochilando há muito tempo. Só Frederico e eu continuamos a conversar. Faço-lhe mil e uma perguntas sobre suas viagens. E mais particularmente sobre o famoso rancho a que estamos indo, onde ele já trabalhou. Ele me conta como são o trabalho, o ambiente, os horários... e as cobras! Palavra que nunca deve ser pronunciada em minha presença. E ele fala como se estivesse falando de mosquitos ou de insolação, sem imaginar sequer por um segundo o que aquilo significa para mim. As cobras pululam nos laranjais em que vamos trabalhar!

Explico-lhe que na África não tememos nem os búfalos nem os tigres, nem os hipopótamos ou qualquer outro animal selvagem, mas as cobras... Só de pensar meu sangue fica quase tão gelado quanto o desses bichos horrendos. E ele se diverte. Está se deleitando! Imagine! Para um carinha malvado como ele, é uma grande ocasião para tripudiar.

"Não se preocupe, você não as verá se aproximarem."
"Vou te arranjar botinas de cano alto."
"Se alguma se enrolar em você, é só me chamar."
"Relaxa, tenho certeza de que elas não atacam os negros."

Por pouco aquele imbecil não conseguiu azedar o meu sonho! Por enquanto, ele pode rir à vontade, rir até sufocar, mas eu só sei de uma coisa: se por alguma infelicidade uma dessas larvas gigantes e viscosas se atrever a se aventurar nas minhas pernas, eu não respondo mais por mim, mas de jeito nenhum! Cobras... era só o que me faltava!

A viagem vai durar quase quatro dias, ou seja, uma eternidade. Chicago, primeira parada, todo mundo desce. Baldeação, embarque em outro Greyhound, e partimos novamente para um trecho de pouco mais de quarenta e oito horas de asfalto na famosa rota 66. Atravessamos Iowa, Nebrasca, Colorado, Utah e Nevada até, finalmente, chegarmos à Califórnia. É um pouco como a corrida para o Oeste, os cenários de *western* que vão passando, *Easy rider* ao molho Greyhound. E, antes de chegarmos, avisto até mesmo a mítica colina de Hollywood, com suas não menos míticas letras brancas, aquelas mesmas que tantas vezes eu vi nos filmes... Mais uma vez, não posso deixar de olhar no retrovisor de minha vida... Quanto chão percorrido desde a embaixada em Bamako, desde as sessões de cinema de Straubas... Não estou mais vendo o filme: eu estou *dentro* do filme.

Finalmente chegamos a San Fernando. Ponto final, todo mundo desce! Enquanto esperamos nosso contato, olho à minha volta... É, é verdade que o dia está lindo. E as pessoas têm um ar *cool*, nada a ver com Nova York. Parecem estar de férias. Aliás, estão todas de short e camiseta, boné e óculos escuros. Quanto aos carros, são enormes, brilhantes, chamativos... Não consigo deixar de pensar em Claudia. Quando voltar a Nova York, eu prometo, vou lhe contar tudo nos mínimos detalhes!

A voz de Frederico interrompe meus devaneios.

— É ele.

— Quem?

— Este é Bob! Bob Riley, o filho do proprietário. Ele é simpático. É o responsável pelas colheitas no rancho. O pai cuida dos vinhedos. E dos rebanhos.

— Eles têm rebanhos?

— Sim, rebanhos de cob...

Não tenho nem tempo de ficar nervoso, pois logo um colosso louro e bronzeado, cuja camiseta ameaça explodir a cada contração de músculos, se aproxima:

— Olá, Rico, fez boa viagem?

— Olá, Bob, este é Kabouna.

Minha mão, apesar de grande, desaparece dentro da dele. O cara é uma montanha, o filho secreto do meu primo Modibo!

— Prazer, Kabouna, eu sou Bob. Bem-vindo à Califórnia!

— Obrigado, senhor.

Sonora gargalhada, forçada.

— "Senhor"? Por que não "patrão", que é o que eu sou? Aqui não há "senhor", pode me chamar de Bob, ok?

Mais uma vez, minha mão é esmagada pela dele.

— Está bem...

—Você vai ver, o lugar é lindo! Mas, atenção, há muito trabalho!

— Sim, Frederico me...

Não consigo terminar a frase.

— Ouça, garoto, o que quero dizer é que é duro, *realmente* duro o trabalho que espero de você, está entendendo? Você parece resistente, isso é bom! Você já fez isso?

— Não...

— Então você vai sofrer, acho melhor avisar de uma vez, ok?

Será que ele sempre termina as frases com um "ok"? Está começando a me dar nos nervos. Ele faz uma pausa, acende um cigarro e acrescenta, maliciosamente, dirigindo-se a Frederico:

— Por que você acha que contratamos principalmente cucarachos?

— ...

— Tudo bem, são divertidos, gostam de festa, de cantar, beber, dançar, mas... (Ele deixa a frase em suspenso, como que para me fazer apreciar melhor a conclusão.) Mas quando é preciso trabalhar, eles vão, não fazem de conta.

Lembro que em Nova York me disseram a mesma coisa dos chineses. Espero que seja mais divertido com os mexicanos.

—Você suporta bem o calor?

— Sou africano...

—Tanto melhor, então, porque aqui o calor castiga de verdade depois das dez da manhã, de verdade... Bom, já falamos demais, vamos indo!

Frederico e eu subimos em sua imensa picape vermelha, tão alta que tenho a sensação de estar sobrevoando a estrada. Meia hora depois, chegamos ao rancho. É quando me vejo obrigado a mudar minhas unidades de medida. O que vejo não é grande, tampouco imenso, mas gi-gan-tes-co! Primeiro, o portal de entrada, as grades de ferro batido, de pelo menos cinco metros de altura e o triplo de largura. Em seguida, a alameda principal, três quilômetros de asfalto impecável, cercada de laranjeiras e de ciprestes altos como as torres de Manhattan. A caminhonete pára ao lado de uma dúzia de outros carros de todos os tamanhos e cores. Impossível contar o número de janelas da casa à nossa frente. Bob nos faz contornar pelos fundos. E lá, também, mais um choque: hectares e mais hectares, a perder de vista! Um lago, uma floresta, campos, vinhedos, laranjais, limoais, cavalos, vacas, carneiros e até mesmo bisões, às centenas. E, por toda parte, enormes máquinas agrícolas, caminhões de gado, tratores, caminhões de todo tipo... Ainda não acabou: vejo quatro helicópteros e dois pequenos bimotores. Então é isso um rancho? Mais parece um país, como se o Mali inteiro tivesse sido transportado para lá, para a terra da Califórnia. Quando penso que, em meu país, um camponês rico é um lavrador que possui um velho casal de burros...

Enquanto avançamos propriedade adentro, ouço cantos, palmas, e depois vejo, ao longe, silhuetas, debaixo das laranjeiras. Todos aqueles trabalhadores — a olho nu são em torno de cem — estão uniformizados: boné e camiseta vermelhos, calça escura e... as famosas botinas de cano alto. Apenas alguns deles, sem dúvida os capatazes, estão de camisa amarela e usam um chapéu de caubói. Bob não diz nada, mas entendo que é ali, com eles, que vou trabalhar amanhã de manhã. Frederico nos leva aos nossos dormitórios, que são... imensos. Bob nos encontra à noite.

— Está tudo bem, rapazes?
— Bem, obrigado.
— Esta é Maria, a cozinheira. A comida é servida daqui a uma hora, às sete em ponto.

Frederico me faz um sinal.
—Você conhece a comida mexicana?
— Não exatamente.
—Você vai adorar! E, de todo modo, você não tem escolha. Aqui, você tem que comer, e muito, se quiser agüentar o tranco.

Começo a me perguntar a que inferno eles vão me mandar, amanhã.

— Se tiver objetos de valor que você preza, confie-os a Maria, é mais seguro...

Meu companheiro dá uma piscadela.
—Você sabe como são os cucarachos, é melhor não deixar nada ao alcance deles!

Penso no meu dinheiro. Ao todo, tenho aproximadamente dois mil dólares, toda a minha fortuna, mas três quartos disso deixei em Nova York, divididos entre Mama Pizza e o Blue Note. O resto nunca sai da minha meia.

— Alvorada às quatro e quinze, rapazes. Café-da-manhã às quatro e meia, batente às cinco. Das cinco às onze e meia, colheita das laranjas. Meio-dia, volta para cá e almoço. De uma às quatro e meia da tarde, sesta. Sesta obrigatória, ok?

— Ok...
— Às cinco horas, começamos a seleção. Até seis e meia.
Bob notou meu ar de perplexidade.
— Rico vai te mostrar como se faz. É no hangar que você está vendo, ali. Toda noite, a coleta do dia é trazida de caminhão, é lavada, selecionada e acondicionada. É preciso ser rápido e manter a cadência, ok?
— ...
Bob se aproxima e, olhando-me nos olhos, enfia o indicador em meu peito.
— *Time is money*, entende, pequeno?
Não fui à escola, mas isso, sim, posso entender. Ele ainda insiste, para o caso de eu não ter captado:
— Se eu perder dinheiro, *você* perde dinheiro, ok?
Esses ok, acho que vão me enlouquecer!
— Depois da seleção, volta para cá e jantar. Em seguida, folga, vocês fazem o que quiserem.
"Folga", "o que quiserem". Mal posso acreditar. Mas minha alegria dura pouco.
— Quer dizer, vou lhe dar um pequeno conselho, rapaz: é do seu interesse se deitar cedo, não é, Rico?
Meu amigo se vira para mim e dá uma piscadela:
— Não se preocupe...
— Perguntas?
— Sim...
— Estou ouvindo.
— Sobre o pagamento...
— Você receberá seu envelope sempre aos domingos. Ao meio-dia em ponto. Se não estiver aqui, azar o seu, você perde sua semana, ok? Idem para os atrasos.

— Como assim?

— A sirene toca todas as manhãs às quatro e quinze. Se você voltar a dormir, ninguém virá buscá-lo e ninguém lhe dirá nada, mas você perderá o dia. É a norma. É a mesma para todos, entendido?

Opa, uma variante!

— Entendido.

Quanto mais eu ouço, mais digo a mim mesmo que o que eu vivi em Nova York foi um spa perto do que me espera aqui.

— Perguntas?

— ...

— Bem, vou deixá-los, meninos, boa-noite e até amanhã!

Uma última piscadela, uma última esmagada de mão, um pequeno ok para a estrada, e Bob se vai.

— *Welcome to California*, Kabouna.

Welcome to California... Mesmo com todos os ok, ainda não entendi o que me espera. As semanas que se seguirão serão as de maior provação de toda a minha vida. Nas três primeiras noites, fizemos festa. Cerveja mexicana, tapas, cigarros e música à vontade. Garotas também, para aqueles que quisessem... Na quarta noite, todos caímos, ébrios de cansaço. Em suma, pela primeira vez na vida, cheguei a pensar que eu não agüentaria o tranco. E que era a minha vez de engrossar as fileiras daqueles que sucumbiram ao longo dos dias e das semanas. A única experiência que eu poderia, ainda que com reservas, comparar à das colheitas é a de quando eu era criança, em Kita, e precisava andar descalço horas a fio sob o sol para trazer sobre minha pequena cabeça montanhas de lenha.

Na quinta manhã, quando a sirene tocou, às quatro e quinze — em ponto —, todos nos perguntamos se nossas pernas conseguiriam nos carregar. E a coisa ia de mal a pior. Costas quebradas, torturadas, rins castigados, mãos esfoladas... Não há como se acostumar, tudo dói cada vez mais. E sempre aquela impressão, ao acordar, de que mal acabamos de nos deitar, de que dormimos apenas dois minutos. Os homens, todos valentes, tombam como moscas.

E, além de tudo, tem as cobras... Pois Frederico não estava mentindo. Elas estavam mesmo lá, aqueles monstros. A primeira vez que vi uma delas eu estava falando com os outros, depois do jantar, em frente aos dormitórios. Ouvimos algo como uma matraca, não muito longe, no mato.

— Nossa — eu disse bobamente —, as cigarras não fazem o mesmo barulho que na minha terra, na África!

— Rá, rá! — responderam —, é uma cascavel. Sua primeira cascavel.

A primeira, mas não a última. Elas estão por toda parte! Esgueirando-se entre as árvores, vemos seus corpos marrom e cinza, às vezes as vemos se erguerem com a cauda que vibra atrás delas, como se tivessem duas bocas em vez de uma, prontas para te morder. Toda vez que vejo uma, procuro pegar a tangente, mudar de fila, misturar-me com os que estão na fileira vizinha, mas como não me atrevo a dizer por quê, sempre me mandam de volta ao meu lugar, e fico suando frio. Mandavam velhos índios limparem os laranjais antes de nossa passagem, mas não consigo ver diferença nenhuma. Mesmo assim, todas as manhãs eles voltam com um saco cheio de cascavéis. Nunca soube como eles faziam para pegá-las, sem armas, só com alguns amuletos no pescoço e nas mãos. Parece que eles as encantam... São pagos por serpente morta e têm direito de ficar com suas presas, para comê-las.

Até Frederico acabou perdendo o bom-humor. Acabaram-se as forças para rir, para gracejar, o que restou é suficiente apenas para agüentar mais um dia, pelo dinheiro. Perto disso, as lixeiras da estrada de Koulikoro e os porões do Shanghai eram brincadeira. Naquele outono, envelheci vários anos em poucas semanas. Vinte e um quilos perdidos em pouco mais de cinco meses. Meus joelhos ainda se lembram... Pois ainda ficarei na plantação até o fim de meu contrato. E tendo perdido apenas um dia de trabalho.

Devia ser o fim da primeira semana. Ouvi a sirene, abri os olhos; estava, portanto, acordado e pronto para sair, mas meu corpo se recusou a seguir, a *me* seguir. Nada a fazer, impossível andar, eu estava com o corpo completamente paralisado, incapaz de vestir a calça e a camisa.

Como os minutos estavam passando, pedi a Rico que me ajudasse, mas cada gesto me arrancava uma careta.

— Deixa pra lá, Kabouna.
— O quê?
— Hoje você não vai conseguir, não adianta insistir.
— Não, eu quero ir.
— Faça como quiser, mas lembre-se do que lhe disse... Passei exatamente por isso a primeira vez que estive aqui. E passei três dias e três noites dormindo.
— Sim, mas eu, eu...
— Você é quem sabe!

Rico saiu e eu continuei a lutar para tentar me vestir. Uma vez, duas vezes, três vezes. Nada a fazer, meu corpo se negava. E desisti. Uma jornada, uma única jornada... Naturalmente, não era só o dinheiro que me levava a querer me levantar a qualquer custo, mas também uma questão de amor-próprio, de orgulho: eu não iria ceder de jeito nenhum, ficar bestamente pregado naquela cama, eu não, não depois de tudo o que já tinha feito! Mas não consegui... Foi a única vez, em meio século de labor, que não consegui responder "presente".

No dia seguinte, retomei meu posto como se nada tivesse acontecido. Bem, quase.

❁ SAN FRANCISCO ❁

O contrato chegou ao fim, a hora de deixar o rancho soou. Aonde ir? Fazer o quê? Não tenho a menor idéia! A única certeza é que quero voltar à cidade. É realmente lá que me sinto em meu ambiente. Pelo menos aprendi uma coisa em San Fernando: eu não sou mesmo um homem do campo. Preciso de movimento. A cidade são os cinemas, as lojas de discos, as roupas maneiras, os espetáculos... Tudo que eu adoro.

Enquanto esperamos, Frederico e eu conversamos sobre o que poderíamos fazer. Eu quero a cidade, ele quer festa... e bolinar as meninas bonitas. Decidimos por San Francisco. As colinas, a Casa Azul, *Bullitt*, tudo isso... Partimos.

Depois de juntar a bagagem e contar nosso dinheiro, Rico e eu vamos dizer até logo a Bob, que insiste em nos acompanhar até o ponto do Greyhound.

— Vocês trabalharam bem, rapazes, estou orgulhoso de vocês!

— Obrigado, Bob!

Respondemos em coro, mas ele não percebe a ironia em nossas vozes.

— E então, Kabouna... o que você achou?

O que lhe dizer? Que não podia ver aquelas malditas laranjeiras nem pintadas de ouro? Melhor não, não vale a pena magoá-lo. Ele continua:

—Você passou no teste. Então, se algum dia quiser voltar a trabalhar aqui, seu lugar está reservado, ok?

Ah, não, ok não, ok de jeito nenhum! Neste momento, eu me pergunto qual de nós dois é o mais ingênuo. Ele realmente acredita que ainda tenho vontade de suar como um doente em seus laranjais? Mais uma vez, prefiro evitar qualquer comentário.

— Olha o ônibus, até, Bob!

—Você sabe que sempre pode...

— Sim, sim, eu sei, Bob... Vamos, até logo!

Quatro horas e algo como duzentos e cinqüenta quilômetros depois, eis que chegamos a bom porto. Rico e eu logo corremos para dentro do ônibus, mas deu para perceber que ele já havia ido uma ou duas vezes a San Francisco. E que, assim, como em San Fernando, ele poderia me servir de peixe-piloto. Aparentemente, já tem alguns contatos locais que decerto me permitirão dar a volta por cima e conseguir um trabalho. Quanto ao resto, e como sempre, prevalecerá o improviso, viver um dia depois do outro, ao sabor do vento.

Decepção. San Francisco é bonita, é verdade. Mas nela não encontro o que gosto em Nova York, a fraternidade, a mistura, o jeitinho. Aqui, as pessoas parecem viver em pequenas comunidades muito fechadas. E eu, que não sou nem homossexual, nem festivo, nem intelectual de vanguarda, tenho dificuldade em encontrar minha turma. E mais ainda: tenho a impressão de estar incomodando. Eu não me encaixo nos padrões.

Então, San Francisco... não é para mim.

Para Frederico, é exatamente o contrário. Ele está aqui exatamente para isso. Hoje, quando penso nisso, digo a mim mesmo que meu amigo realmente teve sorte de sair imune... Pois é nesta cidade, alguns anos depois de nossa passagem, que serão descobertos os primeiros sintomas da aids, doença cujos efeitos devastadores ninguém poderia ter imaginado.

Não ficarei muito tempo em Frisco. No último dia, instalados em frente à baía, Rico e eu dividimos algumas asas de frango no Fisherman Wharf, o cais dos pescadores. À nossa frente, dezenas de velas enfunadas pelo vento. De onde estamos, os veleiros parecem de brinquedo, principalmente quando passam sob o imenso casco de aço vermelho da Golden Gate Bridge! Ao longe, a famosa prisão de Alcatraz, a mesma em que Capone, o verdadeiro, foi encarcerado.

— Talvez eu tenha uma idéia pra você, meu camarada.

Fim da contemplação, Rico me puxou de volta à Terra.

— Tenho um amigo que trabalha no porto, nos pequenos acampamentos que você está vendo ali adiante. Ele conhece todo mundo aqui, está a par de tudo. Então, talvez ele possa lhe dar algumas dicas.

— O que eu quero, Rico, é ir embora.

— Eu sei, não se preocupe, já entendi! Vamos?

Dez minutos depois, Rico me apresenta a seu amigo Luis, um velho pescador de caranguejo, completamente desdentado, seu conterrâneo. Eles conversam, naturalmente, na língua deles, e eu não entendo nada.

— Talvez ele tenha alguma coisa para você. Primeiro ele precisa dar alguns telefonemas. À noite, voltamos a nos encontrar para falar disso.

— Ok, agradeça-lhe por mim. E se fôssemos até a ponte, enquanto esperamos?

— A Golden? Você quer vê-la de cima ou de baixo?

Eu nem tinha pensado no barco... De cima, claro. De qualquer maneira, de lá deve ser mais bonito. E tenho razão... Já vi o mar, mas não assim. A primeira vez foi na decolagem em Dacar, e observando toda aquela água pela janela do avião, só consegui pensar em como seria cair lá dentro. A segunda vez foi em Nova York, mas não fiquei muito impressionado: vi apenas uma espécie de lago cinzento e sujo, cheio de construções não muito reluzentes. Aqui, agarrado com todas as minhas forças aos pilares da Golden Gate para não ser levado pelo vento, descortino o oceano, um horizonte livre e vazio, um azul sem fim, sem fundo, estou planando, estou tonto... Como está longe a minha terra vermelha de Bamako!

De volta à margem, encontramos Luis, que nos espera degustando sua enésima *cerveza* ao som dos *mariachi*. Mais uma conversa particular, e eu com as pernas tremendo de nervoso.

— Então, o que ele disse?

— Ele conhece pessoas em Santa Barbara... Muito ricas... Eles estão procurando alguém para ficar no lugar de Hugo, o sobrinho de Luis. Ao que parece, ele foi embora assim, sem avisar...

Pelo tom sarcástico, vejo que eles não estão muito surpresos.

— É longe daqui?

— Não, duas horas de ônibus, no máximo.

— Você conhece?

— Do pouco que conheço, posso lhe dizer que todo mundo gostaria de trabalhar lá!

— Por quê?

Mais um gracejo.

— A *plata*, amigo, a *plata*... É lá que vivem todos os ricos, *entiendes*?

— E o que é preciso fazer?

— Espere.

Mais uma troca de palavras. Eles falam como metralhadoras, mas as respostas, estas demoram a vir!

— E então?

— Estão procurando alguém para cuidar da casa. O jardim, a piscina, a quadra de tênis, enfim, tudo isso, ora! Você sabe fazer isso?

— Hum... Sim, sim... O que ele está dizendo agora?

— Casa, comida e roupa lavada. Bom, não?

— E o salário?

— Ele não sabe, mas esse tipo de trabalho é bem pago. E você poderá economizar, não é isso que você quer? Então, o que você diz, ligamos para eles?

Por que não? Eu queria voltar para Nova York, mas a oferta é atraente. Uma nova região a descobrir, nenhum dinheiro a gastar, vamos em frente! E depois, não acredito no acaso: se esta proposta está chegando a mim aqui e agora, certamente não é à toa. É um sinal, um sinal de Boli, estou convencido disso. Então, sim, tenho que agarrá-la.

Três horas depois, estamos de volta ao cais. Luis nos sorri abobado, com os olhos vidrados. A tequila e a *cerveza* fizeram seu trabalho em nossa ausência...

— Então?

— Está certo, eles gostaram da idéia. Está tudo certo. Estão esperando você.

— Quando?

— Amanhã ao meio-dia.

— Maravilha! E você, Rico, o que vai fazer?

— Não sei... Estou em dúvida. Talvez eu vá a Nova York...

Na manhã seguinte, estamos na estação rodoviária de San Francisco. Rico continua sem planos, mas, por via das dúvidas, trouxe sua bagagem.

— Aí está seu ônibus. Vai sair em quinze minutos. Você estará lá por volta de quinze para o meio-dia.

— E você, vai fazer o quê?

—Vou para Nova York. O ônibus chega daqui a três horas.

— E o que vai fazer enquanto espera?

Ele pisca o olho e abre um sorriso.

—Vou me despedir...

Não lhe pergunto de quem. A cada noite ele tem uma nova conquista.

— Rico, você poderia ir ver Claudia e Tony para lhes dar notícias? E Mama Pizza? Diga-lhes que está tudo bem comigo.

— Só isso?

— Até a próxima, Rico, e obrigado por tudo.

— Até, meu irmão!

Duas horas de estrada, exatamente o tempo de que preciso para escrever uma carta a Marie. E para reler a que recebi há três semanas no rancho de Reiley. Em dois anos, devemos ter trocado quase uma centena delas. Guardei todas que recebi, cuidadosamente. Na última, ela conta que está fazendo as provas finais do terceiro ano da escola de enfermagem. Mais um, e ela terá obtido uma profissão, uma profissão de verdade.

Em nosso país, isso significa muito, é tão raro! Estou orgulhoso de Marie. Ela conta também as últimas notícias, os casamentos, os nascimentos, as mortes... Pequena crônica do tempo que passa em Bamako. Graças a ela, uma parte de mim continua um pouco por lá. Suas palavras me aquecem o coração, mas me fazem lembrar que não estou com ela, nem com os meus, que não estou em minha terra. Sinto-me triste por não estar entre eles, por estar fora da cena. Estranhamente, eu, a quem acontecem tantas coisas, tenho a impressão de passar ao largo daquilo que é importante, de estar queimando etapas. Como um pai que não está presente para ver seu bebê crescer.

Quanto mais penso nisso, quanto mais releio a carta, mais digo a mim mesmo que não devo me ausentar por muito tempo. De tanto mexer com fogo, acabarei me queimando, isto é certo. Marie não pergunta nada e não faz nenhuma pressão, mas ainda assim eu a sinto muito saudosa, e não posso fazer de conta que não estou percebendo. Marie tem seus pudores, com ela é preciso saber ler nas entrelinhas. Nunca diz as coisas bruscamente, mas as transmite em pequenos toques sensíveis e delicados. Ela não pressiona, não força, ela insinua. Uma vez, duas vezes, dez vezes... Até o dia em que se cansar. E desistir de me esperar. Eu sei, eu sinto... Eu a conheço! Cabe a mim, principalmente, não deixar de perceber seus sinais. Sou em que tenho que tranqüilizá-la. Dizer-lhe, explicar-lhe, ainda e sempre. Sou eu que preciso lhe mostrar que tudo isso — eu, nós — vale a espera...

Em sua carta, há um outro ponto sobre o qual Marie não me responde. Ou não responde realmente: Françoise... O que ela está fazendo? Como está se comportando? E o que mais ela terá tentado para tirar sua irmã caçula de mim? Marie continua evasiva sobre o assunto. Excepcionalmente evasiva. Isso não é nada bom. E o que sinto não me deixa nada sossegado...

A única coisa que ela escreve é que eu não me aflija. "Não se preocupe, eu sei muito bem quem você é, e minha irmã não conseguirá o que quer." Um pouco curto, mas eu me obrigo a confiar em suas palavras. Todavia, a preocupação continua. Tanto mais porque ainda estou longe, muito longe de poder voltar para casa... Por duas razões. A primeira é estritamente material: até agora, não economizei dinheiro suficiente. Não mesmo. Pois entre o que ganhei, o que gastei para viver e o que mando todos os meses para casa, a conta é rápida, estou longe de minha meta inicial, ou seja, voltar para casa com economias suficientes para amparar meus parentes e ter tempo de realizar meus projetos. A segunda razão é mais íntima. Ainda não vivi todas as vidas que eu queria viver aqui. Desde que cheguei, nada fiz além de trabalhar, trabalhar e trabalhar. Onde está o famoso sonho americano? Não, de jeito nenhum, eu também quero provar do bolo do Tio Sam. Então, vou ficando...

Aproveito a última hora no ônibus para escrever também uma cartinha a meus pais. Coitados... Eles são muito menos paparicados do que Marie. Mas sei que minha noiva se encarrega de lhes dar notícias sobre mim. De todo modo, eles não entenderiam a metade do que me acontece aqui. Então, eu me restrinjo ao essencial, digo-lhes que está tudo bem, que estou com saúde, comendo direito, que os amo e, sobretudo, que rezo por eles como eles rezam por mim. E a cada uma das cartas acrescento notas verdes, trinta ou quarenta dólares. Em resposta, eles me dão notícias da aldeia e da família. É Marie, ou algum parente de passagem, que redige para eles, pois não sabem escrever, evidentemente. E o que leio tem a sua marca: simplicidade, benevolência, confiança e amor, muito amor... Como Marie, eles nunca me perguntam quando vou voltar. E não fazem nenhuma pressão. Sei que sentem minha falta. Sei também que sofrem por isso e que precisam de mim em casa. Mas nada, nenhuma palavra, nenhuma pressão, nunca. Pudor, extremo pudor...

Meus pais me esperam serenamente, simples assim.

✼ SANTA BARBARA ✼

Santa Barbara. Porteiras bem lubrificadas, gramas verdes e piscinas muito azuis, flores perfeitamente alinhadas ao longo das alamedas bem podadas. Ao chegar, dou uma olhada rápida em meu par de tênis: será que estou limpo o bastante para me fundir com o cenário? Será que não vou ficar parecendo uma mancha de graxa no meio disso aqui? Não me sinto muito à vontade, como se temesse que me notassem e me mandassem imediatamente voltar para o lugar de onde vim. Paradoxo, mais uma vez: orgulho por ter chegado até aqui e por fazer parte do cenário, mas incômodo por não estar no meu lugar. Em todo caso, é a primeira vez que tenho o sentimento de estar chegando perto do famoso sonho americano. Vamos em frente.

Aos pouquinhos vou adentrando a grande alameda de eucaliptos, de carvalhos centenários e... laranjeiras. Cem metros, duzentos, trezentos... Quanto mais avanço, menos à vontade me sinto. Preciso ficar atento, não falar *slang*, ser educado mas digno. Uma mulher de vestido preto e avental branco vem ao meu encontro. Uma irmã. Parece-se com Claudia, mais classuda.

— Kabouna?

— Sim, senhora.

— Sou Macy, a governanta. O senhor fez boa viagem?

— Sim, senhora.

— Ei, eu não sou uma senhora! Sou Macy. E vamos nos chamar de você, está certo?

Subimos a alameda trocando mais algumas palavras. Sinto que vou gostar dela. Ao chegarmos à escadaria da casa, ela me pede que espere enquanto chama a verdadeira "senhora".

Olho à minha volta as colunas estilo *E o vento levou*, as escadas de mármore, os corrimãos dourados. Macy está de volta. Ao seu lado, uma mulher muito bonita. Cabelos louros, compridos, escorridos, pele dourada, silhueta de manequim, roupas claras, vaporosas — seda ou algo assim. E ouro por todo o corpo, no pescoço, nos pulsos, nos dedos, no tornozelo... Um verdadeiro embrulho para presente! Seu aperto de mão é firme.

— Olá, Kabouna, sou a sra. Terence. Bem-vindo a Santa Barbara.

— Obrigado, senhora.

— Você conhece a região?

— Ainda não. Estive em San Fernando.

— San Fernando? Nós temos vinhedos lá! O que você fazia lá?

— Colhia laranjas.

— Ah, parece que o trabalho é difícil.

"Difícil"? Mordo os lábios para não dizer o que penso.

— Um pouco...

— E depois?
— San Francisco.
— Ah, Frisco, adoro aquela cidade! Genial, não é?
Inútil comentar. Cada um com seu gosto.
— E o que você fez lá?
— Encontrei um amigo.
— Ah, sim — diz ela com um sorriso. — E vocês aproveitaram bem?
— Sim, sim...
Chegou a hora de passar aos assuntos sérios.
— Macy vai lhe mostrar a casa agora. Ela lhe explicará como tudo funciona. Você verá meu marido mais tarde, ele trabalha na cidade.

Outro aperto de mão, e ela desaparece no rastro de seu perfume, *muguet*, acho eu — pois sou bom nisso, evidentemente. E digo a mim mesmo que preciso encontrar um frasco desse negócio para Marie.

Como anunciado, Macy me leva para conhecer a propriedade. Visita sem surpresas. Tudo combina com a entrada: dois lagos bem-desenhados, um chafariz esculpido com dois cavalos que jorram água pela boca, estátuas de mulheres nuas, um viveiro de aves, estrebarias... Parece o palácio de Modibo. Sem falar do minigolfe, das duas piscinas, da hidromassagem, aquela bacia esquisita que ferve como uma panela, da quadra de tênis...

Macy me leva, em seguida, até os fundos da propriedade. O que vejo ali é igualmente alucinante: Rolls-Royce, Jaguar, limusine, em resumo, alguns séculos de salários malineses guardados em uma garagem. Macy me chama de volta à realidade.

— É aqui que você vai morar.

Seu dedo aponta para duas casinhas de madeira um pouco abaixo.

— A da esquerda.

— Com quem?

— Com ninguém, só você. Não é grande, você sabe!

Até agora fiz meu papel de *blasé*. Não soltei gritos de espanto nem mesmo abri a boca de surpresa, mas agora não agüento mais. É melhor do que o palácio do meu primo, o Jaguar, o *muguet* e todo o resto. Uma casa para mim! Uma casa de *verdade*. Quatro paredes e um teto só para mim. Limpinha, bonita, parece de brinquedo. Tem até uma varandinha, um lugar fresco de onde posso admirar o mundo, à noite, como um verdadeiro proprietário... Acho que Macy não se dá conta do que acaba de dizer. Para ela, não passa de um bangalô no fundo do jardim. Mas, para mim...

— Só tem um cômodo, mas é bem distribuída. Você quer deixar suas coisas na sua casa?

"Na sua casa". Adoro estas três palavras.

Na minha casa, sim, sim, claro, na minha casa.

"Na minha casa" tem um sofá-cama, uma geladeira, pias de verdade, um banheiro com... uma banheira. Claro que não digo nada a Macy, mas nunca em minha vida tomei banho de banheira! Não me agüento mais de prazer! Olho para todo esse branco, os azulejos brilhando, a louça branca como leite, as torneiras cromadas, o buraquinho para o sabão, e imagino a água que corre, a água que vou gastar sem remorso, água suficiente para abastecer uma família de Misira por dois dias...

— Para as refeições, você tem que me dizer o que vai querer, as compras são feitas toda semana.

— Mas... onde eu como?

Ela faz uma cara de espanto.

— Na sua casa, ora, aqui! Como um adulto. Venha, agora vou lhe explicar um pouco como é o trabalho.

Em resumo, minha jornada é algo como regar a grama três vezes ao dia, às sete da manhã, às quatro da tarde e às onze da noite. De resto, aparar os gramados e o campo de minigolfe, molhar e varrer a terra batida da quadra de tênis, podar as árvores, limpar, aspirar, filtrar, clorar as piscinas, alimentar os pássaros e cavalos, lavar os carros, recolher os gravetos da alameda ou ainda impedir os esquilos, castores e outros roedores de saquearem diferentes áreas da propriedade.

—Você vai se virar bem? — Macy me pergunta.

— Sim, claro.

Na verdade, eu nunca fiz nada disso, mas este não é o momento de confessá-lo, principalmente porque o melhor ainda está por vir:

— E o salário?

Ela franze o cenho, com um ar malicioso.

— Normalmente, quem deveria lhe dizer isto é a patroa, mas... Bem! Cinqüenta dólares.

— Por mês?

Ela espera, ajeita o uniforme e diz, com um largo sorriso:

— Por semana! Ei, garoto, estamos em Santa Barbara!

Cinqüenta dólares por semana, duzentos dólares por mês, com casa, comida e roupa lavada; é fantástico, incrível, miraculoso! Tenho uma visão: as paredes de meu restaurante subindo como um raio, Marie e eu na soleira da porta... Tenho vontade de gritar: "Obrigado, Macy! Obrigado, Rico! Obrigado, Luis! Obrigado, Alá! Obrigado, Boli, obrigado, obrigado, obrigado! Obrigado, Marie, espere por mim! Estou chegando!"

Macy continua, sem perceber que estou tremendo:

— Você os receberá sempre ao fim do mês. Ou da semana, é você quem decide.

E ainda por cima sou eu quem decide. Quando é que vou despertar desse sonho?

— Bem, há bastante trabalho, mas não se preocupe, se você tiver algum problema, pode me perguntar ou conversar com os outros empregados.

— Os outros empregados?

— Ei, menino, você estava achando que teria que fazer tudo isso sozinho?

Bem, sim.

— Vocês são cinco. Tem o administrador geral, o jardineiro-chefe, o ferreiro, o motorista e você. A casa ao lado da sua é a do administrador. Os demais estão alojados em uma ala da casa, em cima das estrebarias. Quanto às ferramentas, a mesma coisa, peça a eles...

Ela se afasta e, uma última vez, se volta em minha direção:

— Ah, eu já ia esquecendo uma coisinha...

— Sim?

— O cenário talvez seja muito bonito, mas atenção, o trabalho não é fácil.

Macy tinha razão. No entanto, não acreditei nela quando me disse que o trabalho não era fácil. Regar? Podar as sebes? Dar comida aos animais? Para um cara que havia montado sua primeira empresa aos cinco anos, parecia moleza.

Mas aqui, em Santa Barbara, não há regadores. Para umedecer o gramado, é preciso pegar uma mangueira, encaixá-la na torneira de um lado, manipular uma válvula do outro e deixar a água jorrar por um monte de buraquinhos. Depois, é preciso recuar, e a água jorra de todos os lados. Nunca vi isso! É bonito, é prático, mas se abrirmos demais ou se não abrirmos o bastante, a coisa toda deixa de funcionar direito. E os empregados da mansão Terence patinam, uns após os outros, no gramado completamente encharcado. Por mais de uma vez levei uma bronca. A mangueira é tão imprevisível quanto mágica. Precisarei de algum tempo para dominá-la.

Podar as sebes... Pensei que bastasse pegar a tesoura e cortar o que estivesse sobrando. Então... avanço como um raio ao longo da cerca, um galho aqui, uma folha ali. Trabalhinho de criança. Mas não... Levo mais broncas. Podar uma sebe, em Santa Barbara, é um trabalho de engenheiro. Nada deve passar da medida, deve restar apenas um conjunto de linhas geométricas, tão retas que, depois de podados, os arbustos fiquem parecendo de plástico.

Curiosamente, o mais fácil será o que mais me atemorizava: os cavalos. Naquela manhã, quando passei pelas portas da estrebaria, eu não estava nada contente. Minhas lembranças hípicas não são muito boas, devo dizê-lo. Em Bamako, um cavalo é um bicho grande nada simpático montado por um soldado pronto para atacar se você se aproximar demais de um local proibido. Um bicho grande que resfolega e levanta poeira com seus grandes cascos ferrados, tão furioso quanto seu cavaleiro.

Os dos patrões são mais calmos. Ficam delicadamente alinhados entre paredes de madeira envernizada. Suas garupas brilham tanto que parecem ter brilhantina, a crina parece ter acabado de sair do cabeleireiro, e suas costas são protegidas por colchas macias, mais novas do que todas as que eu tive em minha casa em Misira.

—Tem que limpar a cauda deles — me diz um cara fortão, sorriso no canto da boca, que se apresentou a mim como Ian.

Inspeciono as garupas. Tudo parece tão limpo... Por que limpá-las? Estão até maquiados: passaram tinta vermelha nas pontas de todas essas caudas tão bem penteadas.

—Tem que tirar o vermelho — diz Ian.

E me mostra uma pilha de toalhas e um balde.

O importante é não procurar entender, e fazer. Pego as toalhas, encho o balde, aproximo-me do primeiro cliente e estendo a mão trêmula, sem deixar que Ian perceba que sinto que vou ser lançado no teto por um coice. Mas não. Um ligeiro tremor, um leve movimento, e o bichão se deixa embonecar, complacente. Lavo-lhe a cauda com uma toalha, seco com outra, esvazio o balde, encho-o novamente, passo ao segundo cliente, tão paciente e tão amável quanto o primeiro. Por pouco ele não me dá uma gorjeta! E me divirto pensando na cara que meus amigos de Bamako fariam se me vissem assim, bancando o cabeleireiro de cavalos!

Passados os primeiros dias de adaptação, acabo pegando o ritmo de cruzeiro, e as broncas aos poucos vão diminuindo...

Ao fim da segunda semana, Macy vem me encontrar na beira da piscina, onde estou passando o aspirador.

— Você tem que ir até a casa esta noite, Kabouna. O patrão quer conhecê-lo.

Eu estava na banheira quando ela veio me buscar.

— Kabouna! Está pronto?

— Quase!

— Não demore, volto em cinco minutos.

Apenas o tempo de colocar uma camisa limpa debaixo de meu macacão preferido, e abro a porta. Ela sorri.

— O que houve, algum problema?

— Não, está tudo ótimo.

—Tem certeza?

Sinto-me um pouco idiota, mas, como sempre, ela me deixa à vontade.

— Já disse que sim! Você não quis vestir um smoking? Vamos, o patrão está nos esperando!

Depois de tanto ouvir dizerem "sr. Terence" para cá, "sr. Terence" para lá, finalmente vou ver o dono disso tudo. Macy pede que eu a espere por alguns instantes. O medo toma conta de mim. Vejo-me novamente como o menino que entrava no palácio de Modibo com seus sapatos novos, de olhos arregalados.

—Venha comigo.

Macy me faz entrar em uma sala imensa, com um lustre de cristal pendente do teto. O fogo crepita em uma lareira, apesar dos vinte e cinco graus californianos. Um espesso carpete e tapetes nos quais vejo animais correndo, perseguidos por cachorros, recobrem o chão. Fuzis, um sabre, duas cabeças de antílope empalhadas estão presas na parede... Não sei por que os ricos têm mania de colocar em suas casas animais mortos, e nos jardins, vivos. Há também estantes repletas de livros, tantos que chego a me perguntar como um homem e uma mulher podem, sozinhos, ter lido tudo aquilo. Há mais livros do que no prédio inteiro da Aliança Francesa de Bamako. Uma escrivaninha, algumas poltronas de couro lustroso e uma espécie de sofá coberto por uma pele de zebra — mais um animal morto.

Uma voz me arranca de meus pensamentos:

— Kabouna?

Há um homem diante de mim, estendendo-me a mão.

— Olá, eu sou Charles Terence.

Bem grande, pelo menos um metro e noventa, ombros largos, cabelos castanhos com gomalina e penteados de forma impecável, queixo quadrado, nariz reto, pequenos olhos negros e expressivos, uma água-de-colônia ao mesmo tempo fresca e viril. Em resumo, o tipo de homem diante do qual as mulheres arrulham e os homens ficam apreensivos. Está vestindo um terno de três peças, lenço de seda no bolso e sapatos bicolores. As mãos são grandes, bem cuidadas, ornadas com um anelão de ouro. O homem tem classe, realmente. Eu, o cara alinhado de Bamako, estou babando de admiração.

— Então, está indo tudo bem? Não é muito difícil?

— Não, senhor. O senhor sabe, venho de San Fern...

— Sei, sim, minha mulher me disse. As colheitas não são nada fáceis, não é?

Diferentemente de sua esposa, ele sabe do que está falando, eu o sinto. E ele confirma:

— Também trabalhei nelas... Tinha dezoito ou dezenove anos, um de meus primeiros trabalhos. Foi meu pai quem me mandou. Devo dizer que eu não era especialmente, como direi... não era especialmente calmo, na época, entende?

— Sim, senhor.

— Agüentei dois meses. E só faltei uma semana!

Ele está orgulhoso, nota-se. E percebo que quer que eu demonstre admiração. Naturalmente, não vou lhe dizer que fiz o dobro faltando apenas um dia. Ele prossegue:

— Um verdadeiro trabalho de cão! Você acreditaria em mim se lhe dissesse que até hoje tenho as marcas daquela época?

— Sim, sim, acreditaria!

— Bem-vindo à nossa casa, Kabouna. Espero que façamos um bom trabalho juntos!

A frase mágica: "Vamos fazer um bom trabalho juntos." Os americanos a adoram. Quantas vezes a ouvi nos quatros anos que passei lá. Mas não era hora de fazer graça. Sorrio abertamente para ele.

— Obrigado, senhor.

— Agora tenho que ir. Até logo, meu jovem.

Fim da entrevista.

As semanas se seguem umas às outras, todas iguais. Há muito trabalho, sempre novas coisas a aprender, melhor assim. Sou o único negro além de Macy, mas as pessoas aqui são corretas, nada de golpes baixos ou olhares atravessados. Em resumo, não é o Shanghai. Assim, pela primeira vez em vinte e três anos, eu posso parar e respirar. O horizonte se desanuvia. Como quando depois da chuva, começo a ver a paisagem sob um dia límpido. Sei aonde vou. O salário sempre vem, e ruma quase que inteiramente para o bolso esquerdo. Todas as noites tomo um banho, não tenho mais prostração, os dedos não estão mais esfolados. Mas o que está acontecendo comigo?

Além de tudo, fiz um amigo. Ian, o responsável pelas estrebarias, um irlandês de mais ou menos sessenta anos, o empregado mais antigo dos Terence, pois já estava aqui no tempo dos pais dos patrões. Como minha cabana é contígua à dele, habituamo-nos a nos encontrar para jantar um na casa do outro, depois do meu banho, claro!

Na primeira noite, ele me fez uma pergunta engraçada:

— E sacrifícios de galos, vocês praticam, na sua terra?

Não, no Mali não matamos os galos. Ian mistura um pouco de tudo: africanos, vodu, Haiti, feiticeiros... Para ele, a África é a magia negra, as cerimônias de feitiço, os sacrifícios sangrentos. Mas, à sua maneira, ele a ama. E me faz, sem parar, perguntas sobre nossas casas, nossos costumes, as paisagens, nossa história... Ele me mostra seus livros, ilustrações. Não lhe digo nada, mas foi vendo aquelas imagens que eu soube o que é a arte africana. Em particular a dos dogons. Até então, para mim, os dogons eram pessoas como as outras, alguns deles até viviam em nosso bairro, em Bamako. Tinham um ofício, faziam suas compras no mercado como todo mundo, vestiam-se como todo mundo... No livro de Ian, descubro que os dogons são um povo misterioso, que têm ritos estranhos, que muita gente vem de longe para visitar suas casinhas esquisitas e vê-los matar cabras. Precisei ir até Los Angeles para aprender isso!

E, assim, o tempo passa... Três meses. E começo a me sentir trancafiado em meu pequeno palácio de Santa Barbara. É mais forte do que eu, o salário e a banheira não bastam, preciso de outra coisa. E, depois, estou sem notícias de Marie desde que cheguei à casa dos Terence. Será que ela recebeu minhas cartas? Será que Françoise as abriu? Será que Marie escreveu para o Blue Note? Privado de minha correspondência da África, sinto-me como uma planta seca, lentamente arrancada de suas raízes. Em resumo, estou murchando. Estou pensando, neste momento, em pegar o Greyhound novamente. Mas, uma noite, o sr. Terence manda me chamar:

— Tenho uma proposta a lhe fazer. Já lhe disseram o que eu faço?

— Não, senhor.

— Sou joalheiro. Tenho várias lojas, uma das quais em Los Angeles. Estou procurando alguém para trabalhar lá. Interessaria a você?

Sem me dar tempo de responder, ele acrescenta:

— O salário não muda, cinqüenta dólares por semana. Quanto ao trabalho, eu lhe explicarei mais tarde. E então?

Desta vez ele espera uma resposta. E não se pode dizer que esteja me dando tempo para pensar. Azar, vou assim mesmo. De qualquer maneira, é isso ou o ônibus para Nova York. Combinado.

— Negócio fechado. Você começa amanhã. Vamos juntos, e no caminho eu lhe explico tudo. Você verá, vamos fazer um bom trabalho juntos!

— Sim, senhor.

— Nos encontramos em frente à casa, às oito horas.

Mal tive tempo de cumprimentá-lo, e sua alta silhueta já havia desaparecido nos eflúvios mentolados de sua água-de-colônia.

❋ BEVERLY HILLS ❋

No dia seguinte, às oito horas, apresento-me, como combinado, em frente às escadarias da propriedade. Sou obrigado a esperar alguns minutos ao lado de Paul, o motorista do sr. Terence. Sem comentários. O cara é um texano mal-encarado a quem minha presença incomoda, impossível não perceber. Depois o senhor das terras chega de terno de três peças castor e chapéu Borsalino. A classe em pessoa, como sempre.

— Pronto?
— Sim, senhor.
— Então suba no carro!

O carro, falemos dele... Um Rolls-Royce Phantom conversível. Eis-me instalado no banco de trás, o motor ronrona como um gato, as rodas acariciam a alameda... De repente, sinto vontade de gargalhar, de botar a cabeça para fora para que todos me vejam. Eu, o catador de lixo de Koulikoro, eu sou um chefe de Estado! As palmeiras desfilam atrás dos vidros fumê, algumas notas de música clássica saem do rádio, o cheiro de couro e de água-de-colônia. O que dizer? Sou o rei do mundo! Capone sai incógnito de seu palácio para uma reunião de negócios na cidade. O macacão destoa um pouco, é verdade, mas eu o esqueço. É como nos anúncios de loteria: um zé-ninguém transformado em nababo ao toque da varinha mágica.

Penso em Marie, em meus pais, em Baba, Claudia, Tony, Mama, Rico... Queria que eles me vissem ao lado desse milionário que fala comigo como se eu fosse um sócio. Depois, vejo surgir a imagem de Françoise. Ah, ah! Marie tem que lhe contar tudo isso. É delicioso esse sentimento de vingança. Eu o saboreio, assumo ares dignos, procuro manter a pose de alguém que está acostumado a andar de Rolls-Royce todos os dias e ouço meu patrão, que continua suas explicações, sem sequer desconfiar de todo esse filme que está passando em minha cabeça.

— Três pessoas trabalham em minha joalheria de Los Angeles, uma gerente e duas vendedoras. Como os negócios estão indo bem, preciso de alguém para garantir a segurança dos clientes, mas também para recebê-los e fazê-los esperar quando estivermos ocupados.

— Fazê-los esperar?

—Você os recebe e oferece-lhes um lanche. Há também os pequenos serviços que não temos tempo de gerenciar. Uma entrega, buscar um carro no estacionamento, fazer uma compra enquanto a cliente está na loja... Veremos isso à medida que as coisas forem acontecendo, certo?

Mais uma vez ele não espera minha resposta, e retoma:

—Você vai ver, não é muito complicado. Mas faço questão de que o serviço seja ir-re-pre-en-sí-vel.

Gravei bem o "ir-re-pre-en-sí-vel". Não esquecerei, prometo.

— Nossos clientes são pessoas tão ricas quanto exigentes. Sabem o que querem e estão acostumados com a excelência. Entendeu?

— Sim, senhor.

— Não podemos nos dar ao luxo de decepcioná-los. Confio em você. Cabe a você provar que estou certo em lhe dar esta oportunidade. E depois...

— Sim?

— Quem trabalhou na colheita pode fazer qualquer coisa, não é? — acrescenta ele com uma piscadela cúmplice! Chegamos!

O motorista pára o carro. Preparo-me para descer quando, de repente, percebo que tenho que esperar que a porta do sr. Terence tenha sido aberta antes de me mexer. Deixo-o, portanto, me preceder, em seguida saio, sempre sob o olhar hostil de Paul.

—Venha comigo, vou lhe apresentar às meninas.

Sigo-o nos calcanhares. Depois de ter passado por uma primeira porta, o sr. Terence toca a campainha da segunda, e logo uma vendedora vem abri-la.

— Bom-dia, Tracy, como vai?

— Bem, e o senhor?

—Tracy, apresento-lhe Kabouna. Já lhe falei dele, agora ele vai trabalhar conosco.

Falsa loura, verdadeira cinqüentona, a mulher me estende a mão cujos dedos, com unhas vermelho-vivo, desaparecem sob os anéis. Uma verdadeira vitrine.

— Muito prazer.

— As meninas chegaram, Tracy?

— Sim, senhor, estão lá em cima.

— Venha comigo, Kabouna. Linda, Jorice, apresento-lhes Kabouna.

Eles devem ter trinta e poucos anos. Linda é tão morena e natural quanto Tracy é sofisticada. Quanto a Jorice, é um pedacinho de mulher mestiça empoleirada sobre inacreditáveis saltos rosa. A moda local, talvez? Cumprimento-as cortesmente. Feitas as apresentações, o sr. Terence me puxa para seu escritório e aperta um botãozinho.

— Você gosta de café?

— Sim, senhor.

— Linda? Traga-nos dois cafés, por favor.

E virando-se para mim:

— Você já deve ter percebido, Linda é a responsável pela loja, e as moças são as vendedoras. Tracy está aqui há três anos. Antes disso, trabalhava em minha loja de Nova York. Jorice chegou há três meses. É prima de Hugo.

— Hugo... O que eu vou substituir?

— Sim. Espero ter mais sorte com ela. Bem, agora você conhece todo mundo. Só lhe falta o terno.

Imediatamente, olho meu macacão e me sinto constrangido. Para mim, parecia...

— Aqui você está em uma joalheria, não em um jardim. A apresentação deve ser perfeita. Cada detalhe conta. Senão...

— Sim?

— Senão, o cliente irá procurar outra loja. E, creia-me, concorrência é o que não falta aqui.

— Claro.

— Você cuidará da recepção. Quatro palavras-chave: sorriso, educação, serviço e discrição. Você é o primeiro contato, a primeira pessoa que os clientes vêem ao entrar aqui. A primeira impressão deles tem que ser perfeita!

Faz uma pausa, apóia-se na poltrona e fixa seus olhos nos meus:

— Sem direito a erro, Kabouna. Você logo vai perceber. Como essas pessoas já têm tudo, nem sempre elas são fáceis. Algumas são caprichosas, outras francamente... Bem, você me entendeu. Você pesca?

— Como?

— Você é pescador?

Não vejo muito bem a relação entre uma coisa e outra.

— Não...

— Bem, essas pessoas são como peixes: uma vez fisgadas, o mais difícil ainda está por vir. É preciso saber segurá-las e...

— ... fazê-las comprar?

— Exatamente! Você terá, portanto, um papel importante aqui. É por isso que gostaria que você fosse ao ateliê de Costello, o alfaiate da esquina da avenida. Diga que fui eu que lhe mandei, ele me conhece bem. Perguntas?

— ...

— Muito bem. Então pode ir!

Cinco minutos depois, estou em frente à porta do tal Costello. Depois do Rolls-Royce, o alfaiate italiano. Desta vez, estou completamente dentro do sonho americano. Empurro a porta.

— Olá, senhor, venho da parte de...

— ... Charles, eu sei, ele acaba de me telefonar. Kabouna? Sou Paolo. Prazer. E então, jovem, o que lhe agradaria?

O que me agradaria? Por Alá, mas tudo, absolutamente tudo aqui me agradaria! Não sei para onde olhar. Eu, o amante das roupas maneiras, o cara que lançava moda em Bamako, de repente me vejo como uma criança que soltaram em uma loja de brinquedos! Todas essas cores, esses tecidos, esses materiais, esses cortes. Uma estranha idéia me atravessa a mente. Sinto vontade de dizer a Paolo que eu também sou um entendido no que diz respeito a vestimentas. De deixar claro que não sou o porteiro do sr. Terence, que sou Capone, aquele para quem todo mundo olhava quando chegava ao Caribou. Gostaria de lhe descrever minhas camisas floridas, meus jabôs, meus tênis de duas listras... Mas guardo tudo isso para mim. Uma espécie de melancolia toma conta de mim: nem esse cara nem ninguém sabe a estrela que eu era em Bamako. É isto a saudade, este sentimento de não ser mais aquilo que se era antes em sua própria terra.

— Este aqui lhe agrada?

Paolo me mostra um terno preto. Perplexidade. Não, não me agrada de jeito nenhum. Por que preto, se à minha volta só vejo azuis suaves, vermelhos profundos, listras, xadrezes?

— O senhor não gosta do corte?

— Gosto, mas...

— É a cor, então?

— É isso!

— Bom. E este?

A mesma coisa, em cinza-escuro.

— Também não? E se o senhor me dissesse do que gosta?

Não o faço repetir. Igualmente seco, mostro-lhe um conjunto verde azulado delicadamente achamalotado que meu olho clínico havia imediatamente distinguido. Paolo balança a cabeça com um ar compreensivo, mas desolado.

— Ah, esse, temo que não seja possível!

Como assim, "não seja possível"? Naturalmente, não me atrevo a dizer nada, mas diante de meu ar desapontado, ele esclarece:

— Não tenho certeza de que o sr. Terence apreciaria! E depois, o senhor tem gostos luxuosos, rapaz. Essa peça vale um pouco mais de quatro mil dólares. Duvido que Charles aceite lhe pagar um terno que custa tanto quanto os dele, o que o senhor acha?

Quatro mil dólares? Qua-tro mil dó-la-res? Meus olhos saem da órbita. Não, é impossível, não devo ter entendido bem.

— Quanto o senhor disse?

— Quatro mil.

Mas como é possível gastar uma fortuna dessas com um terno? É mais do que tudo o que eu ganhei em vinte anos de trabalho! Não posso deixar de pensar em Boli, talvez hoje ela não estivesse morta se eu tivesse esses quatro mil dólares. Não sinto mais vertigens, sinto náusea. Voltando a mim, tiro do bolso o envelope entregue pelo sr. Terence e conto as notas: cinco, seis, sete, oito, oitocentos e cinqüenta.

— Tenho oitocentos e cinqüenta dólares.

— Muito bem, então vamos por aqui, venha comigo.

Paolo me leva até o fundo da loja. Diante de mim, uma fileira curta de ternos escuros. Preto, cinza-escuro ou chocolate, ponto final. Será chocolate. Experimento o primeiro:

muito apertado. O segundo: muito largo. Terceiro: mangas muito curtas. Quarto: apertado demais na gola.

— Espere um minuto, por favor — sussurra Paolo.

Ele sai e em seguida volta com um ar falsamente contrariado.

— Tenho más notícias para o senhor, Kabouna. O senhor não vai sair daqui com um terno.

Ele se cala, esboça um sorriso paternal, e diz:

— O sr. Terence concordou que eu lhe faça um sob medida.

— Como assim?

— Como nenhum dos que o senhor experimentou ficou bom, telefonei para ele. Ele está de acordo! Mas o senhor não o receberá antes de amanhã à noite ou depois de amanhã pela manhã. Não posso fazer mais rápido, nem mesmo para Charles. Estou com muito trabalho neste momento.

Pelo olhar dele, percebo que espera que eu lhe pergunte alguma coisa.

— Neste momento, por quê?

— Daqui a quinze dias é a cerimônia do Globo de Ouro em Hollywood. E dez dias depois, haverá a grande noite do Oscar no Chinese Theater. Então, o senhor entende, com tudo isso, tenho muito, muito trabalho...

Ele está explodindo de orgulho, como eu, há pouco, com meu Rolls-Royce. Cada um com seus pecadilhos. E depois, posso confessá-lo, só de ouvir falar das estrelas que ele vai vestir, já me sinto envolvido, como se eu também as conhecesse. Digo a mim mesmo que por pouco não vou cruzar com Kirk Douglas ou Elizabeth Taylor ao sair da loja. Mais uma coisa para contar a Marie esta noite.

Para o resto da produção, tudo vai mais rápido: um par de mocassim de couro preto dos mais clássicos e uma gravata de seda vermelho-sangue constelada de pequenos Rolls-Royces de todas as cores!

De volta à joalheria, o sr. Terence manda me chamar.

— Então, o senhor está se fazendo de difícil?

— ...

— Se entendi bem, agora seremos dois a usar terno sob medida. Estará pronto amanhã, é isso?

— Quarta-feira.

— Não, não, amanhã, vou ligar para Paolo. Como você não pode trabalhar, vou lhe dar folga hoje. Vou chamar Paul e ele o levará.

Dar uma volta sozinho no banco de trás do Rolls-Royce, com Paul, o texano, como motorista... A perspectiva é tentadora. Mas a curiosidade, como sempre, fala mais alto.

— Prefiro ficar na cidade, se o senhor não se importa.

É assim que, pouco depois, vejo-me sentado em um banco público perto de Rodeo Drive, devorando um sanduíche enquanto olho os passantes. Fazer isso e tirar medidas em um alfaiate italiano... A ocupação é mais modesta, mas me encanta. Em meu último dia dentro do meu macacão, mastigo seguindo com os olhos as mulheres de minissaia e saltos plataforma, os homens apressados com suas maletas, os Buicks, os Pontiacs, os Mustangues... Olha só, não há negros aqui. E mulheres me olhando. Estão seminuas, com jeito de quem procura um homem. É assim, a Califórnia?

Uma sirene toca. Nem dou atenção, há tantas delas. Mas esta se aproxima, e eis que uma viatura freia suavemente à minha frente. Em um segundo estou cercado por três policiais!

O que estou fazendo aqui? Quem sou eu? Explico-lhes que sou empregado do sr. Terence, mas eles não parecem acreditar no que digo. Circulando! Por quê? Não fiz nada demais! O mais novo começa a se irritar... Inútil insistir. Mais tarde, quando eu tiver conhecido melhor Los Angeles, vou entender que no lugar em que eu estava, com a aparência que eu tinha, eu só podia ser classificado por aqueles caras na categoria *homeless*; portanto, indesejável. Deplóravel, balbucio desculpas e desapareço sem insistir. Fim da cena. Às vezes é preciso saber engolir o próprio orgulho. Dobrar a espinha. Sei o risco que corro: continuo sem documentos, sou um clandestino.

À noite, conto a Marie como foi o primeiro dia. Tenho alguma dificuldade em adormecer: faz mais de três meses que cheguei à propriedade dos Terence e continuo sem ter recebido uma cartinha que seja dela. Será que ela recebeu as minhas? Será que se extraviaram, o que para mim não seria de espantar? Ela respondeu? Escreveu para o Blue Note? O que quer que seja, esse silêncio começa a me pesar. Sem notícias dela, sinto-me desvalido. Um buraco, um imenso vazio em mim.

Na manhã seguinte, a cena da partida se repete, com apenas alguns detalhes diferentes. Primeiro, não entro no Rolls-Royce, mas no Jaguar. Depois, o sr. Terence mudou. Nem olha para mim, mal fala comigo. Ducha de água fria. Assim que chegamos à cidade, corro para buscar meu terno com Paolo e volto para a loja. Pois é, não fiquei tão feliz como esperava dentro de minha roupa chique. Tenho uma éspecie de pressentimento.

— E a gravata? — pergunta secamente meu patrão, de cara fechada.

A gravata está no meu bolso. Não é que eu a tenha esquecido. É que não sei dar o nó, óbvio, nunca tive gravata. Não tive coragem de dizê-lo a Paolo, achando, inocentemente, que ninguém notaria. Ledo engano. Também não tenho coragem de confessá-lo ao sr. Terence. Felizmente, ele já está com a cabeça em outro lugar.

— Coloque-a e vá falar com Linda. Ela vai lhe explicar algumas coisinhas.

Jorice é mais expansiva:

— Uau... Que classe! O senhor está irresistível, sr. Kabouna!

Exatamente o consolo de que eu precisava. Sinto as costas se endireitarem, minha dignidade se elevar. Bem que ele estava precisando, o bobalhão com sua gravata enrolada no fundo do bolso.

— Obrigado, Jorice.

Foi do fundo do coração. Gosto muito de Jorice.

— Então?

Ela aponta para porta do escritório de onde acabo de sair.

— Nada...

Ela percebe minha decepção.

— Não liga, não, ele é assim: um dia caloroso, no dia seguinte nem te vê.

E, em tom de confidência:

— Fique tranqüilo, ele não fica aqui o tempo todo... Vai de uma loja para outra ou vai ao encontro de clientes importantes, ou aos hotéis onde essas senhoras se hospedam...

Percebo muito bem a ponta de ironia em sua voz. Ela não se deixa enganar, a pequena mestiça. Continua sendo ela mesma, pura, divertindo-se com o circo. Acabarei por descobrir que isso não é tão freqüente por aqui. Com todas essas verdinhas passando sem parar diante de nossos narizes, as pessoas como nós muitas vezes começam a acreditar que fazem, elas também, parte do mundo dos ricos.

— Aliás, não veremos muito o patrão nos próximos dias. Logo vão começar todas as cerimônias! O Oscar, o Globo de Ouro, os desfiles de moda... Fevereiro e março são meses completamente loucos em Los Angeles. Fazemos quase um terço do faturamento anual nesse período!

De repente, ela pára, dá um passo para trás, olha para mim franzindo o cenho.

— Mas... você está sem gravata?

Ai, ai, ai. Voltamos ao ponto.

— Estou, mas...

Um rápido olhar cúmplice.

— Quer que eu a coloque para você?

— Quero sim, Jorice, por favor.

—Vou lhe mostrar e você repete, ok? Pronto, agora você!

— Assim?

— Não, por baixo, sempre por baixo, senão você não consegue ajustar o nó! Não se preocupe... Sabe, estou casada com Lucio há cinco anos, e ele ainda não consegue!

Gentil de verdade, a Jorice, delicada até o último fio de cabelo.

— E agora, está bom assim?

— Impecável! Está vendo? Não é tão complicado assim. Você está lindo! Está se sentindo bem?

— Sim, perfeito. Obrigado, Jorice.

Estou mentindo... Não me sinto bem. Nada, nada bem. A gravata me machuca. Sinto-me terrivelmente apertado, à beira de sufocar. Quanto à classe, sem dúvida que a tenho, mas tenho também a impressão de que vou morrer enforcado. Não sei por que, penso nos pobres carneiros que meu avô sacrificava em Kita para as festas do fim do Ramadã. Faço, então, um juramento, que cumprirei: depois de deixar a joalheria, nunca mais usarei uma gravata em minha vida!

Em Los Angeles, conheci o tédio. Um sentimento que nunca havia experimentado por uma hora sequer em minha vida. Os dias e as semanas se seguem uns aos outros, todos iguais. Nem frio nem fome, nem dor em parte alguma. Passo o tempo todo na entrada da loja, de pé e imóvel. Quando uma cliente chega, abro a porta para ela e digo: "Bom-dia, senhora." A joalheria Terence se sente muito honrada com a sua visita. Se a senhora precisar de qualquer coisa, não hesite em se dirigir a uma de nossas conselheiras." E depois: "A senhora deseja beber algo?" Ou ainda: "Até logo, senhora. A joalheria Terence agradece a sua visita. Esperamos revê-la muito em breve em nosso estabelecimento. Tenha um bom dia, senhora."

E tudo isso sob o olhar da câmera de vigilância apontada para mim, em minhas costas. Não posso nem mesmo mudar uma palavra ou duas do texto. E à noite, ele me persegue, ouço-me dizer, sonhando: "Esperamos revê-la muito em breve", "A senhora deseja beber alguma coisa?"

Quando me lembro das advertências do sr. Terence no primeiro dia... Não estive longe de acreditar que eu seria seu principal assistente, segundo o que ele me havia dito.

Que o destino de toda a sua joalheria estava em meus ombros. Que bastaria uma única gafe de minha parte para que todos eles fossem parar na fila do sopão, as vendedoras, o patrão, a patroa, e até o papagaio! Tudo isso para abrir e fechar uma porta... Felizmente, há uma compensação. Com as gorjetas que os clientes me dão, eu triplico meu salário! Então, vale a pena manter a coluna ereta e o sorriso aberto: "Bom-dia, senhora..."

Às vezes tenho um intervalo, quando Linda me confia uma missão. Por exemplo, fazer uma compra para uma cliente que ela está atendendo, ir buscar uma outra no hotel ou no cabeleireiro. Ou ainda fazer uma entrega em domicílio. Ufa, posso respirar! Caminho pelas calçadas a passos largos, sinto a rua, mantenho os olhos abertos, o rosto ao vento. Aproveito cada minuto de liberdade, como se fosse um fugitivo. Depois volto para o meu posto em frente à porta, sob a mira da câmera — a única de Hollywood que me filmará.

E pensar que imaginei ver as estrelas passarem! Marlon Brando e Jane Fonda, ora essa! Não vi nem mesmo seus carros... Nada. Só desconhecidos moldados na mesma fôrma. E que nem me vêem. Eu poderia ser de plástico, para eles seria a mesma coisa. Quanto à gravata... Para que, afinal? Com meu macacão, pelo menos eles teriam olhado para mim, isto é certo! Em Rodeo Drive, até mesmo os raros negros que se pavoneiam nas limusines têm esse jeito de quem não vê ninguém. Faltou pouco para eu sentir falta do suplício das laranjas... Pelo menos meu vizinho de mesa sabia meu nome.

Afinal, só estou aqui pelo dinheiro, isto está claro. Então, quanto dinheiro ainda? Quanto tempo ainda?

Direi "chega" um mês depois. É quando terei esgotado todas as possibilidades de Los Angeles. Guiado por Ian, meu amigo irlandês, terei visitado os estúdios, caminhado sobre as estrelas incrustadas no asfalto da Calçada da Fama, tirado fotografias na frente das imensas letras brancas "Hollywood" que dominam a cidade. Sempre juntos, Ian e eu, teremos percorrido os bares, ele para se embriagar — "Faço questão de honrar meu sangue irlandês" —, eu para jogar bilhar ou ouvir música olhando as californianas se sacudirem. Acabou. Não há mais nada para ver. Chegou a hora de tomar o ônibus novamente.

Último gesto antes de deixar meu posto: comprar uma jóia para Marie. Um cordão de ouro com uma chave de prata, símbolo de nosso amor. O conjunto custa exatamente seiscentos e setenta e cinco dólares, ou seja, uma loucura, mas o sr. Terence me dá um desconto de dez por cento. Continua caro, é verdade, mas quando se ama... Hoje, trinta anos depois, quando olho para Marie, sempre vejo a chavezinha balançando na ponta do cordão de ouro.

Enquanto espero, nessa primavera de 1973, continuo sem ter notícias dela... Mas mesmo assim envio uma carta, com meu presente no envelope, à presidência de Bamako, aos bons cuidados de Françoise. E, como as outras, Françoise a abrirá: "Viu só? Um cordão banhado a ouro, uma imitação deplorável! É assim que Kabouna Keita trata minha irmã!" Essas palavras, que me serão repetidas mais tarde, realmente não ajudaram a melhorar nossas relações...

Depois do grande presente para Marie, o presentinho para nós dois. Vi uma lojinha mantida por um velho negro com cara de pirata. Por cinco dólares, ele imprime em sua camiseta o motivo que você escolher. Pego uma para mim, tamanho extragrande, amarelo-ouro, sobre a qual peço que imprima o nome de Marie-Jeanne em grandes letras vermelhas — "Não, senhor, não é uma homenagem à marijuana, é o nome de minha noiva" —, e uma outra, rosa, tamanho grande, com o nome Capone impresso em azul — "Não, senhor, não sou um fã de Al Capone, é o meu nome." O velho pirata me olha com uma cara esquisita quando saio de sua loja. De repente, sinto-me ridículo.

Um pouco mais tarde, em minha terra, Marie e eu faremos furor nas boates com nossas camisetas. Naquela estação, eu poderia ter feito fortuna com o negócio se tivesse imprimido os nomes de todos que queriam nos imitar...

✵ DE VOLTA A NOVA YORK ✵

Deixo a Califórnia sem nenhum pesar. Apenas algumas despedidas: de Macy, que deixará correr uma lágrima sobre a face, de Ian, que me aperta contra o peito, do sr. Terence, evidentemente menos expansivo, e da sra. Terence, que deu a última palavra:

— Estou encantada por tê-lo conhecido, Kabouna. Para um negro, você é um menino realmente bem-educado, limpo e trabalhador. Desejo-lhe boa sorte.

Notei bem o "para um negro". Mas não há por que guardar ressentimento, ela não falou por mal.

Deixo a Califórnia sem pesar, portanto, mas com três mil dólares a mais em meu bolso esquerdo, uma fortuna! Para ir aonde? Nova York ou Washington? Hesito. Nova York me atrai. Lá eu poderia, sem dúvida, pegar as cartas de Marie. Washington? Para me aproximar da região, porque a cidade foi minha primeira escala em terras americanas, porque Ian me falou dela e porque é a capital?... Finalmente, será na manhã seguinte, chegando à estação rodoviária, que decidirei: Nova York! Sinto muita vontade de reencontrar a *minha* cidade, mesmo que de passagem.

Duas noites e três dias de viagem depois, adentro, claro, o Blue Note. Claudia e Tony imediatamente se jogam em meus braços! Conto-lhes minha experiência californiana e depois, alegando um cansaço súbito, corro para o meu quartinho... Sobre a mesa, uma pilha de envelopes. Pulo sobre elas, olho-as uma a uma, correndo. Há mais de vinte, e todas de Marie. Maravilha das maravilhas.

Leio-as e releio-as, aspiro o papel, estou tão feliz por reencontrá-la, minha querida noiva, depois daqueles cinco meses sem notícias. Feliz e aliviado também, pois todas as suas palavras dizem o mesmo: sim, ela continua me amando, sim, ela espera por mim e suspira por minha volta! E não, ela não dá ouvidos a Françoise, não, ninguém pode desviá-la de mim. Fico sabendo também que Marie começou a trabalhar no Hospital Gabriel-Touré de Bamako, onde, se tudo correr bem, ela deverá conseguir um lugar de enfermeira titular no fim do ano. Ela me pergunta se estou orgulhoso dela. Que pergunta! Quando coloquei a última folha da última carta sobre a mesa, disse a mim mesmo, com um nó na garganta, que nós dois, cada um de um lado do mar, construímos o nosso futuro da mesma maneira.

Marie, que acaba de festejar seus vinte e dois anos, também me dá notícias de minha família, do bairro, dos amigos e da cidade. Também nesse ponto ela me tranqüiliza, dizendo que todos estão bem, que ninguém me esquece e que todo mundo ficará muito feliz de me rever. Nada de más notícias, morte ou doença. Nenhuma. Será que ela está dizendo a verdade? Ou estará me escondendo alguma coisa para me poupar? Não sei. Na próxima vez que lhe escrever, vou ter que lhe fazer perguntas mais precisas. Outra coisa me preocupa: ela não fala do cordão de ouro nem da camiseta. Isso me angustia um pouco. Não posso deixar de pensar em Françoise. Ou, então, Marie continua sem receber nada do que eu envio. Noite curta, mas cheia de sonhos...

Após duas breves horas de sono, levanto-me de excelente humor. Café-da-manhã no balcão que me remete a mais de três anos atrás, ao dia em que desembarquei neste país, totalmente perdido e congelado. Nada mudou, os clientes continuam os mesmos e o cheiro de óleo de cozinha queimado e de nicotina também. Nada... A não ser Elisa, a cozinheira, que acaba de empurrar a porta com uma barriga redonda como uma bola de basquete! Como manda a boa educação, dou-lhe parabéns.

— Se você soubesse, Kabou — Claudia intervém, revirando seus grandes olhos.

— Mas o que é que há, Elisa?

Ela mostra três dedos.

— Não!

— Sim! Três de uma vez, imagine, trigêmeos!

Aperto-a entre meus braços, meio sem jeito, felicitando-a mais calorosamente ainda.

— O que você está murmurando, Kabouna?

— Estou recitando suratas. São bênçãos, para você e seus futuros filhos. É assim que fazemos em nossa terra.

Ela me deixa continuar, perplexa.

— Sabe, na minha terra você seria considerada uma rainha!

— É, seria bem diferente, não tenho dúvida!

— A fertilidade é muito importante no Mali, uma promessa de abundância, de felicidade. Sabe, minha mãe teve vinte partos.

Meus três interlocutores exclamaram em uníssono:

— Quantos?

—Vinte.

— Meu Deus! — murmura Claudia, benzendo-se como se eu tivesse acabado de lhe dizer a data do Apocalipse.

— Eu sou o sétimo.

— Não!

Estão estupefatos, e eu estou estupefato com a estupefação deles. Curiosamente, nem eles nem eu havíamos ainda entendido tudo o que nos separava. O que acabo de lhes contar provoca um choque. Voltarão várias vezes ao assunto, muitas mesmo, como se tivessem dificuldade em acreditar em mim, como se eu falasse outra língua. No entanto, não há nada de extraordinário em minhas palavras, e minha mãe não é exceção.

Tenho muita vontade de ir dar um beijo em Mama Pizza, agora. Chego à sua birosca. Grande decepção, está tudo fechado. Já estou girando os calcanhares quando uma voz me interpela:

— Capone! É você, Capone?

Essa voz... Meu coração dá um pulo: só uma pessoa me chamou de Capone desde que saí de Bamako. Volto-me, e lá está ela, de braços abertos. É bom, tão bom reencontrá-la! Ela não mudou, sempre o mesmo sorriso malandro, aquela benevolência no fundo dos olhos. Nem que tenha sido só para isso, só por ela, fiz bem em voltar a Nova York.

— Quando você voltou, meu menino?
— Ontem, Mama. De Los Angeles.
— Los Angeles? Mas você não estava em San Fernando?
— Sim, mas... É uma longa história.
Tão longa, aliás, que acabo passando o dia inteiro com ela em sua birosquinha, respondendo a milhares de perguntas.
— Você mudou, Capone! Tornou-se um homem.
— Um homem? Em cinco meses?
— Você se aprumou, ganhou ombros, braços... Um pouco de barriga também, não?
— ...
— Está bonito como um príncipe, Capone! E olha só essas roupas... Um verdadeiro astro do cinema! Já está na hora de voltar e encontrar Marie, não?
— Sim, eu sei, Mama. Sinto muita falta dela, mas...
— O quê?
— Ainda não está na hora. O dinheiro, Mama, ainda não tenho o bastante. E depois...
— Sim?
— Não quero ir embora assim, quero dizer, sem ter visto outros lugares, outras cidades. Outras pessoas, também.
Ela me olha, desconcertada:
— Mas você já fez muitas coisas desde que chegou aqui!
— Ouça, Mama, sinto que ainda tenho muitas outras coisas a viver aqui antes de voltar, você entende?
Não, ela não consegue entender.
— Capone, confio em você, como sempre, mas, preste atenção. Marie não vai te esperar a vida toda. E depois... (Ela

vira o rosto.) Desculpe-me por lhe dizer isso, Capone, mas seus pais não são eternos.

Soco no estômago.

— Eu sei, Mama...

— Vai, menino, cai fora agora! Mas me promete uma coisa: não vá embora sem se despedir de mim.

Meus últimos encontros são com Frederico, que vem me ver uma noite no Blue Note. Foi Chang quem lhe deu meu paradeiro. Passamos a noite juntos. E também uma boa parte da madrugada, pois agora Claudia deixa as chaves do bar comigo. Conto-lhe tudo que fiz desde que nos separamos na estação de Frisco.

— Um Rolls-Royce, uma casa só para você, Hollywood... Veja só, as coisas estão indo bem para você, amigo!

— E você, Rico? Conte!

Ele voltou a Nova York para fazer a mesma coisa que em San Francisco: garotas, festas, amigos, música, e um pouco de trabalho quando o dinheiro acaba... Uma arte de viver, para ele. Mas eu não esqueço que, sob sua aparência de boa-vida, ele foi um dos raros a não faltar um só dia de colheita em San Fernando.

O que era para ser uma escala em Nova York acabou se tornando uma temporada de seis meses. E menos de uma semana depois de minha chegada, já estou trabalhando. Foi Tony quem me deu a dica: auxiliar em um comércio de frutas e legumes do Bronx, grande como três campos de futebol.

Levantar às três e quinze da manhã. Apresentar-se às quinze para as quatro, café, panquecas com os colegas — oitenta e cinco por cento de porto-riquenhos, e o resto, chineses —, e ao trabalho! Coloco o blusão verde, luvas e boné, e depois, munido de um caderninho e uma caneta que enfio na orelha, vou receber os caminhões que chegam em ondas ininterruptas na frente das imensas portas metálicas do prédio. Depois disso, conto as mercadorias, descarrego os caixotes um por um e os coloco nos compartimentos adequados em função das encomendas e do estado de conservação dos produtos. Sete horas depois, às onze, uma sirene ensurdecedora nos indica o fim do serviço. Saio do armazém com os ombros e os rins esmigalhados. Isso me lembra alguma coisa, o calor, o ritmo de trabalhos forçados, só que sem as cobras.

Uma semana depois, fiel à minha filosofia, procuro um segundo trabalho para completar minha jornada. Até porque começo a nutrir uma nova ambição: ando querendo ter a minha casa. O Blue Note não é mal, só que desde que experimentei o gosto da independência digo a mim mesmo que eu poderia arranjar um canto para morar. O segundo trabalho será em um setor de estocagem e distribuição de mercadorias. Também em um armazém e também no Bronx, mas desta vez na imprensa. O *New York Post*, o *New York Times* e jornais de classificados.

Nesse, também, o trabalho é braçal. E se desenvolve em três etapas: esvaziar a caçamba dos caminhões das pilhas de jornais, passá-las pelas máquinas de dobrar e finalmente recarregar as pilhas de diários em empilhadeiras que se distribuem pelos quatro cantos do imenso galpão. De segunda a sexta-feira, vou, portanto, me equilibrar entre os dois armazéns e trabalhar quatorze horas por dia. Nem é preciso dizer que, logo que me deito, caio no sono como um recém-nascido...

O acúmulo de dois empregos me rende aproximadamente mil e quinhentos dólares por mês. É bom, mas nada extraordinário em relação à energia que neles emprego. Mas estou economizando. E o moral continua elevado, pois a cada dia a volta fica mais próxima. E depois, aqui, ao contrário de Los Angeles, sinto-me em casa. Tenho minhas referências e domino os códigos, os lugares. Seja na 125, no Harlem ou no Bronx, estou em meu território, cercado de irmãos.

Durante a semana, fico tão pregado que não tenho forças para sair depois do trabalho. A não ser para ir, todas as noites, dar um beijo em Mama Pizza e engolir uma pizza gigante, para quatro pessoas.

Mas, nas primeiras horas do fim de semana, começa uma outra vida. Já na sexta à noite, corro para ver os jamaicanos, meus amigos vendedores de discos. Como antes de minha ida para a Califórnia, encontramo-nos para beber alguma coisa e nos regalamos com a comida feita por eles ou por mim. E, naturalmente, eu continuo a comprar seus discos, alguns dos quais mando para Marie.

Descubro a salsa. Talvez nem todos saibam, mas foi exatamente em Nova York, nos anos 70, que essa música importada pelos latinos explodiu. Não há uma semana em que uma estrela do gênero não se apresente nos clubes do East Harlem ou do Queens. Por apenas dois ou três dólares, vou ouvir Tito Puente, Ray Baretto, Johnny Pacheco, Celia Cruz. E Compay Segundo, um homem simples e malemolente, à época cinqüentão, a futura estrela do Buena Vista Social Club. Eu, o africanozinho de Bamako, torno-me um verdadeiro *salsero*... E como vou fundo na história, logo as mulheres estão fazendo fila para dançar comigo. Juro, elas disputam Kabouna, o ás do chachachá, o deus do *madison*. Mais uma moda que lançarei, quando voltar para casa, depois dos macacões, do desodorante e dos tênis de cano alto.

Apesar de estar sempre absurdamente ocupado com o trabalho, acho que nunca saí tanto na vida quanto naquela época. Não há uma só boate da época, uma só casa noturna do Greenwich Village, da 42 ou do South Harlem que eu não tenha conhecido. Minha favorita é a African Room, uma boate bem pequena, cem por cento *black music*, que freqüento todos os sábados até a hora de fechar, quando soam as oito da manhã.

Quando não vou à boate, percorro as festas improvisadas. Uma vez que alguém o tenha introduzido na vida noturna, tudo acontece rápido: você é convidado para todos os lugares, dão-lhe informações, apresentam-lhe todas as drogas da face da terra. Minhas festas preferidas são aquelas que transformam os telhados dos arranha-céus em boates clandestinas. Somos dezenas — às vezes centenas — no alto da cidade, ao ar livre, alucinando até o fim da noite em um ambiente superanimado, empoleirados no alto de uma torre, decibéis a toda, drogas e álcool à vontade, cada um mais ligado que o outro, todos se perguntando a que horas as forças de segurança vão chegar para acabar com a festa... Toda uma época. Às vezes, grandes projetores de cinema enviam imagens para a fachada do prédio vizinho. Esticamo-nos nas espreguiçadeiras para olhar, ou então, como eu, sentamo-nos na beira do telhado, com as pernas penduradas no vazio. Sem falar do que alguns mandam nariz ou goela abaixo... É o que se chama viver perigosamente.

Parece que estou vendo aquela garota. Não mais do que vinte anos. Ela havia consumido cogumelos alucinógenos. Dançava em todos os sentidos, seus olhos estavam fechados e os lábios balbuciavam palavras incompreensíveis. Agitava-se cada vez mais, gritava. Perdi-a de vista por um instante, e então, de repente, ao me virar, vi-a pendurada sobre o vazio, na ponta dos pés. Batia os braços como um pássaro — aliás, certamente acreditava ser um pássaro. Três de nós avançamos sobre ela, aos berros... Mas não conseguimos fazer nada. Nada, a não ser vê-la se espatifar dezenas de metros abaixo. Até hoje tenho pesadelos com isso.

Aconteceu outra vez. Algumas semanas depois, outra festa, outro telhado, começa uma rixa entre dois caras conhecidos por serem viciados em heroína. Uma sinistra história de ciúmes. Nós os separamos. Por duas vezes. Na terceira briga, antes que alguém pudesse intervir, um dos dois foi lançado pelo outro no vazio como um saco de lixo. Eu não vi nada, foram os gritos de uma garota que me fizeram compreender o horror. Mais uma vez, tivemos que sair correndo, o mais rápido possível, antes da chegada da polícia, para não sermos presos.

E, no entanto, esse tipo de festa continua, as noites nos telhados continuam a acontecer, e com o mesmo sucesso daquela época. Eu, como os outros, não consigo parar. A ponto de, por vezes, chegar a ir a festas no meio da semana, depois de ter ralado quatorze horas no trabalho! Pergunto a mim mesmo como consegui agüentar. Acho que eu queria viver tudo, experimentar tudo antes de voltar para casa. Empanturrar-me como um morto de fome com aquilo que a América tinha de mais louco.

Esse é também o período em que eu volto ao Madison Square Garden... Mas, dessa vez, não para o estacionamento. Para a sala. Ah, aqueles campeonatos de basquete. Tem os times locais, é claro, os Knicks de Nova York, mas tem principalmente aqueles que me fazem sonhar desde os filmes da embaixada, os lendários Harlem Globetrotters. Artistas, deuses... Na América, tive muitas desilusões, senti muita angústia, ódio também. Mas aquelas noites de basquete em que eu, o menino de Koulikoro, passava para o outro lado da tela continuam comigo. E isso nada nem ninguém pode me tirar...

Pouco menos de dois meses depois de minha volta a Nova York, vitória: guardei dinheiro suficiente para alugar um conjugado para mim no sul do Bronx. Dez metros quadrados que me custarão vinte e cinco dólares por semana. Menos vinte e cinco a serem poupados, mas quando o cara entrega as chaves em minhas mãos, vejo que não sinto o menor arrependimento. Rápido, tenho que escrever para Marie!

Quatro meses ainda se passarão nesse ritmo alucinante. Mesmo que o moral continue alto, o corpo reclama... Nunca mais tive um dia sem cãibras ou prostrações, graves tendinites nos ombros e nos punhos, dores nas costas. As mãos, de tanto se cortarem nas folhas de papel que dobro todos os dias, estão parecendo com as das mulheres de Kita. Em algumas manhãs, quando o despertador toca, sinto-me um velho. O preço a pagar para voltar mais rápido para casa? Talvez. Mais alguns meses, um ano no máximo...

Um encontro, então, mais uma vez, vai modificar minha trajetória. Este não tem as feições de um desconhecido, pois trata-se de Bob Reiley, o meu "carrasco" de San Fernando. Mal posso acreditar, mas é por acaso que cruzo com ele na 42, quando ia encontrar meus amigos vendedores de discos. Tínhamos tão pouca chance de nos rever que, naquele momento, perguntei a mim mesmo se não seria um sinal dos Céus. Ou de Boli...

— Kabouna? Ora essa, o que você está fazendo aqui?

Eu é que deveria perguntar.

— Eu? Mas eu trabalho aqui!

— Em Nova York?

— Sim.

— Você tem um tempinho para tomar alguma coisa?

— Agora não. Esta noite, se você quiser, no Blue Note, na 125. Estarei lá por volta das nove.

— Ok!

Eu tinha esquecido os "ok".

Passamos um bom tempo juntos. Conto-lhe tudo que vivi desde que nossos caminhos se separaram.

— Puxa, você rodou depois das laranjas!

Ele parece um pouquinho incrédulo.

— E você não deu uma parada?

— Como assim? Por quê?

— Mas você não tem vontade de descansar? Aproveitar um pouco a vida?

— É claro que sim, mas gostaria de voltar para casa. E para isso, sou obrigado a trabalhar. Quanto mais trabalho, mais economizo e mais perto fico de voltar.

— Ah...

Vejo que ele tem dificuldade em me entender.

— E você fica em Nova York por quanto tempo?
— Não sei... E você?
— Vou embora depois de amanhã. Baltimore. Imagine que os Ram's estão na final!

Os Ram's? Na final? Na final do quê? Ele olha para mim como se eu fosse um marciano.

— Beisebol. Você não está sabendo? Será possível?

Não mesmo. É claro que conheço, mas para mim é um esporte de tubabos, como o tênis ou o golfe. Ele leva tempo para me explicar.

— Quinta-feira é a finalíssima do campeonato! — ele prossegue. — Os Ram's são meu time, o de Los Angeles. Vão jogar contra os Orioles, de Baltimore. Não posso deixar de ir, entende? Faz mais de quinze anos que espero por este momento! Você tem noção? Os Ram's na final!

Uma verdadeira criança. A alegria e a esperança fazem seus olhos faiscarem.

— E se você viesse comigo?
— Mas o que você quer que eu faça em Baltimore, Bob?

Sorriso no canto dos lábios e piscada de olhos cúmplice.

— O que você acha de assistir ao jogo?

Dessa vez ele me pegou de surpresa.

— Quer dizer que...
— Você vai ver, é um acontecimento nacional, um show único, gigantesco, um pouco como a final do Superbowl.

Esse eu conheço. Vi na velha televisão do Blue Note. Não entendi nada das regras, mas percebi o ambiente de delírio no estádio.

— É preciso ver isso pelo menos uma vez na vida!

Muito bom vendedor, esse Bob...
— Você disse que é quando?
— Depois de amanhã.
— Não sei se vou conseguir me organizar, eu trabalho, e...

Ele me interrompe com um gesto de mão.

— Se você quiser, voltamos juntos para o rancho depois do campeonato. A colheita dos limões vai começar logo. E a dos cereais ainda vai ser feita, se você quiser trabalhar conosco.

As colheitas? Ah, não, isso não será possível de jeito nenhum! Só de pensar, sinto meus rins gemerem. Só isso já bastaria para eu não achar a idéia nada brilhante. E, depois, eu teria a impressão de estar andando para trás.

— Você é quem sabe. Estou no Ascott, você conhece?
— Na esquina da 116?
— Sim. Vou sair às oito horas. A estrada até Baltimore é longa. Se você quiser ir, é só me esperar na porta do hotel, ok?
— Ok, Bob.

Vejo-o se afastar e volto para a minha casa no Bronx. Baltimore... É verdade que é tentador. Eu não queria ver o país antes de voltar? Além do mais, estou começando a ficar cheio dos armazéns. Principalmente de levantar todas as noites às três horas.

Baltimore... Tudo o que sei de lá é que no porto de Annapolis, não muito longe, desembarcaram os primeiros escravos africanos vendidos nos Estados Unidos. Fiquei sabendo disso nos documentos da embaixada americana de Bamako, e não esqueci mais. E agora Bob me dá oportunidade de dar uma volta por lá. Preciso falar com Mama.

— Nunca fui — diz ela —, mas uma de minhas irmãs viveu lá. Ela foi muito feliz.

— E a final do...

— Ah, é genial, sempre vejo pela televisão, tem um ambiente incrível! Quer minha opinião, Capone? Vá. Você vai se divertir! E, depois, há quanto tempo você está trabalhando nos armazéns?

— Seis meses.

— Você não tem vontade de fazer outra coisa?

— Você tem razão, Mama, eu vou!

— Além do mais, você sabe que está protegido, sua avó olha por você.

Mama sempre encontra a palavra certa. Corro para avisar Claudia e Tony, deixo minhas coisas com eles e oitocentos dólares, por precaução, e também por respeito, para mostrar que confio neles.

No que se refere aos meus trabalhos, não há problema: como no Shanghai Palace dois anos antes, nada de documentos, nada de contratos, nada de aviso prévio. Somos contratados de um dia para o outro, vamos embora de um dia para o outro. Idem para o imóvel do Bronx. Um simples aperto de mão fez as vezes de contrato de locação. Acerto a semana e entrego as chaves. Adeus, trabalho, adeus, conjugado; aventura, aqui vou eu!

✼ BALTIMORE ✼

Como combinado, apresento-me em frente ao hotel de Bob. O sol está radiante e eu estou louco de alegria por voltar à estrada. Minha única preocupação é que esse desvio pode atrasar ainda mais minha volta a Bamako... Paciência. *Inch'Allah!*
— Vamos?
— Já fomos!
Depois de sete horas de carro, da passagem pela Filadélfia e por Washington, finalmente chegamos a Maryland. Sete horas durante as quais Bob não falou de outra coisa a não ser os Ram's, os Ram's e os Ram's. E se o time dele perder? Não quero nem pensar.

Baltimore, finalmente chegamos. Pausa rápida, o tempo de engolir um *chick and cheese*, e corremos para o estádio, o início do jogo está previsto para daqui a menos de uma hora. E, ao chegar, o choque... Nunca vi um estádio tão grande: 100 mil espectadores desenfreados. O Estado de Maryland inteiro foi para lá para torcer por seu time! E a Califórnia não fica atrás, com suas dezenas de milhares de fãs vestidos de azul e amarelo, as cores dos Ram's. As duas equipes ainda nem entraram em campo e o espetáculo já está delirante. Bob e Mama tinham razão: é preciso ver isso pelo menos uma vez na vida! Na entrada do estádio, um recepcionista nos oferece o uniforme oficial de nosso time. Boné, cachecol, gorro, camiseta e panos de todos os tipos. Fico sem palavras, Bob compra imediatamente o arsenal dos Ram's em duplicata. E logo estou uniformizado! O mesmo cara nos pergunta se queremos fazer uma aposta. Bob tira do bolso um bolo de notas verdes e aposta quinhentos dólares.

— Quanto você vai pôr?
— Vinte.
— Ok. Tome!
— Nos Ram's? — pergunta o agente.
Bob sorri com desdém.
— É lógico!
— Bob?
— Sim?
— Vou apostar nos Orioles.
— É uma piada?
— Não, não.
— Ok, pior pra você! Tome, ponha esses vinte aí com os outros — diz ele com desprezo ao agente.

A festa vai durar quase quatro horas. Teremos direito a tudo: hinos cantados por uma centena de coristas no meio do gramado, *pompom girls*, concerto no intervalo entre os dois tempos, fogos de artifício gigantes, revoada de pombos com as cores dos finalistas, sermão musicado do pastor... Programa completo! Quanto à partida em si mesma, apesar de meus esforços de concentração e das explicações de Bob, eu não entendi nada, a não ser o placar. Naquele dia, os Orioles de

Baltimore ganharam de lavada dos Ram's da Califórnia! Bob, como direi, está... arrasado. Perder, tudo bem, mas essa humilhação! Para dizer a verdade, não ouço mais o som de sua voz. Deixamos nossos lugares, saímos do estádio sem dizer uma palavra. Nem tento consolá-lo, até porque ele já me esqueceu. É só quando chegamos no carro que ele se lembra, bruscamente, que tem alguém com ele.

— O que você vai fazer? — ele rosna, sem ao menos olhar para mim.

— Como assim?

— Você fica ou volta comigo?

Suas palavras me atingiram como uma chicotada. Fui pego de surpresa. Pelo jeito, ele não quer mais passar a noite aqui, e muito menos comigo. Outra pessoa, realmente. É difícil imaginar que um simples resultado de beisebol possa ser a razão de minha desgraça.

— E então?

— Quando é que você volta?

— Agora. Tenho trabalho no rancho, não tenho tempo a perder.

E, indicando com o olhar um bando de torcedores locais ébrios de cerveja e de felicidade, acrescenta:

— E, sinceramente, não estou com vontade de ficar mais muito tempo por aqui. Então, o que você resolve?

— Vou ficar por aqui, Bob.

— Mas o que você vai fazer?

— Não sei.

— Você conhece alguém aqui, pelo menos?

— Não se preocupe, Bob, estou acostumado.

— Ok, como você quiser...

Apertamos as mãos e Bob sai apressado, para fugir o mais rápido possível da cidade inimiga e seus vencedores.

E aqui estou eu, sozinho, afogado nessa multidão que aflui de todos os lados. Estou me lixando para o beisebol, mas o entusiasmo é magnífico! As pessoas se beijam, dançam, há jovens, famílias, velhos, muitos velhos, Baltimore inteira parece ter combinado de se encontrar no entorno do estádio. Só por estar vivendo isso, estou feliz de ter vindo. É claro que eu gostaria que as coisas tivessem terminado melhor para Bob. Enquanto eu festejo, ele está doente de raiva, sozinho ao volante de seu carro. Depois de uma noite em claro, ao amanhecer encontro um quarto de hotel onde desabo. Algumas horas de sono depois, primeiro despertar em Baltimore. Nenhuma idéia do que vou fazer aqui, a não ser uma visita a Annapolis. Depois, é hora de começar a pensar na volta para Bamako.

Nos três primeiros dias, eu flano. Fiel a meus hábitos, ando para lá e para cá, entro nos bares, nas lojas, ouço, observo, vou acumulando informações.

Contra todas as expectativas, acabarei ficando um pouco mais de quatro meses em Baltimore... Creio que ainda não me sinto pronto para voltar para casa. Já faz quase quatro anos que parti, mas a idéia de que meu prazo está expirando me assusta. Os marinheiros devem sentir a mesma coisa quando vêem o porto se aproximar. É a casa deles, e no entanto se perguntam o que será que os espera. De todo modo, o fato é que nesses poucos meses de, digamos, horas extras, mais uma vez faço pequenos biscates: lavador de louça em um restaurante cubano, jardineiro, leão-de-chácara em uma boate, aprendiz de confeiteiro em uma padaria — mais uma vez, levantar às quatro da manhã. Nada de palpitante, mas continuo acumulando verdinhas. Como previsto, dou um pulinho até Annapolis. Lá, também, decepção logo na chegada. Apenas um monumento abandonado, como se quisessem apagar da memória os dramas que se passaram neste lugar. Felizmente, não muito longe está Atlantic City, e o boxe... Verei pelo menos dez lutas seguidas antes de voltar a Baltimore. E pego novamente o Greyhound. Baltimore não me agrada, e acho que a cor da minha pele também não agrada a cidade. Então, o negócio é partir, ver outros lugares. Agora rumo a Washington. Por quê? Muito simples: foi nessa cidade que cheguei há quase quatro anos, e é de lá que vou voltar, só isso! Quanto às minhas coisas deixadas no Blue Note, vou combinar com Claudia e Tony, que poderão, se for preciso, despachá-las para o Mali usando o dinheiro que deixei com eles antes de partir.

Na estrada, para mais uma volta de Greyhound. Duas horas depois, estou na rua 7 da capital! Logo encontro um hotelzinho a oito dólares por noite, no início da Columbia Road. E lá, quando vou, mais uma vez, tirar as coisas de minha sacola, meu olhar é atraído por um pedaço de couro saindo do forro, bem no fundo da bolsa. Estico a mão, puxo, e o que sai de lá? A bolsinha de Boli! Aquela mesma que não encontrei no primeiro dia de minha chegada à América! Em estado de choque, sento-me na beirada da cama. E penso. Neste quarto miserável, com esta luz mortiça, entre estas paredes imundas, impregnadas de cheiro de cigarro, olho para minha vida. Boli está me enviando um sinal... Não terá chegado minha hora de voltar?

O sonho não veio ao meu encontro, não fiz fortuna e pergunto a mim mesmo várias coisas, entre as quais uma, a essencial: por quanto tempo Marie ainda vai me esperar?

Nessa noite, minha ficha cai, finalmente! Chegou a hora, tenho que voltar para casa!

Deixo o hotel, munido de passaporte e dinheiro, rumo às agências de viagem. E rio, sim, rio sem parar, pois sinto que tomei a decisão certa. Porém, mal ponho o nariz para fora, meu olhar é atraído pela imensa estatura de um negro que atravessa displicentemente a rua, logo à minha frente. Instintivamente me aprumo à sua altura, e observo-o de soslaio. Logo vejo, pelos traços, que é africano, como eu. O que é confirmado pelas pequenas fissuras rituais em suas têmporas. Fissuras que não se vêem com freqüência. E quanto mais eu olho, mais...

— *Hé, hakéto!*

O gigante pára imediatamente, vira-se, olha-me com atenção, e ficamos plantados um diante do outro alguns segundos sem trocar uma palavra. Eu sei, ele sabe, não há dúvida!

— *Initié n'ka tié! Ebé bo malila?*

Ele responde na mesma língua e, sem uma palavra, aperta longamente minha mão. Tenho vontade de rir e de chorar. Desde que deixei minha terra, há quatro anos, é a primeira vez que encontro um de meus irmãos. O cheiro da terra vermelha molhada pela chuva logo me vem à memória...

Não conseguimos mais parar de falar. Parecemos dois mudos que encontraram a palavra, dois cegos que recobraram a visão. É tão bom, de repente, estar novamente em família, aqui, neste pedaço de calçada de Washington! Mais um sinal que me é enviado: na hora em que estou voltando, minha terra vem até mim.

De conversa em conversa, acabamos passando o dia e a noite inteiros trocando idéias entre as quatro paredes de meu quarto. Temos tanta sede de falar bambara que esquecemos de almoçar e de jantar! Não conseguimos nos calar, é um rio transbordando, ondas de emoção que rompem o dique.

Cheickné Dabo é recepcionista em um grande hotel de Washington. Tem três anos mais que eu e vive na América há pouco mais de um ano. Percebo sua surpresa por encontrar um malinês que é ao mesmo tempo mais jovem que ele e mais antigo na aventura. Ele devia achar que era o primeiro a tentar essa viagem. Depois que cada um de nós terminou de relatar suas experiências americanas, começo a lhe contar minha vida, minha infância em Kita, Boli, Bamako... De repente, ele me interrompe.

— Mas o que é que você está me dizendo?
— Foi um chofer de táxi que...
— Capone!
— Sim, é assim que me chamam.
— Capone... O Capone de Misira?

Ele está estupefato. Vasculho minha memória, sem entender.

— Nós nos conhecemos?
— Mas todo mundo no Mali conhece o Capone!

"Todo mundo"? Sem brincadeira! Não somente Cheickné é o primeiro compatriota que eu encontro em quatro anos, e além de tudo ele sabe meu nome! Sei que as notícias são um óleo particularmente inflamável na África, mas a esse ponto...

Depois de uma noite em claro, recuperamos um pouco de nossas forças graças ao café-da-manhã malinês — bolachas de milhete, coalhada, chá — que Cheickné prepara em minha homenagem. Mais uma alegria, mais uma emoção.

— E quando você volta, Capone?
— Logo.
— Já tem a passagem?
— Ainda não. Estava justamente indo me informar quando te encontrei ontem. Vamos ver.
— *Inch'Allah!* Em todo caso, você não fica nem mais uma noite aqui. Vamos pegar sua bagagem e você vai para minha casa. Minha casa é sua casa!

É claro que não recuso. Junto minhas coisas e subimos a bordo de seu velho Chevrolet caindo aos pedaços, digno das ruas de Bamako. Rumo a Silverspring, subúrbio de Washington. Dois dias depois, quando vou encontrá-lo no hotel no fim de seu serviço, Checkné me convida para tomar um suco de frutas.

— E então, seu bilhete, como está?
— Ainda é caro demais para mim.
— Sem problemas, aqui você está em casa, meu irmão!
— Obrigado, Cheick.
— Capone?
— Sim?
— E se você fosse a Chicago?
— Chicago? Por que, de lá é mais barato?
— Não, mas...
— Preciso voltar ao Mali agora, você sabe, Cheick! Marie, meus pais...

— É pena...Você nem vai ver o seu museu.

"Meu museu"? Cada vez entendo menos o que ele diz.

— Você conhece Capone, naturalmente?

— Al Capone?

— Sabe que ele viveu em Chicago?

Não, eu não sabia.

— Chicago não fica muito longe daqui.

— Ah, é?

—Você é que sabe, meu irmão! Mas seria realmente uma pena ter vindo até aqui sem dar uma olhada no seu museu, hein?

É claro, ele tem razão, não posso ir embora sem ver o "meu museu". Então, a sorte está lançada: Chicago, lá vou eu!

Mais uma voltinha de Greyhound. Depois de um dia e meio de estrada, como sempre, chego a bom porto. Primeira imagem: touros por toda parte, os famosos Bulls, emblemas da cidade. Segunda imagem: limpo, limpo demais. Isso me lembra Los Angeles, o que não depõe a favor. Seguindo as orientações de Cheickné, vou para um hotelzinho na Michigan Avenue, e logo em seguida, depois de deixar minha bagagem, saio para explorar a cidade. É meu momento preferido, a chegada em um lugar que não conheço: misturar-me na multidão, sentir a atmosfera, situar-me, pegar o ritmo. A cidade e eu, nós nos familiarizamos, nós nos seduzimos mutuamente.

Depois de engolir rapidamente um sanduíche à beira do rio, caminho rumo ao... meu museu! Sinto-me como uma criança, o coração batendo, um pouco de medo também, mistura de excitação e orgulho. O prédio não é nem grande nem maravilhoso, mas fico até a hora de fechar, até quando os guardas, intrigados por terem me visto andar para lá e para cá a tarde inteira, acabam por me mandar embora.

Estranha sensação. Meu nome está escrito em todas as vitrines. Um pouco como se eu tivesse morrido há muito tempo e falassem de mim no passado. Com a diferença de que estou aqui, vendo a mim mesmo, lendo a narrativa de minhas aventuras. Se um menino viesse me pedir um autógrafo, eu nem ficaria surpreso. Preciso me conter para não dizer às poucas pessoas que visitam o museu quem sou eu! Imagine a cara delas!

Por outro lado, não tenho certeza de que ele me agrada, o *verdadeiro* Capone. Olho para aquele homenzinho atarracado, de cabelos ralos e gomados, com uma cicatriz na face esquerda. É claro que gosto do estilo, da elegância: a gravata de seda bem larga, os sapatos bicolores, o chapéu Borsalino — ah, o Borsalino! Mas tem o resto. O sangue, principalmente, muito sangue. Seiscentas mortes, pelo menos. Será que aquele chofer de táxi que me deu este nome sabe disso? Será que ele sabe como Al Capone construiu seu império? Como ele se livrou de todos os que atravessaram o seu caminho? A começar pelos humildes, as pessoas honestas. Não, sem dúvida. Não vejo como essas informações poderiam ter chegado até ele. No máximo, ele deve ter ouvido falar vagamente do homem por um de seus clientes tubabos trazidos do aeroporto. O fato é que, ao me batizar assim, ele sem querer me transmitiu uma reputação... embaraçosa!

Dito isso, Al Capone e eu temos, ainda assim, alguns pontos comuns. Começamos do nada. Ele vem de uma aldeia siciliana onde seus pais eram modestos camponeses; eu, de Bamako, onde aos sete anos sustentava os meus. Como eu, ele exerceu vários ofícios humildes ao chegar à América: guarda-costas, contínuo, angariador de clientes ou ainda faxineiro em um bordel de Chicago — bordel que comprará anos depois. Outro ponto comum: ele e eu somos emigrantes a quem a América fascinou, e largamos tudo para lá fazer fortuna. Ele foi tão "bem-sucedido" que pagou com a própria vida, e eu... eu estou pronto para voltar para casa, sem riqueza, mas com dólares no bolso em quantidade suficiente para construir para nós, Marie e eu, um futuro, simplesmente!

De volta ao meu quarto, passo para o papel tudo que acabo de ver e de entender. Amanhã enviarei a carta a Marie. Quem sabe talvez ela vá em seguida contar para o meu famoso chofer? A sombra de Capone plana sobre os dois continentes, e não está perto de se dissipar...

É verdade que eu quero que me vejam como um cara durão. Como líder da minha turma, a rigor. Mas como um assassino ou um maioral entre bandidos, certamente que não. Quando olho para todas essas fotos de mortos, sinto-me mal. De repente, o nome começa a me pesar. Ao sair do museu, sinto-me obrigado a pensar em todos aqueles apelidos, o meu e os de meus amigos. Naquele a quem chamamos Tapie, como Bernard Tapie, por seu tino comercial. E naquele outro que gosta de ser chamado de Fidel, não sei por que, e ele muito menos.

Fico dez dias em Chicago, fazendo papel de turista, excepcionalmente. Passeio de barco no lago Michigan, três horas de cruzeiro para admirar de longe os diferentes estilos arquitetônicos da cidade. Passeio que me custará trinta e cinco dólares, um verdadeiro luxo para mim — e no qual serei, mais uma vez, o único negro a bordo. Sempre louco por esportes, vou também ver um jogo de basquete da equipe local, os famosos Bulls. E, maravilha das maravilhas, dou-me de presente os concertos de Aretha Franklin, Stevie Wonder, John Lee Hooker, Ray Charles... Férias, férias de verdade. No fim das contas, Chicago será uma de minhas melhores lembranças, talvez porque lá eu tenha realizado sem reservas o sonho do menino de Bamako, sabendo que estava a ponto de ir embora.

De volta a Washington. Desta vez, a hora de voltar chegou de verdade.

Cheickné me espera em sua casa. Noite inesquecível. Ele preparou em minha homenagem um frango com manteiga de karité, com inhame e mandioca. Três horas depois, digerimos nosso copioso jantar em volta do chá de menta que preparei para agradecer a meu amigo por sua maravilhosa comida. É tão bom participar novamente de todos esses rituais, os pratos no chão e comidos com as mãos, o chá fervente cujo aroma adocicado se espalha por toda a sala, partilhar das abluções e das preces, e falar do Mali, ainda e sempre, para nos sentirmos mais próximos de lá.

— Capone, ouvi falar de um trabalho.
— Ah, não! Agora eu vou embora!
— Como queira...

Nada a fazer. Como sempre, minha curiosidade fala mais alto e peço-lhe que me conte mais!

— É no Dupont Circle. Um bairro de Washington à beira do Potomac, a uns vinte minutos daqui.

— E o que é o trabalho?

— Não sei muito bem, um colega me falou rapidamente esta manhã. Ele só me deu o endereço. Você deveria ir ver, isso não o obriga a nada e você pode ficar em minha casa quanto tempo quiser. De todo modo, você ainda não comprou a passagem.

— Você tem razão.

Decididamente, primeiro Chicago, agora um trabalho. Meu irmão sabe muito bem como me segurar um pouco mais com ele na América.

— Ok, vou ver amanhã, mas...

— Já sei, Capone, você quer voltar!

Sim, eu quero voltar. E quanto mais cedo, melhor. Dito isso, ele não está completamente errado: enquanto ainda não tenho a passagem. E depois, não será uma oportunidade de conhecer outro bairro da cidade?

O trabalho? Segurança, de uniforme e casquete, na porta de entrada de um prédio. Das sete às quinze horas, e por vinte míseros dólares por dia, nada do outro mundo, portanto. A não ser pelo nome do prédio: Watergate... Não ficarei mais do que dez dias. Realmente cansei, agora só sonho com uma coisa: pegar o avião para a África.

Volto, portanto, a uma das agências com as quais já havia feito contato antes de ir para Chicago e, finalmente, compro meu bilhete! Pronto, consegui. Parto daqui a quatro dias. Decolagem prevista para 3 de julho às quinze para as sete da noite. Washington-Dacar, Dacar-Bamako. Chegada às dezenove horas, hora local. Preço: setecentos e trinta dólares. Como é fácil. Na ida, ao entregar minha passagem, deixei sobre o balcão uma década de labor. Hoje, estou pagando minha viagem como se estivesse comprando um tíquete do Greyhound! Não paro de repetir para mim mesmo que estou voltando para casa, mas ainda custo a acreditar.

De volta à casa de Cheickné, telefono para Claudia para lhe informar de minha partida e pedir que envie minhas coisas para Bamako. Peço-lhe também que avise a Tony, Elisa e Rico, sem esquecer meu chofer de táxi haitiano. E agradeço uma última vez... De repente, sinto-a muito emocionada, ela abrevia a conversa, me manda beijos e desliga correndo.

Logo depois disso, ligo para minha querida Mama. O diálogo será ainda mais breve. Mal lhe dou a notícia de minha partida e ela começa a chorar. Quanto mais eu falo, mais ela soluça, e sinto um nó na garganta. Digo e repito, muitas e muitas vezes, que a amo e que vou lhe escrever. Não consigo mais falar. Preciso desligar, eu também. Eis por que, apesar da alegria de finalmente voltar para casa, levarei um certo tempo para me livrar de uma imensa tristeza que tem as feições de Mama. Partindo, deixo aqui uma parte do meu coração. Será que um dia a verei novamente? Em Nova York? Em Bamako? Sob outros céus?

Felizmente, no dia do embarque, não tenho tempo para pensar muito: Cheickné chega de surpresa ao apartamento.

— Você não trabalha hoje?

— Trabalho, mas pedi ao meu patrão que me liberasse esta tarde. Você não estava achando que eu o deixaria partir como um ladrão! Vou com você ao aeroporto.

— É muito gentil de sua parte, Cheick, mas não se preocupe comigo, eu me viro. Já me informei sobre o Greyhound.

— Mas estou dizendo que vou com você!

Duas horas depois, o velho Chevrolet pára, engasgando, no estacionamento de Dulles, o aeroporto internacional de Washington. Estamos no dia 3 de julho de 1975, o tempo está encoberto e o termômetro marca vinte e cinco graus, quarenta a mais do que há cinco anos, em Nova York. No Mali, é a estação das chuvas; não deve, portanto, estar quente demais, mais ou menos vinte e sete graus.

Cheickné me acompanha até a alfândega, abraçamo-nos longamente. Mas nada de adeus. Prometo-lhe dar notícias a sua família logo que chegar. Ele não diz nada, mas leio em seus olhos um vazio na alma. Deixo-o sozinho, sei que não tem recursos para voltar.

— *Doguo ka séni gnoumagné* — ele me diz.

Vejo sua enorme silhueta saindo do aeroporto, pego minhas bolsas, transponho a alfândega. Verei Cheickné novamente vinte e cinco anos depois, quando voltar aos Estados Unidos com meus filhos. Ele nunca voltou de lá...

TERCEIRA PARTE

❀ A VOLTA ❀

Sala de embarque. Ainda tenho meia hora antes de entrar no avião. Sento-me virado para o painel de vidro e olho, fascinado, o balé ininterrupto dos aviões nas pistas. Mas, quanto mais a partida se aproxima, mais apertados ficam os nós na garganta e no estômago: já havia cinco anos que eu não tinha essa sensação de medo, e mesmo que os anos tenham passado, ainda não me livrei dela.

Controle dos cartões, embarque. Pronto, estou a bordo, sentado longe da janela do avião, como no dia em que parti para a América. De todo modo, não verei nada da decolagem, pois decidi manter os olhos fechados para rezar melhor. Assim que o aparelho se estabiliza na horizontal, levanto uma pálpebra e dou uma espiada na janela do meu vizinho. Branco, tudo branco... O horizonte está cheio de nuvens leitosas. Mas, diferentemente do que aconteceu na ida, não verei o tempo passar, tão absorto estou em meus pensamentos. Mil e uma lembranças, mil e uma sensações, mil e uma perguntas, tantos balanços a fazer desses cinco anos de exílio. Eu mudei? A julgar pelos suores e pela tremedeira, nem tanto. E, no entanto...

Saí de casa com seiscentos e sessenta e quatro dólares em caixa. Hoje, 3 de julho de 1975, tenho cinco vezes mais. Risível? Para um americano, sim, certamente. Mas precisei gastar para viver... E depois, sobretudo, nunca deixei de mandar dinheiro para meus parentes, cem dólares por mês. O cálculo é rápido: cem dólares por mês, ou seja, perto de seis mil em cinco anos. Nada mal! E, na escala do meu pequeno país, três mil dólares são uma fortuna. Mais, muito mais do que meus pais, irmãos, irmãs e amigos poderiam, juntos, ganhar em uma vida inteira de trabalho. O suficiente para nos amparar, e por um tempo bem grande. O suficiente, também, para comprar meu restaurante, e até uma casa grande, se eu quiser. Enquanto faço esse balanço contábil, traço planos, construo o futuro. E penso em Marie, claro... Ela nem sabe que vou revê-la daqui a pouquíssimas horas. Aliás, todos ignoram isso, e por duas razões bem simples: não temos telefone em casa e, para nós, anunciar uma chegada é de mau agouro. Marie não tem certeza de que minha volta está próxima. Em minha última carta, postada de Washington há quinze dias, escrevi-lhe: "Logo estarei de volta!" Não haverá ninguém à minha espera no aeroporto, o que não é de todo mau, pois não estou certo de que agüentarei tantas emoções de uma só vez. Mas como sempre na África, o rumor se espalhará rápido. Então, o melhor é aproveitar os últimos instantes de sossego que esta chegada inesperada me proporciona.

Quanto mais o tempo avança, menos eu consigo controlar o fluxo de meus pensamentos. As perguntas se misturam dentro de minha cabeça tão rapidamente quanto o Boeing corta os ares: como será que vou encontrar minha terra? Será que conseguirei viver lá? Como estão meus pais? Envelheceram?

Com quem se parecem todos os sobrinhos e sobrinhas que nasceram em minha ausência? O que aconteceu com meus amigos? E Marie? Será que ela mudou? E se eu a decepcionar, ela que sonhou com minha volta durante cinco anos? E então, de repente, a imagem de Françoise se superpõe. Ela me prejudicou, isto é certo, e Marie certamente não me contou tudo... Talvez minha noiva não me ame mais e tenha preferido se calar, talvez ela tenha se comprometido com outro e não me escreveu, esperando minha chegada para me dizer pessoalmente. E Boli, minha querida Boli, que nunca deixou de acompanhar meus pensamentos, ela também. Será que cuidaram bem de sua sepultura? Ela ficaria tão feliz e orgulhosa de ver seu menino voltar para casa. Não falaríamos muito um com o outro, certamente, mas ela me abraçaria e eu deitaria a cabeça em seu ombro, como uma criança. Ela me faz falta hoje, a dor continua, escondida no fundo de minha alma.

O avião pousa em Dacar. Pronto, cheguei à África. Mas não vejo nada: é noite e continuo de olhos fechados. Duas horas de escala a bordo, e prosseguimos... Últimos suores, últimas fisgadas no estômago. A aeromoça informa que o vôo está uma hora atrasado e que a aterrissagem em Bamako está prevista para as vinte horas, hora local, ou seja, ainda um pouco mais de uma hora e meia a esperar. Noventa minutinhos que me separam de minha terra. E o mesmo tempo para continuar o balanço.

Voltei mais rico em dólares do que parti, mas, e o resto? É verdade que fui até o limite do meu sonho. E só isso já é uma vitória! Viajei, vi lugares maravilhosos e insólitos. Nova York, Harlem, Bronx, Broadway, o Madison, Central Park,

Chinatown... A Califórnia, San Fernando, San Francisco, Santa Barbara, Hollywood. Baltimore. E Chicago, minha cidade preferida. Todos esses lugares, são tantas histórias para contar quando eu chegar. O Rolls-Royce, a banheira, a salsa, o beisebol... Todos ficarão de queixo caído lá em Bamako.

O passivo? Tem o terror do primeiro dia, aquela impressão de ter sido traído. Já se passaram cinco anos, mas as lorotas do sr. Straubas ainda estão atravessadas na minha garganta. Ainda sinto nos dedos a dor do frio, na boca do estômago o medo de dormir na calçada, e aquele horrível sentimento de solidão. Impossível esquecer aqueles momentos! Quanto ao resto, há o avesso do cenário. Por detrás do Rolls-Royce e da banheira — não estou cuspindo no prato em que comi, principalmente no que diz respeito à banheira —, trabalhos extenuantes e mal pagos... Não, não é lavando louça no Shanghai ou colhendo laranjas na Califórnia que se consegue ficar milionário. Sem contar as pequenas feridas e as humilhações cotidianas, aqueles olhares vazios, aqueles silêncios, aquelas gorjetas que somos obrigados a aceitar.

Mas hoje nada disso importa. Estou voltando com um tesouro nos bolsos e a alma cheia de sorrisos. Os sorrisos dos companheiros de festa, dos amigos de rua. E os de Jean-René, o chofer de táxi, de Chang, Frederico, Macy, Ian, Elisa, Cheickné. E, principalmente, hoje tenho uma nova família: Claudia, Tony, Mama... Sim, estou voltando para Bamako muito mais rico!

❈ PRIMEIRO DIA ❈
EM BAMAKO

As portas se abrem, já é noite fechada. A África logo me salta na cara: primeiro o calor, pesado e úmido, os cheiros, os barulhos, a música... Pronto, finalmente estou em casa!
Alfândega, bagagem, táxi, um Renault 4L amarelo-ouro de portas vermelho-vivo. Estou voando! Meia hora de estrada até minha casa. Olho as ruas. Primeiras imagens, primeiras sensações. Sim, volto a sentir os cheiros e a música de meu país, mas também a sujeira e as pessoas, pessoas tão magras que parecem, todas, doentes. Algumas frases trocadas com o chofer do táxi. Arrisco uma ou duas palavras em inglês, como quem não quer nada. Ele me pergunta de onde estou vindo, e eu lhe conto tudo, claro. A conversa se anima. Ele me dá notícias da terra, confirma que nada aqui mudou realmente. Pergunto-lhe sobre seu colega, aquele a quem devo meu apelido. O meu chofer me diz que há alguns meses ele parou de trabalhar. Faço questão de encontrá-lo para lhe contar o resto do filme! Ele me dá nomes, mas não o endereço. É assim que as coisas acontecem aqui: telefone árabe ao molho malinês.
Finalmente o 4L pára em frente à casa de meus pais. Meu coração dispara, mal consigo respirar. Sinto-me como um

marinheiro que volta ao porto depois de dar uma volta ao mundo sozinho. Desço com as pernas bambas, peço ao motorista que abra o porta-malas para pegar a bagagem. E, no exato momento em que ouvem o som da minha voz, crianças que brincavam no pátio correm em minha direção:

— Capone? É você, Capone?

Mal respondo, já estão pulando em meus braços, tocando-me, cheirando-me. São meus sobrinhos!

— Sim, sou eu, voltei para casa!

Gritos até não acabar mais. Eles não acreditam no que vêem, correm para todos os lados, pulam de alegria, riem, um verdadeiro banzé!

— Capone chegou! Tio Capone voltou!

Então, as portas da casa se abrem, e começa o desfile de rostos incrédulos: primeiro Mamou, minha irmã mais velha, que sai correndo e se joga em meus braços! Ela pega minhas mãos, os ombros, a cintura, o rosto, beija-me sem parar, sinto suas lágrimas correndo em minha face. Chegam os outros irmãos e irmãs, um enxame acaba de se formar à minha volta, um frenesi de alegria, emoção e incredulidade. Gritos, lágrimas, torrentes de amor até não acabar mais; estou sufocando, mas é magnífico! De volta à vida, à vida *de verdade*. Agora é a vez dos tios, das tias, das sobrinhas... Estou literalmente cercado, sem ar, que felicidade... Desejo a todas as pessoas do mundo que sintam essas emoções pelo menos uma vez na vida.

Dizem que me tornei um verdadeiro tubabo, que estou bonito, que estou cheiroso, que estou bem-vestido! Sou puxado por todos os lados, dezenas de mãos começam a me apalpar ao mesmo tempo, pegam minha camiseta de seda, minha camisa e a calça de linho creme, admiram meus mocassins de couro como se fossem botas de sete léguas, abrem a mala para ver meus paletós e gravatas, não param mais! Os menores chegam a subir em minhas costas para admirar o incrível corte afro que mal têm coragem de tocar. Deve ser assim ser uma estrela!

 Só meus pais se mantêm à parte. Como no dia em que fui embora, minha mãe fica de pé na soleira da porta, meu pai ao lado, em sua cadeira de balanço. Olho para eles, eles olham para mim. Nenhuma palavra. Apenas sorrisos, olhos que brilham e um coração que bate, bate... Aproximo-me, devagar, abro os braços, minha mãe imediatamente me toma nos seus. A extrema emoção nos faz tremer. Finalmente, ela beija meu pescoço, acaricia meu rosto, e depois, com aquele murmúrio familiar que finalmente ouço de novo, começa a recitar algumas suratas para agradecer à Providência por ter lhe trazido de volta seu filho com boa saúde. E, de repente, ela recua um passo, examina-me dos pés à cabeça, como que para se certificar de que não está sonhando, de que seu filho está mesmo à sua frente, de volta a eles, em carne e osso! Em carne, principalmente... Aliás, ela não deixa de observá-lo, dando-me uns tapinhas na barriga. Eu também, naturalmente, olho bem para ela. Ela não mudou muito. No máximo, alguns fios de prata nos cabelos. Mas acho-a magra, tão magra que temo que esteja doente. Mas não, é ainda o descompasso com a América. Ela olha para mim, eu olho para ela. Ela não diz nada, seus olhinhos maliciosos falam por ela: sinto que está tão feliz e orgulhosa de seu filho, o filho que está voltando do mundo dos tubabos, lá longe, do outro lado do mar...

Meu pai, imperturbável, não se levantou de sua cadeira de balanço, nem sequer pestanejou. Não há dureza nisso: é meu pai, simplesmente, e na nossa terra um pai jamais manifesta suas emoções em público. Aproximo-me, abaixo-me, e nos damos um abraço demorado, bem demorado. Nenhuma palavra, tampouco um olhar. Apenas a mão que sinto tremer na minha quando a pego para beijá-la. As frases ficarão para depois, entre nós, longe da alegria e das manifestações efusivas.

Finalmente entro em casa, sempre escoltado pela família, agora aumentada por alguns recém-chegados. Servem-me um copo de chá de menta, e começa uma longa noite de conversa. Sentados à minha volta, umas trinta pessoas me devoram com os olhos e me bombardeiam com perguntas: querem saber e conhecer absolutamente tudo sobre a minha América. Faço o melhor que posso para lhes responder, mas, no fundo, só quero uma coisa: encontrar Marie...

Conheço minhas novas sobrinhas, os novos sobrinhos, dois ou três noivos, estou zonzo, ébrio de emoções. Mesmo que a gente imagine esses momentos milhares de vezes, quando finalmente os vivemos é tão mais forte do que o sonho! Uma hora depois, não agüento mais. Chamo um de meus sobrinhos:

— Samba, faça-me um favor. Vá ver Marie, diga-lhe que voltei. Que estou esperando por ela aqui.

Ele saiu como um raio! Primeiro porque está orgulhoso que eu, Capone, confie a ele, e não a um outro, essa missão da mais alta importância. Mas também porque certamente haverá uma recompensa. Em minha terra, é costume que aquele que

traz uma boa notícia receba um presente da pessoa que a recebe.
Desde que seja respeitada a tradição:

N'dafié: "Sopre em minha boca." O que significa que, ao fazer isso, você abrirá meus lábios e a notícia que trago não me queimará a boca.

Com uma resposta: "*Foutifana*".

O que poderia ser traduzido por "Espero que você não esteja mentindo", subentendendo-se "Senão, você será imediatamente castigado". Ou, para retomar, com uma variante, o que costumamos ouvir no recreio, nos pátios das escolas da França: "Que o diabo o carregue se você estiver mentindo!"

Dez minutos depois, meu pequeno mensageiro chega, correndo:

— E então?
— Recado dado, Capone!
— Você a viu?
— Sim, titio.
Está me torturando, o safado.
— E...?
— Ela está vindo, Capone!

❅ MARIE ❅

O que contar e, principalmente, como contar? Pois, além das palavras, será que a escrita pode traduzir tais momentos? Não creio. É por isso que tenho apenas imagens, sensações. Aqui está ela, em frente à minha casa. Não ouço mais nada. Só meu coração, que bate a ponto de fazer meu peito explodir. Olhares, sorrisos, um silêncio interminável... Ela está bem perto, agora, descalça e vestida com simplicidade, uma canga vermelha com motivos amarelos e verdes, cabelos puxados para trás. Um perfume? Não sei mais. Mas reconheço seu cheiro entre todos os outros. O cheiro de nossos corações... Acho-a linda, muito mais bonita do que em minhas lembranças. E depois, diferentemente dos demais, ela não parece nem magra nem doente. Bem devagar, aproximamo-nos um do outro, nossas mãos se encontram, os lábios se tocam, e vem a famosa descarga elétrica que me percorre o corpo inteiro — não estou inventando nada, é exatamente assim que as coisas se passaram entre Marie e eu! Troca de olhares, carícias, arrepios. E, subitamente, uma voz:

— Espero que agora voces se casem.

É minha irmã, Mamou. Na hora, não entendo muito bem. Emoção demais, sem dúvida. Só no dia seguinte consigo dimensionar o alcance daquelas palavras que, naturalmente, não foram ditas assim, ao acaso...

Logo, logo fico sabendo que Marie veio à minha casa todos os dias. Ao longo de cinco anos, ela visitou meus pais para se certificar de que não precisavam de nada, fazer-lhes companhia, cuidar deles... Mas também para lhes mostrar que não estava aproveitando minha ausência para levar uma outra vida. E que, apesar dos anos e da distância, em respeito à honra de minha família, os Keita e os Cissé, ela continuava fiel a mim. Ou seja, Marie marcou um tento durante esses cinco anos, mesmo. Pouco a pouco, ela ganhou o respeito de meus parentes, assumiu o seu lugar, tanto que agora está aqui como se estivesse em casa. Sobre isso, Marie nunca havia escrito.

Gente demais olhando para nós. A família, tudo bem, mas... Levo Marie para longe, para a casa de Mamou, vizinha à nossa.

— Estou tão feliz, Capone! Nem consigo dizer quanto.

Marie sentou-se ao meu lado e encostou a cabeça em meu ombro.

— Esperei tanto, e agora você está aqui, finalmente.

Acaricio suavemente seu rosto. Sob os dedos, sinto suas lágrimas que correm. Então olho para ela e, pela primeira vez, começo a chorar em silêncio... Ficamos enlaçados por um longo tempo, com o sentimento de estarmos, os dois, de volta à vida.

— Você está tão bonito, tão chique, tão cheiroso, você...

Devoro-a com os olhos.

— Mudei tanto assim?
— Não... Sim... Não sei! Você está tão... Você está bonito demais, Capone!
— Bonito demais?
— Todas as garotas vão dar em cima de você!
— Não diga isso, você sabe como eu a amo!
— Mesmo assim, você...

Não a deixo terminar a frase e beijo-a ardentemente.

Ficamos ainda algum tempo no quarto de Mamou antes de eu deixá-la em casa. Ao chegarmos em frente à casa, dou de cara com Françoise. Ia ter que acontecer. Mas nada de palavras duras ou raivosas... Apenas um olá, boa-noite. Indiferença? Infelizmente não. Não gosto dela, ela não gosta de mim, é evidente. Não estou a fim de me irritar. Em todo caso, não aqui nem agora. Marie e eu trocamos um último beijo.

— Amanhã vou tirar o dia de folga. Avisarei no hospital. Certo?

E como!

De volta à casa. É uma da manhã, não durmo há mais de vinte e quatro horas, estou exausto. Mas o sono não virá logo. Mal passo pela porta e já estão pulando em cima de mim:

— Capone, Capone, conte-nos como é a América!

Olho à minha volta, intrigado: ou a sala encolheu, ou a multidão cresceu ainda mais. Agora são umas quarenta pessoas. E nem pensar em escapar. Tenho que responder a todos. Então, eu falo, e falo, desfaço a mala, mostro fotografias, depois meus discos, meus moletons, meu macacão, meus perfumes, cremes, desodorantes, cuecas... E, de repente, sem um pio, desmorono, com a cabeça sobre os braços. São cinco e meia da manhã!

Quatro horas depois, quando abro os olhos, vejo a mala ao meu lado... vazia. Nada de perfumes, nada de desodorantes, nem jeans, nem meias, nada. Todos se serviram à vontade, e não posso dizer nada. Mas não faz mal, eu já sabia. A África é assim! Uma coisa, pelo menos, eu não preciso mais fazer: a distribuição dos presentes.

❧ BAMAKO, O ❧ SEGUNDO DIA

Meu primeiro despertar africano e a curiosa sensação de estar vivendo um sonho, de me encontrar entre dois mundos, aqui e ainda um pouco na América... O calor pesado e úmido me faz lembrar, entretanto, que voltei mesmo para casa. E depois, os sons dos pássaros, das galinhas, dos burros, da rua, do lotação, das crianças que gritam, do muezim que chama para a reza.

Levanto-me, visto o belo penhoar atoalhado que me dei de presente em Santa Barbara e arrumo o pouco que me resta das coisas *made in USA*: bonés, discos, óculos Ray-Ban, tênis, macacão... Abro a outra mala e tiro meu *konowolonwoula*. Quanto à bolsa que eu havia enchido até a boca de balas, chicletes e outras guloseimas para as crianças da vila, ela simplesmente desapareceu! Nesse caso, também, a noite fez seu trabalho...

Primeiro café-da-manhã. Logo retomo meus hábitos e minhas raízes. Visto uma djelaba, babuchas, e me junto aos demais. Sentamo-nos todos juntos no chão, em volta de uma montanha de bolachas de milhete ao lado da qual fumegam o chá de menta e o leite talhado preparados por minhas irmãs. E começamos a falar como antes, como se o fio da conversa nunca se houvesse interrompido. Desta vez, quem ouve sou eu. E, muito rapidamente, por suas palavras, suas reflexões, sinto-os estranhamente expectantes... Como se meu status na família tivesse mudado. Como se ter vivido cinco anos entre os americanos me conferisse uma espécie de obrigação de mudar as coisas. Como se o exílio tivesse, de uma hora para outra, me dotado de poderes, entre os quais o de revolucionar os usos e costumes da vida local. Inconscientemente, sem dúvida, minha família está me transformando em um tipo de profeta capaz de, com um só gesto, tornar a vida melhor.

É claro que nada é claramente formulado, mas eu o percebo. Sinto-me lisonjeado, comovido, também, e ao mesmo tempo pouco à vontade nesse novo papel. Devo confessar que jamais havia pensado nisso. Eu sabia que seria festejado como um herói e que me admirariam, mas não esperava de modo algum sentir sobre meus ombros o peso de uma nova responsabilidade. Será que eu deveria ter previsto isso? Primeiro, tem aquele dinheiro que eu já lhes dava antes de minha partida para a América, depois as cartas cheias de dólares... É lógico que vou continuar a ajudá-los. Mas, mesmo assim, não sou o Profeta!

Minha pobre mãe... Ainda a ouço terminar todas suas frases com "Não há de ser nada, Capone está de volta". Não há nada para comer amanhã, um parente está doente, sua mulher não consegue ter filhos? "Não há de ser nada, Capone está de volta". Mamãe...

Marie chega à minha casa, bonita como sempre — não, mais bonita ainda! —, com sua canga verde-oliva e vermelha, sapatos de salto, os cabelos muito curtos e bem cortados, maquiagem e seu perfume suave... Uma rainha, minha rainha! Eu também não fico atrás, evidentemente! Tirei da mala um de meus jeans boca-de-sino, um cinturão de couro com uma cabeça de leão na fivela, uma camiseta de algodão listrada verde e branco que molda meus bíceps, botinas de couro preto com saltos de madeira, relógio, uma pulseira comprada na joalheria do sr. Terence, meus Ray-Ban... Um luxo, simplesmente!

Beijo furtivo, faço sinal para um táxi e vamos para a cidade. Vai nos fazer bem ficar um pouco sozinhos, longe de nossas famílias. Intimidade? Doce ilusão. Mal viramos a esquina da rua e logo sou reconhecido. Os "Capone, Capone!" vêm de todos os lados, a pé, de mobilete, em lombo de burro. Um verdadeiro cortejo presidencial! Delicio-me sem me fazer de rogado. Tenho consciência de estar vivendo um momento excepcional, então aproveito... mas isso é tudo. Meu único arrependimento, hoje, é o de não ter fotografado aqueles momentos para poder mostrá-los mais tarde aos meus filhos. Mas, graças a Deus, todos na cidade ainda se lembram, e não se cansam de contar...

Chegando ao centro da cidade, primeira parada no BDM, o Banco de Desenvolvimento do Mali. Como a economia do país ainda está frágil, nem pensar em depositar todo o meu dinheiro. Duzentos a trezentos dólares, uma fortuna na época, bastarão. O resto de minhas economias ficará escondido em meu quarto, ou em casa de amigos em quem confio, como quando eu era criança e meus salários iam para a bolsa de Boli. Quanto à abertura de minha primeira conta bancária, mais tarde veremos. Ter muito dinheiro é bom; saber administrá-lo, melhor ainda. E, antes de tomar decisões, Marie e eu precisamos conversar. O futuro talvez me pertença, mas seus contornos ainda precisam ser definidos. E é com ela que desejo vivê-lo, claro.

Depois do banco, rumamos para o Ministério da Agricultura, onde trabalha a melhor amiga de Marie. Mal chegamos, e uma cena que acabou se tornando familiar para mim se repete: as pessoas saem de suas mesas, sorriem para mim, as moças dão risinhos ou fazem comentários à minha passagem, ouço cochichos, "ohs", "ahs", cumprimentos... Eu me divirto, mas não quero demorar. Marie e eu saímos rapidamente do ministério e vamos a pé até o bairro das embaixadas. Primeira escala na Livraria do Berry e, mais uma vez, "Olha, é o Capone! Capone voltou! Você viu os sapatos e o corte de cabelo dele?". Pedimos duas garrafas de coca-cola. Marie avista um de nossos velhos amigos, um cara grande que gosta de ser chamado de Senador. Ela acena para ele.

— Marie! Como vai?

— Bem, obrigada. E você, Senador?

O jovem olha para mim. Leio em seu olhar uma mistura de incredulidade, espanto e embaraço. Percebo imediatamente que ele me reconheceu, mas não está conseguindo ligar o nome à pessoa. Deixo-o procurar...

— Capone?

Apenas sorrio para ele.

— É você, Capone? É inacreditável! Mas quando você voltou?

— Ontem, Senador!

—Você está tão diferente...

Finjo espanto.

— Mesmo?

— Sim, olhe só para você, está tão chique...

Enquanto fala comigo, ele toca minha camisa, para se convencer de minha presença. Começamos, os três, a conversar, e depois, subitamente, Senador sai do Berry como um foguete. E começa a gritar pelas ruas: "Capone voltou, Capone voltou!"

Começou tudo de novo.

Não demoramos no Berry. Resolvo levar Marie ao Kamou, a confeitaria chique que fica no centro de Bamako. Como as livrarias, ela é quase que exclusivamente freqüentada pelos tubabos. Ficaremos por lá uma ou duas horas, mas desta vez no interior, para não sermos incomodados. Marie aproveita para me bombardear de perguntas sobre a América. Ela quer saber tudo! Quanto a mim, ainda não tive tempo de lhe pedir a menor informação sobre sua vida. Entretanto, uma pergunta me queima os lábios... Vou esperar. Deixarei para mais tarde, sem dúvida esta noite.

Continuação da turnê triunfal: o Chantilly. Dois garçons, que já trabalhavam lá quando eu ia buscar as garrafas de vidro, me reconhecem.

— *Wara*, Capone, *Wara*! Capone está aqui, o leão está de volta! — exclamam eles, anunciando para as pessoas presentes.

—Vejam, é Capone, o único de nós que foi à América!

Os tubabos se viram. Marie não sabe onde se enfiar, e eu também começo a me sentir incomodado... Alguns me cumprimentam de longe, outros se levantam e vêm me felicitar, outros, enfim, querem de todo modo me pagar uma bebida ou me entregam cartões de visita. Estou feliz, é claro, e até comovido com o que leio em seus olhares. Na verdade, creio que foi naquele exato momento que dimensionei com mais precisão o caminho percorrido desde as lixeiras de Koulikoro.

No bar, vejo uma silhueta familiar, um branco de certa idade. Ele não me conhece, mas eu o conheço... Já o observei tanto através das vidraças do Chantilly quando vinha buscar minhas garrafas de vidro. Ele encarnava tudo aquilo que eu sonhava me tornar um dia: um homem elegante de boas maneiras. Tinha um ar importante, seguro de si, era daquelas pessoas que são estimadas, em quem não se dá tapinhas no ombro. Daquelas pessoas que a gente inveja um pouco, secretamente. E hoje é ele que me observa, olhando-me de cima a baixo, em sinal de reconhecimento, como quem diz "Somos parecidos, você é como eu, pertencemos ao mesmo mundo". Ele certamente ignora que já me viu, quando eu era apenas um magricelo seminu pendurado no alto de sua lata de lixo.

O sr. Roger, por sua vez, é muito diferente.

Encontro-o na Gauloise, como sempre com o nariz enfiado em uma pilha de jornais, seu eterno Gitane preso no canto da boca. Não mudou muito, só um pouco mais de barriga e um pouco menos de cabelo, mas sempre com aquele ar resmungão e aqueles olhinhos espertos que se movem rápido como duas contas. Aproximo-me, ele não me vê.

— Roger?

Ele levanta os olhos. Nenhuma reação.

— Roger, sou eu!

Ele põe os óculos. Nada.

— Não se lembra de mim?

— ...

— Capone? — ele grita perdendo a guimba.

— Sim, sou eu, Roger, eu voltei!

— Não acredito...

Ele me pega pelos ombros e balança a cabeça. Abraçamo-nos longamente.

— Tudo bem, Roger? Estou feliz em revê-lo!

— Deixe-me olhar um pouco para você. Você virou um homem! Veja só, essas roupas, esses óculos... É... E quando você voltou, meu menino?

— Ontem.

— E então, como foi a América?

— Bem... Depois eu conto. Roger, quero lhe apresentar Marie, minha noiva.

Ficaremos sentados uma boa parte da tarde. Roger também sonhou com a América, mas do mundo ele só conhece a sua Bélgica natal e o meu país. Ele me bombardeia com perguntas, quer saber de tudo, e eu já estou começando a ficar cansado de repetir sempre a mesma coisa. De repente, Roger começa a chorar!

— Capone, se você soubesse como pensei em você... Sempre perguntava a mim mesmo o que você estaria fazendo, como estaria vivendo, quando voltaria para casa...

Estou tão aturdido por vê-lo chorar assim, como uma criança, que quase desmonto também. Mas não, não na frente de Marie. Ele continua:

— Eu sabia, eu tinha certeza... Nunca duvidei de você! Aliás, sempre que via meninos vadiando pelas ruas, eu lhes falava de você.

— Devo muito a você, Roger.

— Não diga isso, Capone, foi você quem construiu sua vida.

— Sim, mas você me ajudou. Foi graças a você que pude aprender a ler. E você confiou em mim, me deu trabalho... E, afinal de contas, foi um pouco por sua culpa que fui parar na América...

— Minha culpa? Como assim?

— Sim, foi você quem me falou pela primeira vez da embaixada dos Estados Unidos... Foi aí que tudo começou.

Morremos de rir juntos. E Marie aperta forte minha mão sob a mesa enquanto o dia vai terminando. Straubas? A embaixada americana? É claro, pensei em ir até lá desde que voltei... Mas, para quê? Para falar de minha amargura? Despejar minha raiva? Acusar? O que isso mudaria? Aconteceu, e já superei. Não, não irei lá, mas jamais esquecerei aquelas mentiras...

DE VOLTA AOS NEGÓCIOS

O momento dos reencontros terminou, é chegada a hora de pensar no futuro. Sempre tive vontade de montar um restaurante, mas não há nada muito definido em minha cabeça. Por enquanto, só desejo uma coisa: aplicar meu dinheiro e evitar Françoise. Mesmo que tenha que reconstruir minha vida em outro lugar, desta vez com Marie.

Para começar, compro dois burros, duas charretes e duas carriolas, tudo por um montante de aproximadamente oitenta mil francos CFA. Quando estou entregando a última nota, penso em Boli, que tinha sonhado tanto que um dia eu pudesse comprar meu próprio burro. Tenho dois carros completos que alugo àqueles que têm mercadorias a transportar — sacos de sal, de milhete ou mandioca, cachos de bananas. Depois contrato dois cocheiros que todas as noites trazem os burros de volta e a féria do dia. Pago mais ou menos dez por cento do montante. Tudo muito claro: quanto mais eles trabalham, mais recebem. Todo mundo ganha, tanto mais porque a demanda é grande, como atestam os noventa mil francos CFA de lucro mensal — dez vezes o salário médio — que meu pequeno negócio muito rapidamente passa a gerar. Como retorno de investimento, já vi coisa pior!

Logo compro outros animais e outras charretes. Já que está indo bem, por que não? Em poucas semanas, eu me torno um verdadeiro empresário. Melhor: sou o primeiro negro da cidade bem-sucedido em um domínio até então reservado àqueles que tinham capital, os brancos. No auge do meu sucesso, terei dezoito burros e o mesmo número de carriolas. E terei dado trabalho a uns quarenta de meus irmãos, dos quais a maioria, naturalmente, será de amigos de infância. Estou ganhando bem a vida, muito bem mesmo, e como se diz na minha terra: o dinheiro entra, mas não sai. Mesmo assim, não estou bastante ocupado. Estou cansado de ver as notas entrarem sem, afinal de contas, trabalhar de verdade. Sinto necessidade de produzir por mim mesmo. Então, volto a pensar em meu restaurante.

Minha idéia é concorrer com o Lido, o ponto-chave de Bamako, onde tudo acontece. Falar é fácil... Pois, em Bamako, o comércio dos bares, portanto, do varejo de bebidas, assim como o dos grandes restaurantes e das confeitarias, é monopolizado por alguns libaneses que vieram fazer fortuna em nossa terra.

Na verdade, os libaneses de Bamako e, em menor medida, os sírios, com trabalho e determinação, acabaram controlando a maioria dos estabelecimentos do setor. E como quase sempre eles só trabalham entre si, para os demais sobram apenas migalhas. A situação é ainda mais perturbadora porque eles não escondem o dinheiro que ganham; na verdade, eles o ostentam, e sem investir no Mali, porque o grosso de seu capital segue direto para o Líbano. Por exemplo, nunca são proprietários das casas em que vivem, apenas locatários. Essa riqueza visível demais, essa maneira de não se misturar com os malineses acaba irritando muita gente.

Quanto mais eu estudo a questão, mais tomo consciência de que será difícil me colocar nesse setor. Por outro lado, o Lido é uma marca de prestígio muito antiga, está no centro de uma rede de compra e venda particularmente sólida em que não tenho a menor chance de entrar. Naturalmente, posso abrir meu próprio restaurante amanhã mesmo, se eu quiser, pois tenho recursos mais do que suficientes para isso. Mas, para quê, se não tenho nenhuma chance de criar minha clientela e de gerenciar meus estoques em boas condições? O campo está definitivamente minado, e a margem de manobra é ínfima.

Lentamente, vou, portanto, abandonando minha idéia de ter um restaurante. Não há de ser nada, farei outra coisa. *Inch'Allah!* Surge, então, a vontade de montar uma boate. Adoro dançar, festejar, ouvir música entre amigos; então, por que não me arriscar? Vejo-me muito bem como dono de boate, como um rei da noite em meio a todos os meus companheiros. Mas preciso encontrar um conceito original. Não quero imitar os outros. E é minha experiência nova-iorquina que me dará uma idéia... Lembro de todas aquelas noites que passei no embalo, de todas aquelas pequenas casas noturnas onde se produziam grupos afro, e imagino um lugar onde a música seja tocada *live*, com músicos de verdade, grupos de verdade, microfones de verdade. Não existe isso em Bamako, e funcionava muito bem em Nova York, então... Eu poderia trazer estrelas da época, os Salif Keita, os Makan Ganes ou os Ali Farka Touré. Todo mundo poderia ouvi-los sem ter que pagar o preço de um concerto. Quanto mais eu penso, mais a idéia me excita! Mas, por enquanto, boca-de-siri. Observação e reflexão. Passo, portanto, bastante tempo no Black and White, *a* boate de Bamako na época, e portanto de todo o Mali. O fino do fino! Por essa razão, o B&W é, naturalmente, muito freqüentado pelos brancos e pelos filhos dos figurões. Para mim, além das entradas, há sempre, e principalmente, uma mesa cativa. Lá, como em outras casas, pedem minha presença, garantia de festa de sucesso. Os donos — libaneses! — tornaram-se meus amigos, trago gente para seus estabelecimentos e deixo-os pesquisar em minha coleção de discos trazidos de Nova York. Na mesma época eu lanço a moda da salsa e das camisetas impressas. Se um dia alguém me tivesse dito que eu dançaria naquele mundo de sonho, com as pessoas vestindo orgulhosamente o nome de seu amor nas costas... É muito simples: desde que voltei, o B&W tornou-se minha segunda casa. Marie e eu vamos lá, pelo menos, três vezes por semana. Todo mundo nos conhece, naturalmente, e muitos vêm me pedir conselho ou, pela milésima vez, que eu lhes conte coisas da América! Alguns não hesitam em me pedir dinheiro. Mas eu digo não. Impossível ajudar a todos.

Na euforia, acabo cometendo um erro, o de soltar algumas palavras aqui e ali sobre meu projeto de boate. Evidentemente, logo Bamako inteira está sabendo, o que não é nada bom, porque, no Mali, falar das coisas antes que elas se concretizem dá azar. E quanto mais as pessoas repetem que "Capone vai abrir um clube", menos vontade eu tenho... As energias me abandonam pouco a pouco. Faço as contas e vejo que subestimei a soma que seria preciso desembolsar: compra do terreno, honorários do arquiteto, construção do prédio, compra do equipamento de som, cachês dos artistas, estocagem das bebidas... A conta me parece, de repente, muito pesada. É claro que disponho de recursos, mas não estou decidido a empatar todo o meu capital em um projeto que não sei se me trará benefícios. Reflexo de um ex-pobre: nunca pôr todos os ovos no mesmo cesto.

E uma coisa me incomoda. Penso em meus pais... Em boates serve-se álcool, a moral não é muito respeitada, então forçosamente deixamos que coisas aconteçam... Uma linha vermelha dificilmente transponível para mim. Até o momento, nunca agi de forma a contrariar a fé e a educação que recebi. Meus pais podem se orgulhar de mim; mas será que continuarão podendo, se me virem como empresário da noite? Não, nem pensar em mentir para meus parentes ou em tomar caminhos nos quais, de todo modo, acabarei por me perder. Isso não vale a pena, por mais tentador que seja. Preciso fazer uma escolha entre aquele que sou realmente e uma vida muito divertida, com certeza, mas na qual terei muita dificuldade em me reconhecer. Então, renuncio. E não me arrependerei.

Agora faz pouco mais de um ano que voltei. Tudo está caminhando da melhor maneira possível. Estou feliz, reencontrei Marie, minha família, os amigos. Meu negócio de transporte de mercadorias garante ganhos muito confortáveis, meu capital inicial continua intocado e posso atender às necessidades de meus parentes! No entanto, dois pontos devem ser resolvidos. Primeiro, Marie. Queria ficar noivo logo, para me sentir mais livre e manter distância de sua família. De Françoise, principalmente. Por outro lado, continuo à procura de novas atividades, pois quero fazer meu dinheiro frutificar. É então que se escreverá uma página de minha vida da qual, particularmente, não me orgulho. Aliás, trinta anos depois, ainda sinto um gosto amargo na boca quando penso no assunto. Na verdade, começo a especular. Nada a ver com a minha intenção inicial, é o mínimo que se pode dizer.

A história começa no mercado do centro da cidade, o ponto nevrálgico de Bamako. Vou lá regularmente para controlar o andamento de meus negócios, o movimento das carriolas e dos carroceiros, mas também para me informar das últimas novidades. E não posso deixar de observar que, entre os comerciantes que lá estão, alguns enriquecem a olhos vistos. Como eles fazem? O sistema é velho como o mundo: eles compram suas mercadorias quando os preços estão baixos, e as revendem quando estão em alta. E eu me censuro por ter entrado nessa dança, por ter especulado com o leite, a água, o milhete, o arroz, ou ainda com as bananas-da-terra, ou seja, com a própria vida dos pobres.

Durante o Ramadã, por exemplo, consumimos mais açúcar do que o normal, no chá e nos doces de festa. Então, os preços disparam, naturalmente. Naquele ano, participei de uma operação com quatro toneladas de açúcar em função do evento, não sem antes ter azeitado as engrenagens da máquina com o pagamento de propinas... Esperamos tranqüilamente que os preços atinjam as alturas e revendemos a conta-gotas, a preços escandalosos. Ter o monopólio, criar a escassez, drenar o mercado e depois gerar a demanda é tanto mais fácil porque ainda não existe mercado de valores em Bamako. Quando penso nisso, não é nem tanto o princípio da especulação que me envergonha, mas sim os produtos com os quais especulei. Na verdade, eu não soube me limitar a meus primeiros negócios, a meus primeiros golpes, como quando ganhei dinheiro revendendo a preço de ouro sapatos e uniformes saídos com a ajuda — interessada — de um intermediário, de um estoque destinado às tropas do governo. Eu queria mais, cada vez mais! Eu, que nunca havia parado de trabalhar desde os cinco anos de idade, deixei-me cair na armadilha, cedendo ao canto da sereia do dinheiro fácil.

Interromperei essa especulação selvagem ao fim de seis meses. Porque me sinto cada vez pior, é claro, mas também, confesso, porque os rendimentos de repente ficaram menores. Um mal que veio para o bem, definitivamente. Hoje, tudo que posso dizer é que me sinto feliz, feliz e, principalmente, aliviado por meus pais nunca terem sabido de nada.

✺ NOIVADO ✺

Volto ao mesmo ponto: o que fazer? A questão não é grave, é verdade. No fundo, o que pode me acontecer? Aqui estou em casa, tenho mais dinheiro do que nunca, tenho Marie, meus parentes... O futuro me pertence. Mas começo a sentir uma comichão familiar. E quanto mais o tempo passa, mais ela ganha terreno. O desejo de partir... Aí está ele, de volta. Atenção, não para fugir, que eu nunca fiz isso. É claro, há a presença tóxica de Françoise. Pois ela desistiu de me afrontar abertamente, mas multiplica suas manobras perversas, não se cansa de organizar jantares para Marie, sempre programas grã-finos, ou de fazer com que a família reclame sua presença em Koulikoro... E sempre, como que por acaso, lá está um homem rico que procura uma jovem esposa. Nessas ocasiões, fico em Bamako me roendo todo, perguntando-me se minha querida noiva conseguirá resistir ao encanto dos poderosos.

Além disso, sinto novamente soprar o vento da aventura e da descoberta. Do desconhecido. Mas, desta vez, não mais sozinho; chega de longas viagens sozinho. Já sei como é. Hoje, estou apaixonado por Marie e acho que sempre a amarei. Agora que encontrei a mulher da minha vida, quero partir novamente com ela. Imaginar o futuro a dois é pensar em noivado, vida comum, casamento e filhos — muitos filhos. E quanto mais sonho com esses filhos, menos tenho vontade de que nasçam no Mali. Meço minhas palavras, sei que sentimentos elas podem inspirar. Não se trata de renegar o que quer que seja de minhas raízes. Sou negro, africano, malinês, e muito orgulhoso disso! Tudo que minha terra e minha família me legaram é precioso para mim, e sei que voltarei para cá quando chegar a minha hora. Não, minha reflexão é bem mais pragmática: o futuro do meu país é, simplesmente, incerto demais, limitado demais para que eu deseje ver meus filhos crescerem aqui. Sem dúvida, é brutal dizê-lo, mas é exatamente o que penso na ocasião, quando me imagino papai.

Não quero que meus filhos tenham, um dia, que enfrentar o que eu vivi. Se dei tanto duro, semeei tanto e arrisquei tanto, não é para que eles tenham a mesma vida que eu... Quero algo melhor para eles, bem melhor. Instrução, saber, cultura, saúde... Quero oferecer-lhes todas as cartas do jogo da vida. Dar-lhes meios para que se estruturem saudavelmente, harmoniosamente. Meios que lhes permitam esperar um futuro sereno. Depois, eles decidirão o que fazer. Nem por isso deixarei de zelar para que a África seja a terra, o berço, o sangue e as raízes deles. Entretanto, acho até que prefiro nunca ter filhos a vê-los nascer aqui... Temos, portanto, que sair do Mali, Marie e eu. Ninguém consegue ficar muito tempo dentro de uma roupa apertada demais.

Então, partir novamente. Mas, para onde? Quando? Como? Quanto mais penso nisso, mais um destino se impõe a mim como uma evidência: a França. Quase fui para lá, acabei indo para a América. Não vou perder o trem outra vez. Eu cresci, amadureci, agora tenho, portanto, menos temores. Sem contar que a França, para nós, malineses, não passa de um grande subúrbio. Nada a ver com o gigantismo assustador dos Estados Unidos! E como mandei instalar um telefone em casa, a separação será bem menos difícil de suportar... Vou começar, portanto, a comentar o assunto, para colher, aqui e ali, algumas informações. Nem pensar em repetir meus erros, já me deixei enganar uma vez com os Estados Unidos, não haverá uma segunda. Alguns de meus compatriotas já foram à França ou planejam, como eu, ir para lá. Raramente para se estabelecer lá e sim para trabalhar por algum tempo e depois voltar para fazer família aqui. Não temos, portanto, a mesma ambição, mas quanto mais os escuto, mais a idéia ganha corpo dentro de mim.

E Marie? Vamos pela ordem: primeiro o noivado!
Apesar de já estarmos juntos há algum tempo, duas sombras ainda obscurecem nosso horizonte: Françoise e nossas diferenças religiosas. Temos que tomar muito cuidado... Mamou, minha irmã mais velha, é quem fará o papel de diplomata. Uma preciosa corrente de transmissão entre a família de Marie e a nossa. Portanto, um dia ela vai à casa de Françoise para lhe declarar minha intenção de ficar noivo de sua irmã. Entre nós, as coisas, na verdade, sempre acontecem assim, com intermediários. E como Marie mora com Françoise... Em seguida, minha irmã manda chamar os griôs da família. Os griôs são sábios, guias, conselheiros espirituais. Ocupam lugar importante

em nossa sociedade, são uma autoridade moral muito respeitada, como os profetas portadores da boa palavra. Não se atravessa nenhuma etapa importante da vida sem a presença deles. Cada família tem seus griôs titulares. Mais ou menos renomados, mais ou menos influentes. Tudo depende de sua linhagem e de sua posição na escala social.

Os nossos são, portanto, convocados para irem encontrar os pais de Marie e apresentar-lhes as nozes-de-cola, as sementes superamargas conhecidas por suas múltiplas virtudes. Reconhecemos os que as consomem em excesso pelos dentes vermelhos. Segundo a tradição, algumas dezenas dessas nozes são oferecidas aos pais da jovem cuja mão está sendo pedida, em sinal de respeito. Os griôs voltam, em seguida, para confirmar que cumpriram sua missão. Começa, então, a espera... Nunca dura menos de três dias, ao longo dos quais os pais guardam sua resposta em segredo. Depois disso, ou as nozes-de-cola voltam, portadoras de uma recusa, ou não, caso em que se pode considerar o acordo selado. No meu caso, as nozes-de-cola nunca voltaram... Para comemorar, levo Marie à confeitaria Kamou para uma orgia de doces.

A cerimônia oficial acontece duas semanas depois. Uma multidão alegre e ruidosa invade a casa. A família, os primos, os companheiros, os amigos, os amigos dos amigos... É muito simples, Bamako inteira parece ter marcado encontro em minha casa! Nossos pais, os de Marie e os meus, não participam da festa. Recolhimento e pudor, sempre. Françoise está presente. Mas estou tão feliz que nem a vejo. Um festim pantagruélico foi preparado pelas mulheres da casa: para começar, carneiro — nove, exatamente, que degolamos segundo a tradição, benzendo-os antes de prepará-los como cafta. Ao mesmo tempo são servidos quilos de *tô*, um prato à base de milhete. Para os que não querem carneiro, são oferecidos quatro pratos além desses: *n'zamé*, arroz cremoso ao gengibre misturado com pedaços de capitão, o peixe rei do rio Níger; *n'zamé sokoma*, o mesmo prato, mas com pedaços de carne de boi; *ti cadekena*, mais conhecido pelo nome senegalês *maffé*, frango ou boi cozido em um molho à base de *dakatine*, cenoura, couve, batata-doce e folhas de mandioca. E, finalmente, *yassa*, a mesma base, mas com cebolas e limão no lugar do amendoim! Em resumo: comida para alimentar um batalhão! Entre nós é assim: quando há festa e as mulheres vão para o fogão, elas preparam quantidades astronômicas de pratos. É assim que a refeição de uma noite muitas vezes alimenta uma família durante uma semana inteira!

Para que todo esse banquete seja digerido, são servidos litros de crush, de chá de menta, de *té sukaroma* e de *dabléni*, mais conhecido pelo nome de *bissap*, uma planta cor-de-rosa que é pilada e à qual se acrescenta um pouco de flor de laranjeira filtrada com água. Junte açúcar, gelo e sirva. Oferece-se também *dégué*, a tapioca local, milhete pilado sobre o qual se coloca leite talhado quente e açúcar em pó. Delicioso, mas... reservado aos estômagos fortes! Finalmente, para que todos aproveitem, é oferecido também *djindjimbéré*, um suco de gengibre aromatizado com folhas de menta e salpicado de açúcar. Uma delícia!

A festa, que começou no meio da tarde, vai até a manhã seguinte. Amigos improvisam concertos, os velhos batem palmas, os jovens dançam ao som dos meus discos nova-iorquinos, as crianças brincam no pátio por todos os lados. A felicidade, nessa noite, é total. Para a ocasião, Marie comprou um suntuoso bubu azul-celeste e pequenos escarpins escuros de salto. Está maquiada como uma rainha, e um grande lenço de seda púrpura lhe cobre a cabeça. Eu, como sempre, muito chique, é claro. Bubu de três peças em tecido adamascado bordado com fios de ouro, babuchas amarelo-ouro, penteado estiloso e impecável, perfume sutil... O Capone, ora!

Depois das núpcias e para respeitar a tradição, vem o momento de transmitir o dote exigido por meus futuros sogros, ou seja, vinte e cinco mil francos CFA. Para essa brincadeira, existem tabelas, sim, tabelas com cifras e completamente oficiais, estabelecidas pela todo-poderosa República do Mali! Uma mulher que já tenha sido casada "vale" exatamente dez mil francos CFA, uma que nunca o foi, quinze mil a mais e, abra o olho, uma viúva lhe custará cinqüenta mil francos... Bem-vindo à África!

No fim das contas, esse noivado não mudou muita coisa. Na verdade sim, ao menos duas coisas, e não das menores: Marie pode, a partir de agora, dormir em minha casa, e Françoise vê desaparecer qualquer esperança de aniquilar nossa união. Apesar de todos os ardis que ela interpôs em nosso caminho, conseguimos engatar a marcha de partida.

❀ EMPRESÁRIO ❀

Atingido o objetivo do noivado, agora tenho que encontrar um trabalho e preparar minha partida rumo à França. Uma coisa não funciona sem a outra.

Quanto ao trabalho, mais uma estranha aventura me espera... Mas, dessa vez, nada a ver com meu pequeno negócio de transportes: vou trabalhar como fornecedor da Air Mali, a companhia aérea do país. Em 1976, o Mali ainda é o único país da África a ter sua própria frota, sem contar a todo-poderosa Air Afrique.

Tudo começou com uma conversa entreouvida por acaso — sempre esse "acaso" em que nunca acreditei — na Livraria Gauloise, do sr. Roger. Decididamente, esse homem é providencial para mim.

Encostado no balcão do bar, ouço meu vizinho falar. Logo percebo que ele é o diretor-geral da Air Mali. Apurando os ouvidos, fico sabendo que o serviço de bordo, principalmente as bandejas de refeição, aumentam consideravelmente os custos da companhia. Meu vizinho se queixa, a empresa não dá lucro, ele está perdendo cada vez mais dinheiro, não poderá continuar por muito mais tempo; em resumo, o negócio não decola, a palavra cabe bem... e caminha para uma catástrofe. Uma frase é recorrente na conversa: "Teríamos que ter um investidor, fundos próprios. Uma outra maneira de trabalhar..."

Ouço tudo com a maior atenção e, quando o homem sai, converso com Roger.

— Você ouviu falar dessa história da Air Mali?

— Que história?

— As bandejas...

— Ah, sim, me falaram sobre isso. A companhia está perdendo muito dinheiro, parece. Mas você sabe como tudo isso é administrado...

Justamente, sim, estou a par. Sempre as minhas antenas do centro da cidade.

— Você, hein, Capone? Eu te conheço...

— O quê?

— Por acaso não estaria passando uma idéia pela sua cabeça?

— Só vendo...

Ele solta uma gargalhada.

— Mas você! Você é realmente insaciável, sempre quer mais!

— Você acha que você poderia me...

— Apresentar ao diretor? É lógico! Volte amanhã à mesma hora, vou falar com ele.

— Obrigado, Roger.

No dia seguinte, no mesmo lugar e na mesma hora, o encontro aconteceu como previsto, só que a três: o dono da Air Mali, eu e um terceiro, o diretor comercial da companhia. Bebemos algo, faço-lhes perguntas, informo-me sobre a situação da companhia. Quando chegamos ao momento de falar de coisas sérias, ou seja, na hora em que eu ia expor minha idéia, o diretor propõe que conversemos em seu escritório, a dois passos dali. Como um jogador de pôquer, vou mostrando minhas cartas aos poucos: eles têm poder, eu tenho dinheiro. Interessados, eles me levam ao Grande Hotel, onde é preparada uma parte das famosas bandejas. Rápida visita ao serviço; em seguida, encontro com o chefe da cozinha, a quem faço uma série de perguntas: quantas pessoas trabalham sob seu comando? Quantas bandejas são entregues por dia? Como são organizadas essas bandejas? Onde são comprados os produtos? O que poderia ser suprimido? Como substituir para reduzir os custos? Ouço atentamente as respostas, armazeno o máximo de informações e... começo a farejar um bom lance. Peço mais alguns detalhes e volto para casa, com um monte de dossiês debaixo do braço. Pedi-lhes dois dias para pensar antes de dar uma resposta.

Capital? Eu tenho. Experiência? Não. Mas já vivi outras situações sem experiência e confio em mim. Devo confessar, quanto mais avanço na reflexão, mais o desafio me excita: eu, o menino das ruas, aqui estou, a ponto de assumir o controle do abastecimento da Air Mali. Genial! Pense comigo: Air Mali é a jóia de nossa economia, e mesmo de nossa nação, ainda que sua frota se resuma a dois aviões caquéticos, um Boeing 727 para os vôos internacionais e um velho Antonov 24 para os vôos domésticos. Como resistir a uma aventura assim? Como não sentir uma vontade louca de chegar lá? Ah, se Boli pudesse me ver... Como todas as vezes que estou prestes a tomar uma decisão importante, penso muito nela, e meu coração fica apertado, sempre.

O que se seguiu foi um sucesso. E, de quebra, ganho um novo título: chefe do comissariado da Air Mali, nada mais, nada menos! Primeira medida: conseguir um contrato de exclusividade com o Grande Hotel e acabar com os "por baixo do pano", a outra moeda africana... Confio-lhe o negócio; em troca, ele se compromete a reduzir ao máximo os preços e a margem de lucro. Segunda medida: fazer um levantamento dos menus e depois redefini-los, suprimindo os pratos mais caros ou menos apreciados. Terceira medida: incentivar a concorrência entre os fornecedores. Os que tiverem se esforçado mais trabalharão conosco. Tão logo concluídos os acordos com o Grande Hotel, contrato quatro pessoas, duas das quais amigos de infância. Já que é preciso reestruturar, melhor beneficiar meus conhecidos, pessoas em quem tenho toda confiança...

Uma vez saneado e delimitado o sistema, o que leva aproximadamente dois meses, os negócios vão chegando a seus lugares devagar: os primeiros retornos, tanto da companhia quanto dos passageiros, são excelentes. E eis que agora sou responsável pelo abastecimento, ou, em outras palavras, prestador de serviço para a Air Mali. Falando claramente, forneço-lhes um produto pronto para ser usado e emito uma fatura. Minha margem de lucro? Não tão considerável, no fim das contas. Em todo caso, bem menor do que a dos meus antecedentes, aqueles que, precisamente, estavam derrubando a companhia. Para um café-da-manhã comprado a duzentos e cinqüenta francos CFA no Grande Hotel, faturo trezentos para a Air Mali, ou seja, vinte por cento de lucro. Razoável, mas ainda assim interessante, tendo em vista o número de bandejas servidas... Era esse o pulo-do-gato que eu tinha em mente. Para fazer fortuna rapidamente, há coisa melhor em termos de especulação. Mas o essencial, para mim, é a superação. Provar para mim mesmo que tenho envergadura para levar adiante tal empreitada. Sempre gostei dos desafios.

Agora que a situação está saneada, procuro algo mais forte, como sempre. Forte como o álcool... Por que não oferecer bebidas alcóolicas a bordo? Ninguém parece ter pensado nisso, mas sinto que pode dar certo. E dá! Apenas dois meses depois da implementação de minha idéia, meus rendimentos irão triplicar. Mas a luta para impor a prática será dura e longa. Eu subestimei o peso dos interditos, em um país onde 90% da população é muçulmana. Servir álcool a bordo? Impensável! Uma falta grave, um ultraje, mas o que estou dizendo? Um crime, mesmo que este álcool seja consumido por passageiros "descrentes"... O caso provoca grande alvoroço na capital. Pior: custa-nos a demissão de três empregados, pessoas ultra-rígidas que preferem ir para a rua a se tornarem servidores de Satã. Recebo até ameaças, algumas das quais, no mínimo, preocupantes...

Mesmo que eu conte com o apoio dos acionistas da companhia, os acontecimentos tomam uma proporção imprevista e nociva. Entre os virtuosos e os indignados, os bons muçulmanos escandalizados, há, com efeito, uma jovem e bela aeromoça... que será pega por ter montado seu pequeno negócio paralelo. Esperta, a senhorita compra por conta própria, nas escalas, bebidas alcoólicas que revende a bordo cinco ou seis vezes mais caro... Naturalmente, ela fica chocada por eu ter me atrevido a lhe fazer concorrência. Um muçulmano vender álcool? Que horror! Devo admitir que ela tem o senso dos negócios "religiosos". Sempre que aterrissa na Arábia Saudita, a terra de Meca, ela compra dezenas de muambas que revende a peso de ouro a seus compatriotas quando volta ao Mali. Ah, a África... como fazem coabitar tradição, religião, corrupção e jeitinho! Fim da história: a bela aeromoça, depois de ter acumulado homens e dinheiro, mudou-se para a França para ter vida mansa. Mas a França não quis nada com a moça, pois ela foi presa pouco depois por tráfico de drogas, e coroada com uma condenação: doze anos de xadrez. Cedo ou tarde, sempre se paga pelo que se faz... Para concluir esta historinha, informo que nunca, nem antes nem depois desse caso, eu bebi uma gota que seja de álcool. Em compensação, atingi uma marca importante ao abrir minha primeira conta bancária no BOA, o Banco da África. Adeus, bolso esquerdo, adeus, esconderijos em casa, agora sou um verdadeiro empresário!

★★★★

Estamos no fim do ano de 1977. É chegada a hora de preparar ativamente minha partida para a França. Nas últimas semanas, Marie e eu conversamos muito sobre o assunto. E, mais uma vez, as conversas foram animadas... Tenho que entendê-la. Marie nunca saiu de nossa terra, e, além disso, foi aqui que ela fez brilhantes estudos para conseguir o cargo que hoje ocupa no Hospital Gabriel-Touré. Seu trabalho lhe agrada, permite que se desenvolva e ela sonha em fazer carreira. E, como ela tem uma natureza bem menos aventureira que a minha, a perspectiva de deixar tudo não a alegra nem um pouco. Partir para fazer o quê? Para viver em que condições? Será que conseguirá a equivalência para seus diplomas? Muitas questões legítimas e muito poucas respostas...

Terei que jogar pesado se quiser ter uma pequena chance de convencê-la... Tanto mais porque teremos que nos separar novamente, pois não quero que ela me acompanhe logo. Trazê-la a bordo de meu coração, de minha alma, em minha busca, sim, claro, mas certamente não em minha desventura. Primeiro quero balizar o terreno, partir como batedor e preparar o melhor possível sua chegada. Como isso será inevitavelmente muito duro para ela, tenho que amortizar ao máximo sua aterrissagem na França.

Falamos disso durante semanas. Dia após dia, delicadamente, pacientemente, tento apaziguá-la, tranqüilizá-la, habituá-la à idéia dessa partida. É difícil, penoso, doloroso também. Ela não esperava por mais esse exílio, mais essa separação. Então, fico em dúvida, faço-me perguntas... Será que tenho direito de decidir por ela? Posso impor-lhe minhas vontades? Será que, no fundo, estou mesmo lhe dando escolha? Delicado, muito delicado tudo isso... Não estou indo longe demais? Não estou esticando demais a corda, depois de lhe ter infligido cinco longos anos de solidão?

Felizmente, Marie, tanto quanto eu, não deseja que nossos filhos cresçam no Mali. E, como eu, ela acha que realmente será melhor que nos afastemos de sua irmã. Quanto ao resto, sinto-me confiante, pois suas palavras sempre foram muito claras: "Aonde quer que você vá, eu vou junto, porque eu te amo."

Tive razão em confiar. Custou-nos tempo, mas finalmente consegui convencê-la. Três anos depois de minha volta dos

Estados Unidos, estou prestes a alçar vôo rumo a novas aventuras, rumo a uma nova terra. E desta vez com a esperança de que minha bem-amada possa rapidamente vir ao meu encontro, para começarmos a construir uma grande e bela família.

No dia 4 de fevereiro de 1978, Capone voa para a França. Dia 4... Cheguei à América em um dia 4. Voltei para casa em um dia 4. Que loucura! O vôo não me custou mais do que duzentos francos franceses, ou seja, dez por cento do preço! Último presente da Air Mali pelos serviços prestados...

Estou feliz. E aliviado. As últimas semanas não tiveram nada de descanso. Além de Marie, a quem foi preciso convencer, a quem, mais uma vez, eu ia deixar profundamente triste, tive que resolver as questões de negócios, tranqüilizar a família, os amigos, minha terra... E tudo isso, bem-entendido, em nome do mais completo desconhecido. Por que será que tenho esse gosto pela partida grudado no corpo? Por que sempre tenho necessidade de estar em movimento? Sou incapaz de responder. Então, vou deixar que um provérbio malinês fale por mim: "Quando você anda, a roupa dura muito; quando fica sentado, ela se estraga." E sei que Boli me protege...

QUARTA PARTE

PARIS!

Cheguei a Paris. Não sei onde vou dormir e faz um frio glacial. Isso me faz lembrar algumas coisas, mas a situação não tem muito a ver com Nova York oito anos atrás, o choque é menos violento. Primeiro, não sou mais um garoto de dezenove anos, depois, entendo tudo que é dito à minha volta. Sem contar que na mala, além de meu *konowolonwoula*, tem um monte de roupas quentes... Quanto às finanças, trouxe apenas o suficiente para chegar, ou seja, cerca de sete mil francos franceses, o resto ficou bem guardadinho no BOA. Agora que me tornei um aventureiro de verdade, não faço mais planos de escala astronômica. Simplesmente, mantenho-me pronto para alcançar em pleno vôo tudo que se me apresentar.

Desembarque, alfândega, bagagem, táxi: mudam as latitudes, mas não as formalidades. A única variante é a primeira palavra dirigida ao chofer de táxi: alguns anos atrás, foi "Harlem", hoje é "Pigalle". O lugar me foi recomendado pelos amigos que já estiveram na França. Segundo eles, Pigalle é o bairro mais animado e mais descolado da capital. Então, evidentemente, quando chego ao local, a decepção é tão grande quanto a expectativa. Mas ainda são oito da manhã e o dia está apenas começando, o lugar está deserto, a não ser por quatro lixeiros — todos negros — que, cansados, terminam seu turno.

Ao descer do táxi, uma primeira boa surpresa: as pessoas parecem menos apressadas do que na América! E mesmo que eu as ache mais rápidas do que em meu país, o que, aliás, não é muito difícil, pelo menos elas não correm para todos os lados. Dirijo-me imediatamente a uma entrada de metrô. Compro tíquetes, o bilheteiro me indica um guarda-volumes para que eu possa me livrar da bagagem. O lugar mais próximo, diz ele, é a Gare du Nord. Olho no mapa. À primeira vista, tudo me parece tão fácil! Lá chegando, guardo minha mala e sento-me na varanda de um café. Finalmente vou poder me dedicar à minha ocupação favorita: observar as pessoas, ver todo esse teatro que, lentamente, se organiza e se desenrola diante de mim. Ficar invisível no meu canto e ouvir, aspirar o ar da cidade. Uma primeira coisa me chama a atenção: ao contrário dos americanos, as pessoas aqui são praticamente todas bem-vestidas. E cheiram bem. Aí está um ponto em que não me decepcionei. Observo também — mais uma diferença em relação a Nova York — que todos os clientes do bar conversam entre si em volta de um copo. Contam piadas, provocam uns aos outros, brigam, reconstroem o mundo... Exatamente o que eu esperava. Além disso, e principalmente, os brancos falam com os negros! Sinto-me bem neste café, e também quero aproveitar um pouco. Corro até uma banca para comprar jornais, volto a me sentar na varanda do bar e peço um café-da-manhã completo: suco de laranja, expresso duplo, croissants, torradas, manteiga e geléia: o máximo. Ainda me lembro do preço: três francos e cinqüenta, dez vezes mais barato do que hoje. Saboreio esse primeiro café-da-manhã com tanto gosto que não vejo as horas passarem.

Ao fim da manhã, resolvo finalmente sair para explorar a cidade. Primeiras caminhadas, primeiros deslumbramentos: as margens do Sena, os prédios antigos, as ruas calçadas, as pracinhas, os parques — cada um deles é tão bem cuidado quanto os jardins do palácio presidencial em Bamako! —, as estátuas, as igrejas, as praças arborizadas, os chafarizes... Tudo, aqui, respira beleza e passado, é magnífico, tenho a impressão de estar caminhando dentro de um quadro. E tem as pessoas. Em Nova York, encarei a desgraça dos sem-teto, sombras humanas encolhidas no chão ou espremidas entre duas latas de lixo. Aqui, ainda não vi nenhum. Os parisienses, as parisienses, principalmente, parecem-me tão chiques. Os homens usam terno, sapatos ingleses, cachecóis e luvas de couro. As mulheres, casacões, chapéus, saias, escarpins ou sapatos de salto. E a silhueta delas... o perfume... a maquiagem... as jóias... E as pernas delas... Meu Deus, as pernas! Vejo-me novamente em Bamako, quando assistia aos filmes franceses antigos no Hilal. E sonhava, sim, eu sonhava, e dizia a mim mesmo: "Um dia eu também farei parte desse cenário..."

A noite cai, não vi o dia passar. Questão hospedagem: desta vez tenho, com folga, como pagar algumas noites de hotel enquanto espero o desenrolar dos acontecimentos. Volto à Gare du Nord, onde deixei minhas coisas, e vou para o Terminus Nord, onde reservo um quarto. Cem francos a diária, o equivalente a um cinco estrelas, mas não hesito: não é todo

dia que se aterrissa na "cidade mais bonita do mundo"...
Celebremos o acontecimento como se deve.

Partilho meu primeiro jantar com o vigia da noite, um marroquino, que hesitará por um segundo antes de aceitar meu convite. Para mim é impensável comer sozinho, triste demais. Sentados à mesa diante de nossos dois pratos de cuscuz, logo começamos a conversar como dois velhos amigos. Conto-lhe um pouco da minha vida, ele me conta a dele, muito. Lomi — é seu nome — informa-me que, em Paris, há alojamentos para trabalhadores imigrantes, e que três deles são conhecidos por abrigarem malineses. Peço-lhe os endereços, ele me dá. Conversamos mais um pouco, mas sinto minhas pálpebras fechando, contra minha vontade. Logo Lomi me cutuca o ombro ao me ver desmaiando em cima do prato de semolina.

Presenteio-me com uma longa noite de sono. Longa e absolutamente divina! A França, Paris, o hotel... Este quarto, três vezes maior do que o meu em Bamako, esta cama imensa coberta por grossos cobertores de lã, estes travesseiros de plumas sob os quais, naturalmente, coloquei meu *konowolonwoula*... Meus cumprimentos ao menino transido de frio que desabou no sofá de napa desbotada do Blue Note. Na manhã seguinte, pego o telefone e chamo a recepção, certo de que vou encontrar meu novo amigo do outro lado da linha. Mas é uma moça que atende:

— Bom-dia, senhor. O senhor aceitaria um café-da-manhã?

— Eu... Chá, por favor.

— Leite?

— Sim.

— Suco de laranja?
— Sim.
— Frutas?
— Sim.
— Croissants?
— Sim.
—Torradas?
— Sim.
— Geléia?

Começo a me perguntar onde vai parar esta lista.

— Sim, sim...
— O senhor deseja algo mais, senhor?

O que mais desejar? Talvez três ou quatro bolachas de milhete, mas duvido que eles tenham no estoque.

— Não, obrigado.
— Certo, senhor. O senhor deseja que sua bandeja seja servida no quarto?

Que minha bandeja seja servida no quarto? Mais essa, agora! Dez minutos depois, estou como um príncipe. Tenho vinte e sete anos e estou tomando meu primeiro café-da-manhã na cama. Risível? Certamente, mas em minhas lembranças aquele momento é único. Aquela sensação de ser o rei do mundo... Precisamos de pequenos prazeres desse tipo para apreciar o caminho percorrido. Mesmo que o festim tenha terminado com uma indigestão, igualmente memorável, não me arrependo.

Está na hora de tratar dos assuntos sérios. Em primeiro lugar, telefonar para casa, em Bamako. Faço a ligação, tranqüilizo todo mundo, inclusive Marie. "Não preguei os olhos a noite inteira, de tão preocupada que estava." Como foi minha noite?

Ah...Vamos mudar de assunto. Na recepção, pergunto qual dos três alojamentos indicados na véspera por Lomi fica mais perto. O da rue Saint-Denis, respondem. Sigo imediatamente para lá. Nenhuma surpresa: está cheio de malineses e, melhor ainda, de malinqués, minha etnia. Dou uma volta na cozinha, onde as mulheres começaram a preparar o almoço. Nunca pensei que fosse reencontrar tão rápido e tão fácil os odores de meu país. *Dakatine*, cebolas fritas, frango na brasa, e até *wousoulan*... Bem-vindo a Bamako-sur-Seine!

Os trabalhadores que encontro logo me bombardeiam de perguntas. Apesar de eu lhes dizer que acabo de aterrissar na França, sinto que não conseguem acreditar em mim: acham-me bem-vestido demais. Quando lhes pergunto, todos respondem a mesma coisa: é bem fácil achar trabalho aqui, mas conseguir o visto de permanência é outra história. Ora, sem ele é impossível permanecer em território francês por mais de três meses e, portanto, conseguir um emprego estável. Chato, é verdade, mas passei pela mesma situação na América e nunca perdi o sono ou deixei de arregaçar as mangas por isso... No entanto, o que um irmão me dirá depois é como um balde de água fria:

— Aqui não é a mesma coisa. Giscard* resolveu dar um basta na imigração. Os clandestinos estão sendo muito mais controlados, a partir de agora.

— Na verdade — prossegue um outro —, há dois tipos de trabalhadores imigrantes. Os que chegaram há muito tempo e os outros. Os mais antigos, praticamente todos magrebinos ou portugueses, o Estado incentivou que viessem para construir as

---

* Valéry Marie René Giscard d'Estaing, presidente da França de 1974 a 1981. (N.E.)

estradas, os túneis e os conjuntos habitacionais chamados HLM — Habitation à Loyer Modéré. Estão aqui há quinze anos, casaram-se aqui, seus filhos nasceram na França, em resumo, não precisam se preocupar com documentos.

— E os outros?

Ele dá uma gargalhada.

— Os outros? Somos nós, ora, é você, meu irmão!

Ele faz uma pausa, chega perto de mim e tira um documento do bolso: um visto de permanência perfeitamente válido.

— Tem que se virar... Entende?

Não, para dizer a verdade, não consigo captar muito bem, imediatamente. Precisarei de um pouco de tempo para compreender que ele estava falando de tráfico de documentos falsos. Nisso também não há nada de novo: a clandestinidade é uma selva. E só há duas maneiras de sobreviver a ela: esconder-se ou dar um jeito de se virar, mesmo que seja o mais perigoso. Esse cara escolheu.

Mas ainda não estou preocupado com isso. Por enquanto, sou um turista, e nesta primeira semana estou enchendo os olhos. Acho que nunca andei tanto pelas calçadas de uma cidade. Quero ver tudo, devorar tudo, explorar tudo. É tão bonito. Dessa vez passei realmente para o outro lado da tela. Sem contar que aqui encontramos sempre alguém com quem conversar. Uma velha senhora sentada em um banco público, uma jovem mãe passeando com o filho, um homem lendo o jornal...

Meu passeio preferido é o Champ-de-Mars. Adoro caminhar por seu jardim, admirar os prédios suntuosos que o cercam, saborear a calma à sombra da torre Eiffel... Sonho em, um dia, viver neste bairro. Mas não há alojamentos para imigrantes em torno do Champ-de-Mars. A propósito, está na hora de pensar em continuar as visitas. Depois da rue Saint-Denis, sigo, portanto, para perto de La Villette, onde fica o segundo alojamento que Lomi me indicou. Ali, descubro que não apenas há um monte de malineses e de malinqués, mas também muita gente de Misira. E logo, como no Mali, a novidade de minha chegada à França se espalha como rastilho de pólvora. Em menos de duas semanas, toda a comunidade malinesa de Paris está a par de minha chegada. E o rumor ganha requintes: "Você viu? Capone não está em alojamento, ele vive em um hotel!" Hotel, riqueza, respeito... E agora meus irmãos me vêem como uma autoridade, quando na verdade eu não fiz nada!

Um dia, em um alojamento onde fui almoçar, recebo uma maravilhosa boa notícia: Modibo Khan está em Paris! Modo é um de meus melhores amigos. Um amigo fiel entre os mais fiéis, um irmão, um dos pilares da turma com a qual fizemos de tudo. Sendo mais claro, ele estava presente no dia em que uma certa mobilete nos jogou todos para o acostamento, na estrada de Koulikoro... Deixo um bilhete para ele na recepção, e menos de dois dias depois recebo um telefonema no hotel.

— Capone? *Tié nité tiéyé! Capone ibé yan?* Não é possível! Desde quando você está aqui, meu irmão?

— Modibo? *N'ka boli wa!* Cheguei há duas semanas!

—Veja só! É maktub! É o destino!

— *Allah akhbar*, Modo! Deus é grande, Modo!

Algumas horas depois, encontramo-nos no hotel. Meu velho amigo não mudou nada, um homem enorme e desconjuntado, sempre com um sorriso malicioso nos lábios. Em compensação, ele custa a me reconhecer.

— *I sapé lendo toubab!* Você está vestido como um verdadeiro branco, Capone!

No dia seguinte vou me hospedar na casa de Modibo, na rue des Martyrs, ao sopé da colina Montmartre. Não há como fazer de outro jeito entre malineses, mesmo que o quarto não tenha mais do que nove metros quadrados. Lá, Modo me fala um pouco mais sobre ele. Está na França há dois anos, chegou no auge da seca do verão de 1976. Como lhe haviam dito que aqui era frio e úmido, achou o primeiro contato bastante agradável. Mas os meses se passaram e ele não descolou nada além de biscates penosos e mal pagos. Quando pagos. E ele logo pensa... na América. Mesmo que eu tenha lhe contado minha experiência, tentando desencorajá-lo, de nada adianta, ele teima, convencido de que os Estados Unidos são o Eldorado absoluto onde encontrará glória e fortuna!

— Quero ir para lá, Capone! Tenho certeza de que posso fazer algo importante por lá.

Como não entendê-lo? Dez anos atrás, eu fazia um discurso idêntico e com o mesmo fervor.

— Sabe, Modo? Não é tão fácil assim.

—Vou conseguir, Capone! Já rodei demais por aqui!

Inútil querer convencê-lo do contrário. Quando fala, tantas estrelas cintilam em seus olhos que mais parece a bandeira do país de seus sonhos. Os mitos são resistentes, não há dúvida. E o que dizer a um homem que acha que "chegou lá" aqui, na França? Causa perdida. Quando olho seu quarto, sinto me subir uma espécie de amargura. Não porque eu o ache pequeno demais, mas porque não entendo como ele ainda pode se contentar em viver num lugar assim depois de ter passado dois anos em Paris. Sinto como que uma revolta, uma raiva surda. Tenho ganas de sacudi-lo para fazê-lo reagir.

    Ficarei dois meses na rue des Martyrs. Dois meses ao longo dos quais farei alguns biscates, como Modo. Guardador de mercadorias no Prisunic, vigia no Félix Potin, entregador em uma mercearia de bairro. Nada interessante, portanto, mas ocupo meu tempo. E, como sempre, conheço pessoas.

❧ MONTMARTRE ❧

Sempre que tenho um tempo livre, passeio pelo bairro. À noite, principalmente. É incrível a quantidade de pessoas que se pode encontrar à noite, em Montmartre, desde que se esteja de olhos bem abertos. Claude François, Jean Marais, Jean Cocteau, Anouk Aimée, Claude Lelouch, Claude Nougaro, Antoine. Sem esquecer Johnny Halliday e Sylvie Vartan, os "verdadeiros"! Muitas vezes cruzo com eles na rua, por acaso — na época, todos moravam na região. Eles também freqüentam muito o Haynes, um restaurante da moda.
É verdade que nessa época as pessoas famosas não se escondiam. Nada de guarda-costas, assessores de imprensa, ou seja, nada de frescuras. É simpático: podemos nos aproximar, conversar um pouco ou fumar um cigarro com eles. Pois é, isso me aconteceu várias vezes. Com Jean Marais e Jean Cocteau, especialmente. Os "Jeannots", como se chamavam entre si. O primeiro era bonito de verdade. E suas mãos... As mãos de homem mais bonitas que já vi na vida. Ele não tinha a menor consciência de seu poder de sedução. Cocteau era mais discreto. Posso vê-lo agora, com a cabeça abaixada sobre a toalha xadrez em que não parava de rabiscar. Bebi algumas vezes com eles perto

da rue Lepic. É por isso que tenho, em casa, um exemplar autografado de *Os meninos diabólicos*... E pensar que aprendi a ler com *Intimidade* e *Nós dois*!

Serge Gainsbourg também vem, muitas vezes, jantar no Haynes. Regularmente, ele paga bebida para todos os que estiverem no restaurante, e todos os que estão no restaurante o adoram. Um dos motoristas de táxi que ele utiliza com freqüência, um malinês, um dia me contou que Gainsbourg pagava há anos os custos da hospitalização da mãe dele no Mali. Até os policiais gostam dele, aqueles com quem passa a noite, sentado na traseira do furgão. Verdade: vi com meus próprios olhos! Quanto a mim, ele não pára de me fazer perguntas quando nos cruzamos no Haynes. Quer saber tudo sobre mim. De onde venho, como foi minha infância, qual a minha etnia, quantos irmãos e irmãs tenho, o que Marie-Jeanne faz, como consegui me virar. Minhas aventuras americanas, principalmente, divertem-no, ele não se cansa e sempre me pede: "Vamos, menino, fale-me de novo das colheitas! E Nova York! E as festas nos telhados!" E meu apelido, claro... Ele se diverte: "Capone, ora essa, que coisa! É verdade que combina com você!" E, mais uma vez, começa tudo de novo: "É verdade que você desembarcou na América sem falar uma palavra de inglês e sem conhecer ninguém? Que coisa, menino..."

Antoine Blondin, por sua vez, encontrarei em um bistrô da rue Navarin, ao pé da Colina, que ele freqüenta regularmente. Ele me chama "Senhor Capone", eu o chamo "Blonblon". Antes de conhecê-lo, nunca tinha ouvido falar dele. Nem havia lido nenhum de seus livros. É um cara legal, Blonblon, um amante das palavras. Um erudito também, que me ensinará um monte de coisas. Será ele também que me transmitirá sua paixão pelo ciclismo e, desde então, nunca deixo de ver o Tour de France. Como professor, não poderia ser melhor. Certa manhã, vejo-o através da vidraça do café. Não quero incomodá-lo, passo restringindo-me a lhe dirigir um cumprimento discreto — enfim, tão discreto quanto consigo. Ele me faz sinal para entrar. Radiante, não me faço de rogado.

— Tudo bem, senhor Capone?

— Muito bem, e com você?

Blonblon havia insistido para que eu o chamasse de você desde nosso primeiro encontro.

— Conhece meus amigos?

Reconheço Jean Carmet, mas o outro, ao lado, não reconheço de jeito nenhum.

— O grande Jo.

— Senhor...

Um colosso de rosto talhado a ferro, vasta cabeleira branca, um olhar flamejante... Evidentemente, não tenho coragem de perguntar seu nome. Apenas o cumprimento educadamente e, depois de algumas palavras trocadas com Blonblon, eu desapareço. Curioso como sempre, alguns dias depois me informo com o dono do bistrô. Joseph Kessel, "um dos maiores escritores do momento", diz ele.

❁ A ÉPOCA DAS ARMAÇÕES ❁

Depois de todas aquelas semanas de trabalhinhos desinteressantes, chega o momento de mudar de marcha. Direção: ANPE, a agência nacional de empregos da França. Não tenho documentos? Sou um clandestino? Pelo jeito, isso não é um problema, mesmo que desagrade ao meu primeiro informante do alojamento. Basta chegar uma hora antes da abertura da agência, e pronto, os patrões, a maioria da construção civil, chegam para "fazer o mercado" e imediatamente nos levam para os canteiros de obras. Na mais absoluta ilegalidade, com a certeza de que os responsáveis pela ANPE vão fazer vista grossa... Outros tempos, outros hábitos. Há riscos, é verdade: acidente de trabalho, a possível presença de um inspetor do Ministério do Trabalho. Mas, para os patrões, vale a pena correr o risco: estamos imediatamente disponíveis, sujeitos a usos e abusos, e, claro, totalmente mudos. E, de nossa parte, encontramos trabalho rapidamente, sem papelada, sem prazo, sem perguntas. E foi assim que me tornei um ás da britadeira. Semanas removendo toneladas de concreto, oito horas por dia, o corpo todo sacudido de alto a baixo, e a cabeça a ponto de explodir. Experiência que recomendo vivamente àqueles que se queixam do estresse no escritório.

Essa fase durará três meses, até o dia em que meu amigo Modibo me apresenta ao Capitão, não Jean Marais, mas um malinês que todos chamam assim. Ele trabalha no Centro Bossuet, perto da Gare du Nord, uma unidade médica onde os imigrantes são obrigados a se apresentar para obter o visto de permanência. Seguindo seus conselhos, decido ir até lá, primeira etapa da longa estrada rumo à legalidade. Devo dizer que estou brincando com fogo ao permanecer em situação ilegal. Se me queimar, corro o risco de ser embarcado contra minha vontade em um vôo para Bamako... Imagina, voltar! Capone expulso? Que vergonha.

Faço, portanto, a consulta médica, e o Capitão me declara apto a trabalhar. Vencida essa primeira etapa sem percalços, passo à seguinte: uma promessa formal de contratação. Nada mais simples, já tenho o endereço. Basta voltar ao alojamento da rue Saint-Denis e comprar um certificado de contratação por duzentos francos. Não que eu me sinta orgulhoso disso, mas... a prescrição está aí mesmo, nos meus calcanhares. Em seguida, vou até a prefeitura munido do atestado médico e do certificado de contratação e, como esperado, entregam-me um visto de permanência provisório: três meses.

Pronto, estou regularizado. Vou poder cuidar das coisas sérias: descolar um trabalho de verdade. Qual? Lavador de louças, claro! Não se mexe em time que está ganhando! Tempo integral, das onze às vinte horas, duas refeições por dia. Não muito longe da Gare Saint-Lazare. Tenho que agüentar pelo menos três meses, o tempo necessário para obter a renovação do visto de permanência, que desta vez será de cinco anos. Tudo transcorre como previsto, e três meses depois apresento meus talentos de lavador de pratos ao Royal Capucines, logo ao lado do Olympia, por um salário quase uma vez e meia maior.

No entanto, começo a me questionar. Mais uma vez, será que vale a pena deixar Bamako para voltar a lavar louça em um bar, mesmo que seja um dos mais chiques de Paris? Qual a vantagem de trocar meu chapéu de empresário por um avental de lavador de louça? Por outro lado, o primeiro ano me deu certeza quanto à minha decisão: quero que meus filhos cresçam aqui. Mas, Marie... Como trazê-la para cá, como fazê-la feliz em um país que ela não conhece, que ela nem sequer imagina como é, com sua chuva triste e todos esses desconhecidos? Torna-se urgente encontrar uma profissão, um lugar onde viver, onde recebê-la, uma casa mais confortável e mais bonita do que nossa concessão em Misira. Em poucas palavras, tenho uma felicidade a dois para construir.

❈ OPERÁRIO DA RENAULT ❈

Ele se chama René, é um cliente do bar. De tanto nos cruzarmos, acabamos simpatizando um com o outro. Um dia, ao chegar para o aperitivo enquanto eu estava engolindo minha sobremesa, ele arrisca:
— Você está bem aqui, Kabouna?
— Ah, estou, ora! Um país maravilhoso!
— Estou falando do Royal.
— O Royal? Está bem, obrigado.
— Há quanto tempo você trabalha aqui?
— Daqui a pouco faz seis meses.
— É bem pago?
— ...
— Você não gostaria de fazer outra coisa?
— Sim, claro! Mas como lhe disse, preciso me precaver, quero trazer minha mulher para a França.
— Olha, talvez eu tenha alguma coisa para você...
Ele pega uma caneta e rabisca um nome e um número de telefone no guardanapo.
— O telefone de meu irmão. Ele se chama Eugène. Trabalha na montadora.

— Montadora?

—A montadora Renault, em Boulogne. Sei que estão procurando gente. Liga pra ele! O que você tem a perder?

Pensando bem, o que tenho a perder? Não foi sempre assim que as coisas aconteceram comigo? Tudo sempre aconteceu em torno dos encontros, sinais do destino. O maktub...

Logo na manhã seguinte, enfio-me no metrô rumo à montadora. Puxa! Uma ilha, a ilha Seguin. Gigantesca, uma cidade dentro da cidade. Centenas, milhares de homenzinhos azuis circulando em todos os sentidos, a pé, de bicicleta, de ônibus, um formigueiro. Vejo muitos capacetes brancos e muitos sorrisos nas alamedas. Bom sinal. Seguindo as instruções de René, acabo encontrando o escritório de seu irmão.

— Bom-dia, vim falar com Eugène.

— Você marcou encontro?

— Não.

— Espere, vou ver.

Dois minutos depois, um homenzinho redondo se apresenta à minha frente.

— Olá, sou Eugène! Quer dizer, então, que você conhece aquele safado do René! Aliás, você se incomoda se eu o chamar de você? Aqui todo mundo se chama de você, você vai ver!

De todo modo, ele não esperou minha permissão... E, sem esperar, continua:

— Você conhece a montadora?

Para dizer a verdade, não exatamente. Conheço a Renault, claro, mas "a montadora"...

— Sou contramestre. Responsável pelo setor de portas há vinte e dois anos.

Vinte e dois anos! Como é possível alguém ficar vinte e dois anos no mesmo lugar? E todos os países, todas as cidades que ele nunca viu...

— É daqui que saem todos os carros. Os 4L, os R16, os R14... Eu só trabalho com os 4L. Você conhece?

Muita sorte, todos os táxis de Bamako são 4L. Respondo com um grande sorriso.

— Como você deve saber, a montadora não anda muito bem das pernas desde o ano passado, a concorrência... Muitos rapazes estão indo trabalhar em outros lugares.

Pausa para acender um mata-rato.

— É por isso que estamos precisando de gente neste momento. No meu setor há três postos vagos.

— O que é preciso fazer?

Ele dá uma tragada, fixando-me com um olhar cúmplice.

— Linha de montagem.

— Linha de montagem?

— É, linha de montagem, ora! Montar portas em três-oito.

"Linha de montagem"? "Montar portas em três-oito?" Ele está falando francês? Não estou entendendo nada. Olha aí, eu mais uma vez sozinho e atrapalhado. Os imigrantes sabem do que estou falando, todos algum dia passaram por isso. Felizmente, Eugène não é mau-caráter, ele não aproveita para fazer com que eu me sinta ainda mais ignorante, como tantos outros.

— Não se preocupe, meu rapaz, você será treinado. E depois, você verá, o ambiente é bem legal.

— E quanto ao...

Nem consigo terminar a frase.

— Então, se você estiver de acordo, você começa amanhã de manhã. Quanto ao pagamento, é o salário mínimo, mais as horas extras e os adicionais de produtividade. Espero sua resposta esta tarde, sem falta.

Por formalidade, digo-lhe que vou pensar, mas em minha cabeça a decisão já está tomada. Adeus à pia cheia de louça, uma nova vida está começando.

❅ A ILHA SEGUIN ❅

Trabalharei um ano na ilha Seguin. Um ano montando maçanetas de portas de 4L no ritmo de uma a cada quarenta e cinco segundos, nem uma a mais, nem uma a menos. As máquinas são programadas para isso. Nós é que temos que seguir seu ritmo, sob pena de prejudicar toda a linha de montagem. Nenhum direito ao erro. Então... parafuso, chave de fenda, a próxima. Parafuso, chave de fenda, a próxima... E assim sucessivamente, até que a sirene anuncie o fim da jornada e a chegada do grupo do próximo turno. Tenho a impressão de correr uma maratona por dia. Uma coisa é certa: no dia em que eu puder comprar um carro, nunca mais vou abrir a porta do mesmo jeito.

Quanto aos famosos "três-oito", aprendi rápido: uma semana das oito às dezessete horas, outra das dezessete às duas da manhã, a terceira das duas às onze horas. A máquina da produção nunca dorme. Nunca pode dormir! E, no pouco tempo de vida que lhe resta, é preciso garantir suas cotas de produção a qualquer preço. Nós, os O.S., operários especializados, estamos aqui para isto: atingir a meta fixada. Operário padrão, eu pego, monto, pego, monto, incessante melodia a duas vozes. O barulho ensurdecedor das máquinas, os cheiros, a luz embaçada dos néons... A ilha Seguin não é um navio de cruzeiro, é um submarino. Sem contar que passamos o dia inteiro em pé, a não ser na hora do almoço e das pausas para ir ao banheiro... Falemos dos banheiros. Também há regra para usá-los, e não uma regra qualquer. Cada operário traz no pescoço um apito que usa para pedir autorização para se ausentar. Duas vezes por dia, nem uma a mais, a não ser com autorização médica. Tem que agüentar, e pronto. A linha de montagem, sempre a linha de montagem, que não pode parar.

O mais cansativo, no final das contas, é se adaptar ao famoso três-oito: sair para o trabalho quando todos estão dormindo e voltar para casa quando todo mundo está saindo para o escritório. Há dias em que não sei mais onde estou. Passei aquele ano inteiro me sentindo permanentemente cansado. Eu, que passava noites em claro nos telhados de Nova York depois de ter carregado caixas o dia inteiro, não tenho mais energia para nada depois do trabalho. Vou do meu quartinho de empregada para a fábrica, e da fábrica para o meu quarto... Então, adeus às caminhadas a esmo, adeus às saídas com os amigos, às boates, tudo. Do trabalho para casa, de casa para o trabalho, e nada mais! O único prazer que me resta são as roupas bacanas, que faço questão de manter. Então, cultivo cuidadosamente meu visual "produzido". Capone será sempre Capone! Na montadora, as pessoas não se eximem de caçoar de mim, quando me vêem chegar vestido como quem vai a um casamento. Tanto pior, ou tanto melhor! Falem mal, mas falem de mim.

Apesar de tudo, gosto do meu trabalho. Estar dentro da tecnologia dos brancos, fabricar carros que vão rodar pelas ruas do Mali, isso tem algo de mágico, algo como um sentimento de poder. Não sou o único a pensar assim, todos temos isso em algum canto da cabeça, mesmo que não o digamos. Lembro-me da entrevista de um certo Smaïl Zidane. Quando lhe perguntaram o que havia sentido quando seu filho fez o primeiro gol no Stade de France, ele deu a seguinte resposta: "É uma honra para mim ter misturado o cimento dessa construção!" Muitos se perguntaram por que aquele homem estava falando de cimento quando o assunto era a glória. Eu entendi o que ele queria dizer. O cimento era o progresso. E, no fim dos anos 1970, para nós, imigrantes, o progresso era todas as coisas que o mundo branco produzia, os prédios, as rodovias, os carros. Trabalhar para o progresso era um êxito em si. Uma sorte, até...

Tenho outra razão para me sentir bem na montadora: ela funciona como uma família. Ela é feita por nós, os O.S., vindos de toda parte, de Portugal, da Polônia, da África do Norte, da Itália. Há franceses, claro, mas eles não são tão numerosos, ou pelo menos não majoritários. Quanto aos negros, podem ser contados nos dedos. No meu setor, por exemplo, sou o único. Toda essa mistura nos faz, naturalmente, esquecer o que nos separa, e logo reina entre nós uma verdadeira fraternidade, um verdadeiro calor humano. Comemos todos juntos, dividimos marmitas, brincadeiras, solidariedade... unidos uns aos outros como as portas que soldamos nas carrocerias dos 4L. A única diferença entre nós é a cor de nossos uniformes. Como na alta-costura, há três coleções: azul para os O.S., verde para os O.Q., os operários qualificados, e... branco para os contramestres.

Ninguém reclama. A montadora é nossa mãe. E quando se sabe disso, fica fácil entender por que o fechamento da ilha Seguin fez correr tanta tinta e tantas lágrimas.

Minha experiência na Renault se encerrou, portanto, no cabo de apenas um ano. Isso foi há vinte e cinco anos deste relato, mas a cantilena já era conhecida: concorrência estrangeira, encargos, produtividade. Resultado: enxugamento, automatização, remanejamento — ainda não se falava em deslocalização. E o drama se instaura. Para mim, nada muito grave, eu já tinha visto tantas coisas, ao passo que para os outros foi uma aventura que terminou brutalmente. E quem não conheceu nada além da montadora durante dez, vinte anos, forçosamente sente-se órfão, como que despojado de sua identidade. Mesmo que nunca tenha lamentado esse período, hoje, sempre que passo em frente ao meu navio de cruzeiro abandonado, na ponte de Billancourt, sinto o coração apertado ao pensar em todos os meus companheiros de infortúnio.

❃ NOITES PARISIENSES ❃

Ficarei um mês sem trabalhar depois de sair da montadora. Sentia necessidade de descansar, de retomar um ritmo de vida normal. E de sair.

E começou tudo de novo: as boates, os cinemas, as lojas de discos, olhar vitrines, andar por aí... A felicidade, simplesmente! Sem esquecer os bistrôs... Há tanta coisa a fazer em um café parisiense! Olhar as moças, sentir os cheiros, ler o jornal, ouvir música, escrever para Marie...

Saint-Germain-des-Prés é o meu bairro predileto. Eu o palmilho em todos os sentidos, da rue de l'Université à rue Huchette, e todos os dias digo a mim mesmo que é neste país e nesta cidade que quero viver, com Marie e nossos filhos. Sim, aqui estou em meu lugar, já me sinto em casa. A única nota dissonante são as incessantes "duras" da polícia. Enfim, não para todo mundo, tudo depende da cor. Não é raro que eu seja parado três ou quatro vezes em um mesmo dia! Mesmo que eu não tenha nada a temer, pois estou em dia com a lei, a repetição dos mesmos gestos tem algo de francamente desagradável, mesmo para uma natureza tão plácida quanto a minha. Às vezes, chego a me perguntar se sou realmente bem-vindo.

Esse tipo de humilhação não me impede, contudo, de aproveitar o tempo livre e minha condição de solteiro para aprontar à vontade com meus amigos. Com Modibo, claro, meu companheiro da rue des Martyrs, mas principalmente com Syla. Ele é garçom no hotel Méridien. Já nos conhecíamos um pouco no Mali, mas em Paris tornamo-nos inseparáveis. Tem também o Yatt. Este já era um amigo fiel antes mesmo de eu ir para Nova York. Reencontrei-o por acaso. Como todo mundo em Bamako, pensei que ele estivesse na Costa do Marfim, para onde de fato ele foi, mas por três meses, apenas, quando eu estava na América. Depois voltou para Bamako, virou motorista de táxi e finalmente desembarcou na França, seis meses antes de mim. Yatt será meu melhor amigo... até o dia em que sai dos trilhos. Sair dos trilhos significa contar bobagens para todo mundo, inclusive Marie, fazendo-a acreditar que eu tinha uma amante. Hoje, já o perdoei. Sem dúvida, ele estava com inveja de mim, de nós, de nossa felicidade.

Os quatro, juntos, realmente vivemos uma época muito boa! Tínhamos trinta anos, éramos bonitos, éramos livres, saboreamos a vida com todo o apetite. Todos os sábados, no fim da tarde, encontrávamo-nos em Saint-Germain-des-Prés para definir a estratégia da noite. Nosso QG era o Relais Odéon, um grande restaurante do boulevard Saint-Germain, que ainda existe. Lá, muitos negros eram clientes. Não quaisquer negros, mas os da alta sociedade, filhos de presidentes, de ministros, de embaixadores, de executivos... Enfim, a fina flor da África. Podia-se ver, lá, em outros tempos, Léopold Sédar Senghor ou Abdoulaye Wade, atual presidente do Senegal. Evidentemente, meus amigos e eu não pertencemos a esse mundo, mas como somos muito chiques, para não dizer sedutores, confundimo-nos com o cenário, e nos sentimos o máximo. Assim que o programa da noite é definido, deixamos o Relais Odéon e andamos pelas ruas de Saint-Germain olhando as vitrines, ou vamos ao cinema. Depois, rumo à festa! O Balajo, a Main Bleue, o Golden... nossas boates favoritas. Tem também o Cœur Samba, atrás dos Champs-Élysées, um lugar bastante seleto, onde posso entrar graças ao gerente, Samba, que se tornou um bom amigo. Mais elegantes ainda, os clubes privés como o Régine ou o Castel. Aí também acabei por ser aceito, mesmo sem nunca ter tido carteira de sócio!

Como em Nova York, também vou ouvir música, jazz e salsa, principalmente, no Living Room, no Caveau de la Huchette, no Slow Club, no Club Saint-Germain, sem esquecer o Blue Note, evidentemente! Dizer que estou me esbaldando é pouco... Estou ganhando bem a vida, ainda estou sozinho, sem família, e todos os dias digo a mim mesmo que é preciso aproveitar. Presenteio-me com uma adolescência, com quinze anos de atraso. Cheguei a ir ao Crazy Horse, ao Folies Bergères e ao Moulin Rouge. Na mesma época, tudo o que há em Paris em termos de estrelas e de garotas lindíssimas se encontra no Palace, a boate mais em voga da capital. Tente imaginar... Mick Jagger, David Bowie, James Brown, Liza Minelli, Diana Ross, Jimmy Cliff, Ringo Starr, Simon e Garfunkel, Ray Charles, Brigitte Bardot, Johnny Hallyday, Robert de Niro, Al Pacino... Mas também modelos, costureiros... E eu, Capone, estou entre eles, ao lado deles... Uma noite, ou melhor, era madrugada, vejo a alguns metros de mim uma criatura muito esquisita. Um rapaz de uns vinte anos, ao que parece, com jeito de gazela assustada, corpo de menina. Até aí, nada de extraordinário em uma boate parisiense. Mas ele começa a dançar. E, então, a pista pega fogo. Aquele jeito que ele tinha de mexer os quadris, com uma facilidade... Vê-lo em movimento, sozinho em um canto, era mágico! E eu, que não recuo diante de nada, também me lanço na pista e tento imitá-lo... Um fiasco! Minha vaidade sofre, claro, mas, também, competir com Michael Jackson era muita presunção de minha parte...

Quando não saímos, levo meus amigos para dar uma volta pelas lojas de discos. Sempre minha paixão pela música... Nessa época, apaixono-me pela canção francesa. Os amigos zombam de mim: "É fora de moda, coisa de mulherzinha!" Mas sou um romântico, e cantarolo sem a menor vergonha as canções de Françoise Hardy, France Gall, Michel Berger, Gérard Lenorman, canções que me dão vontade de chorar, como um beijo na primavera. Como eles conseguem? Sempre sabem como achar a palavra certa, a rima perfeita, a elipse sutil... Sempre tenho a impressão de que escreveram suas letras especialmente para mim. Sem dúvida, é isso que me emociona. Brassens também é uma descoberta. Ele me lembra os griôs de nossa terra. Brassens é o griô dos franceses.

E estamos em plena moda disco. No começo, tive dificuldade em me entender com a novidade. Difícil me desapegar do jazz, do blues e do reggae... Mas vi *Grease* onze vezes, e *Os embalos de sábado à noite*, quatorze! Tudo me fascinava: a história, a música, a dança, os cenários, as cores, os carros... E tinha o Travolta. Ou melhor, o visual Travolta! O máximo da elegância, o chique do chique. Então, é claro, corri para comprar roupas iguais às dele. A produção completa, e sob medida! Blusão de couro vermelho, camiseta de seda preta, botinas de couro e bico fino, colete, camisa cintada, terno branco, calça de cintura baixa, justa e sem bolsos, sem esquecer os acessórios... Travolta-Capone, Capone-Travolta, de igual para igual. Quando lembro que cheguei a ir trabalhar na fábrica com esse visual! Guardei todas essas peças e, curiosamente, fiz muito bem. Hoje, elas fazem a alegria de meus filhos e seus amigos, que vão correndo pegá-las sempre que têm uma festa... a fantasia.

✵ DE VOLTA À FÁBRICA ✵

Passou-se um mês desde minha demissão. Vou bater na porta de uma agência de emprego temporário, que imediatamente me propõe um trabalho. Em uma fábrica, também três-oito, mas desta vez em Essonne, Mennecy. É lá que fica a sede da sociedade Dynamic, especializada em beneficiamento de borracha. Seu principal cliente é a indústria automobilística — mais uma vez! —, à qual fornece peças de limpador e de vedação de pára-brisa ou juntas de pára-choques.

Apresento-me rapidamente ao contramestre. Conto-lhe minha experiência na montadora, e pronto, ele me contrata no ato! Era assim, naquela época. E mais, ascendo na hierarquia: por conta de minha experiência profissional, sou imediatamente promovido a O.Q. Minha missão: trabalhar em uma máquina chamada "moldadora".

Ao meu lado, uma grande cuba de metal. Dentro, borracha bruta na forma de compridas lâminas finas que coloco sobre uma esteira, em frente à moldadora. Em seguida, regulo o calibre da máquina para obter a forma desejada, como fazemos com a máquina de macarrão, quando colocamos a bola de farinha dentro do aparelho: escolhemos a forma desejada e, em seguida, basta apertar o botão para obter canelones, espaguetes ou outras massas. Etapa seguinte: a borracha moldada passa por outra máquina, o "banho de sal", que a endurece e reforça. Um trabalho de precisão, embora não pareça. Em seguida, um colega retira o produto de meu trabalho quinze metros abaixo, na esteira, corta-o e enrola em volta de imensos cilindros. Finalmente, um terceiro operário recebe os rolos e, com a ajuda de um monta-cargas, os introduz em um forno imenso, para lhes dar a forma definitiva.

Trabalhamos em grupos de três. Como sou o único O.Q., sou também o mais bem pago! Mesmo assim, O.Q. ou O.S., há uma regra à qual ninguém escapa: engolir três litros de leite por dia. Os produtos que manipulamos são considerados altamente tóxicos, especialmente para os pulmões. Então, na falta de prevenção, de tratamento ou de supressão pura e simples das máquinas, inimaginável à época, um único antídoto: o leite, que, acredita-se, impede as partículas tóxicas de se fixarem no organismo. Em todo caso, é o que nos diziam na época... Não tenho como confirmar nada, mas o fato é que três de meus colegas que se recusavam obstinadamente a tomar o leite morreram de câncer no pulmão...

Pois é, aqui estou eu mais uma vez: fábrica, linha de montagem, três-oito. Mas, como estou habituado ao ritmo e o trabalho é menos penoso que o da montadora, agüento melhor o tranco. Tanto mais porque a promoção me garante um salário absolutamente correto. A única coisa chata são os trajetos entre Paris e Mennecy. Passo quase três horas por dia nos transportes coletivos, e preciso começar a pensar em sair de Paris. Adeus Montmartre, adeus Saint-Germain-des-Prés, olá subúrbio. O sr. Pipo, nosso contramestre, me ajudará a encontrar um apartamento quarto-e-sala novinho em Corbeil-Essonnes, a dez minutos da fábrica. Agora tenho uma boa profissão, uma boa moradia... Só me falta Marie, e filhos...

❀ FÉRIAS ❀

Como é longo o caminho percorrido desde minha infância em Kita... E, no entanto, não me sinto surpreso. Tudo aconteceu tão naturalmente! Nunca esqueci as palavras de Boli: "Você vai ver, meu pequeno, o melhor ainda está por vir." E quando eu lhe contava que havia conseguido um novo trabalho, que estava ganhando um pouco mais de dinheiro: "É bom, mas não é nada perto do que o espera. Você vai viver grandes coisas..." Eu a ouvia. Não dizia nada. Confiava nela, simplesmente. E eu tinha razão.

Verão de 1979. Peço ao sr. Pipo um mês de férias. Vou para a minha terra... para retornar com a minha amada. Por que só agora? Como na América, eu não tinha visto ou vivido bastante coisa. Sentia necessidade de aproveitar ao máximo antes de me estabelecer, de sossegar. Eu tinha que passar por isso. E não podia oferecer uma vida feliz a Marie enquanto não recebesse um salário digno.

Após um ano e meio de ausência, eis-me de volta à terra, para quatro rápidas semanas de alegria. Dessa vez, telefonei à família para avisá-los de minha chegada. Na verdade, eu não deveria ter feito isso... Há uma multidão me esperando no aeroporto. Marie, naturalmente, meus irmãos e irmãs, primos, primas, amigos, amigos dos amigos e um monte de gente que não conheço, mas fez questão de participar da festa, como verdadeiros papagaios de pirata.

Mal terminei de passar pela alfândega e já ouço um clamor. As mulheres ululam, os homens cantam e gritam "Capone! Capone!", as crianças batem palmas e sobem em cima de mim... Magnífico! Encontro minha terra mais ou menos do mesmo jeito que a deixei, a mesma devastação, o mesmo torpor e a mesma ociosidade. Infelizmente... Quanto ao resto, a família, recebi notícias semanalmente, por telefone, soube das mortes, dos nascimentos, dos casamentos... Um pouco como se eu nunca tivesse partido. Estou, portanto, a par de todas as desventuras conjugais de minhas irmãs mais velhas, Mamou e Yaye. Em compensação, fico surpreso com o estado de saúde de meus pais. Mamãe, principalmente, cujas ausências e silêncios me preocupam. Ela perdeu o brilho e a alegria de viver. Sei que não está doente, pois desde que fui para a França, cuidei para que fosse acompanhada por um médico do Hospital Gabriel-Touré, mandando todos os meses dinheiro para o que fosse preciso. Mas eu a acho envelhecida, cansada. Algo nela se quebrou. Papai parece estar melhor. Talvez um pouco encurvado, mais magro, mas fora isso está em forma.

Como quando voltei dos Estados Unidos, a casa logo fica pequena demais para receber todos que vêm me cumprimentar e, naturalmente, bombardear-me com perguntas. "Capone, Capone, conte como é Paris!" A curiosidade deles é sem fim, não sei mais para que lado olhar. "Capone, Capone, você trouxe coisas da França para nós?" E como... Camisetas com siglas, óculos escuros, bolsas, lenços de seda, meias... Mas também perfume, sabonetes, esmalte para unhas, batons, blush, rímel, creme hidratante, escovas de dente, pregador de cabelo, brincos, pulseiras, anéis... Resumindo, mil e uma coisinhas que para nós, africanos, representam Paris. Para mamãe e Marie, trouxe também penhoares, conjuntos de toalhas e luvas para se lavar, fronhas e grossas cobertas compradas no mercado Saint-Pierre, aos pés da colina Montmartre. Tudo escrito "Paris", claro. Não necessariamente muito útil nessas latitudes, mas tão chique! As crianças não foram esquecidas. Balas, cartões-postais, bolas infláveis, miniaturas de carros, chaveiros da torre Eiffel, sem contar as sandálias de plástico coloridas, os bonés e as bolas de vidro que, quando sacudidas, fazem nevar na paisagem e provocaram furor.

Mal verei as quatro semanas de férias passarem. Marie e eu, mais apaixonados do que nunca, não nos separamos um segundo sequer. Cuido para que ela tenha tudo que há de melhor, para que aproveite o máximo do país antes de ir embora. Tantas lembranças que lhe serão preciosas quando estiver longe dos seus, ela vai precisar disso. Quero que tenha uma vida de rainha, hotéis, restaurantes, salões de chá, lojas da moda, cabeleireiro, manicure... Levo-a ao cinema e, claro, à discoteca — mesa reservada, crush à vontade, discos escolhidos por mim. Somos verdadeiros nababos.

Chegou a hora de partir. Sempre pensei que esse momento seria difícil para Marie. Foi muito mais do que isso, foi dilacerante. Da saída de casa até as primeiras horas de vôo, soluços sem fim... Insuportável. Ela não diz nada, também não se queixa, mas esses olhares, esses olhares... É claro que está feliz por vir comigo, excitada por pegar o avião e aterrissar na França. Mas, de resto, quanta angústia! As dela, as minhas. Não será egoísmo de minha parte impor-lhe todas essas renúncias? Estarei à altura, conseguirei fazê-la feliz? Minha responsabilidade é grande, realmente grande: eu a fiz deixar sua terra, sua família, sua profissão... E, por enquanto, não tenho muito a lhe oferecer.

❧ MINHA AMADA ❧
MARIE CHEGOU!

Finalmente estamos em casa, em nosso quarto-e-sala de Corbeil-Essonnes. Loucos de felicidade? Não, infelizmente... Marie não se acostuma com a França. Não há um dia em que não derrame lágrimas, suplique e até ameace voltar. Como dizemos no Mali: *Muso bè kasi jiri koro*, "a mulher perdida chora sob a árvore".

Marie não conhecia a solidão. Na África, ninguém fica sozinho, nunca. A família está em toda parte, sempre. Ocupa todo o espaço, emoldura todos os acontecimentos da vida. Na França, tudo é diferente. Marie não conhece ninguém e ninguém procura conhecê-la. Ninguém toca a campainha, ninguém pode ver suas lágrimas por trás das paredes superlimpas de nosso apartamento. Ela poderia ir a Paris ver as malinesas que Modibo e os outros conhecem, mas não quer. Acha que elas têm vida desregrada, vestidas e maquiadas como mulheres que querem se dar bem. Marie é Marie, ninguém poderá fazê-la mudar. Eu raramente estou em casa, com meus horários desencontrados impostos pelo três-oito, que me obrigam até mesmo a me ausentar à noite. Outra coisa que Marie não consegue entender: como é possível alguém trabalhar à noite? Em um hospital, tudo bem, mas para fabricar coisas de borracha! No começo, fica desconfiada. Se passo a noite fora, é porque obviamente tenho uma amante. Isso não ajuda a manter seu estado de ânimo, e durante semanas ela fica trancada em casa, chorando. Durante todo esse tempo, uma dúvida me oprime o peito: será que eu superestimei as forças de minha noiva? Esses primeiros meses em terras francesas são um pesadelo.

No entanto, a primeira semana foi cheia de promessas. Eu havia reservado um quarto em um pequeno hotel incrustado em pleno Marais, bem atrás da Place des Vosges, e apresentei-lhe Paris. Aqueles dias apaixonados na cidade mais romântica do mundo haviam sido como uma lua-de-mel. Eu estava tão feliz por lhe mostrar os bairros e as ruas que eu amava! Ela também estava feliz: não se cansava, como eu dois anos antes, de se extasiar com tudo. Depois tivemos que ir pra casa, em Corbeil. E desde então, Marie só vive quando estou em casa. O resto do tempo, ela sobrevive, espera-me. E, confessará mais tarde, reza para voltar para casa.

Chega o inverno. Pior ainda. Depois da solidão, o frio, o cinza, a chuva, a neve, a noite que cai às cinco horas, as pessoas que se enfiam dentro de casa... Uma prefiguração da morte, para qualquer africano recém-chegado.

E a primavera... Marie finalmente abre a janela, olha as árvores em flor, respira fundo.

E, finalmente, o verão... Faz muito calor esse ano, que bom. Como que por encanto, minha pequena Marie vai sair de seu casulo e colocar o nariz fora do apartamento e, aos poucos, recuperar o gosto pela vida. Ainda posso vê-la em frente ao nosso prédio, à sombra da grande castanheira em flor, descalça e de bubu, com a cabeça encostada em seu *konowolonwoula*. Não sou o único que a observa. Os vizinhos ficam intrigados, as vizinhas, principalmente. Ora, ora, uma novidade! Ainda não tínhamos reparado nessa aí. E elas se aproximam: "A senhora está aqui há muito tempo?" "De onde a senhora é?" "Tem filhos?" E, então, o nó se desata. Bem rápido, até. Mais algumas semanas e elas terão formado um grupo de amigas no prédio, com seus hábitos: chá na casa de uma, doces na casa de outra, favores, trocas de receitas, ajuda para cuidar das crianças... Tem a sra. Irigoyen, uma repatriada da Argélia, que não se cansa de repetir para Marie: "Ah, eu entendo a senhora, eu também sou desenraizada, aqui não é como lá!" Há duas italianas, Maria e Julia, que vêm de uma família muito numerosa e não param de falar de irmãos, irmãs, filhos, avós, como lá no Mali. E tem também a sra. Tessier, uma velha senhora, a única do grupo que sempre viveu em Corbeil, digna, muito correta, que dá conselhos a Marie como uma verdadeira avó.

Logo estão se entendendo tão bem que vão em grupo a Paris para assistir às gravações do programa de rádio de Philippe Bouvard, *Grosses Têtes*, ou tomar um sorvete no Champs-Élysées! Em poucas palavras, uma vida de bairro como no Mali, ou quase.

Então, naturalmente, como uma borboleta branca em uma flor do campo, a felicidade virá pousar em nosso lar. Marie não reza mais para voltar para o Mali, Marie sorri para mim quando chego em casa, conta tudo que fez, mostra o que comprou, faz com que eu experimente as receitas de suas amigas. E se nos casássemos, agora?

A cerimônia foi na prefeitura do sexto *arrondissement*, o bairro onde fica a embaixada do Mali... e também o meu bairro preferido. Não há muita gente conosco: meu irmão Mamadou, minha prima Sally, dois amigos da embaixada, uma prima de Marie, um sobrinho e suas novas amigas... Yatt, Modibo e Syla não vieram, nem se desculparam. Isso é bem a cara deles. Para a farra noite adentro, não há problemas, mas para o resto... Marie, eu sei, bem que teria gostado de um casamento pomposo. Vou me redimir mais tarde oferecendo-lhe uma bela cerimônia religiosa no Mali. Há outra pessoa que também comparece. Alguém que ninguém vê, a não ser eu. Uma pequena sombra de bubu, com seu lenço de andorinhas. Boli está ao meu lado, eu a sinto, a abraço, digo-lhe que estou feliz, que devo tudo a ela e que Marie sabe disso. Uma lágrima entre sorrisos...

Depois do casamento, todo mundo foi para a casa de minha prima, no décimo nono *arrondissement*. Foi ela que preparou o banquete de núpcias: bolachas de milhete, mandioca, filé de capitão, frango ensopado, cordeiro assado, bolinhos de arroz, chá de menta, suco de flor de hibisco... E até crush, que mandou vir do Mali especialmente para nós. Suntuoso! Chegamos a sua casa um pouco antes de meio-dia, comemos sem parar até o meio da noite e só saímos de lá na manhã seguinte. *Cè bè muso furu*: o homem se casa com a mulher! Sentimento de plenitude. E dessa plenitude, três meses depois, nascerá Pierre, o primogênito de nossos sete filhos.

No Mali, até uma certa época, quem descendesse de uma linhagem prestigiosa devia presentear a mulher que tivesse acabado de dar à luz com o peso de seu bebê em ouro. Felizmente para mim, estamos na França e as tradições mudaram. Mas, mesmo assim, vou cobrir Marie de jóias, perfumes, flores.

Por que chamar nosso primeiro filho de Pierre? Simplesmente porque é o nome do pai de Marie. Uma escolha nada fácil, contudo, e Alá sabe o quanto lutei! Marie é católica, eu sou muçulmano. Por que homenagear o pai dela e não o meu, por exemplo? Finalmente, cedi. Ou, mais exatamente, fiz uma concessão. Está bem, este se chamará Pierre, para mim uma maneira de homenagear minha mulher, e talvez também de me redimir de tudo que a fiz sofrer naqueles anos. Mas, no segundo filho, que fique claro que, se for menina, se chamará Founé, como minha mãe. Veio mais um menino... E como nasceu em 24 de dezembro, pouco antes da meia-noite, Marie cismou de chamá-lo Jesus! Não, assim também já é demais. Ele se chamará Gustavo. Gustavo. Homenagem a meu tio, o irmão de minha mãe. Gustavo era para ela o que Boli foi para mim.

Em seguida virão Maryam, em 1984, que traz o nome de uma de minhas irmãs que não teve a felicidade de gerar filhos, e Fatoumata, em 1987, um alô para minha irmã mais velha, aquela que eu chamo de Mamou. Depois, Tracy, em 1990. Neste caso ficamos os dois felizes, Marie e eu. Tracy, como Tracy Chapman, a cantora americana de folk. E finalmente o pequeno Sam, em 1992, Sam, como Dramane Samba, meu pai. É claro que não estou esquecendo Aminata! Mimi, como nós todos a chamamos, chegará ao nosso lar em um lindo dia de 1985. Está, então, com seis anos. Cresceu em Misira, onde minha mãe a acolheu quando ela tinha dois meses. Marie e eu a adotaremos. Para nossa imensa felicidade.

Sete filhos, portanto. E nenhum ganhou o nome de Boli. É claro que pensei nisso, e é claro que Marie e minha mãe estavam de acordo. Mas abrimos mão por uma razão completamente boba: a família já está cheia de Bolis, sobrinhas e primas até dizer chega. A homenagem, portanto, já foi feita.

✿ MONIQUE ✿

1984. Trinta e três anos, casado, três filhos, emprego de operário qualificado na Dynamic. Ocupado? Sim, mas mesmo assim ainda me sobra um pouco de tempo livre. Nem pensar em ir a cinemas e a boates; aliás, não tenho mais vontade. Então, o que fazer? Bem perto de casa tem um campo de basquete onde os jovens do bairro gostam muito de se encontrar depois das aulas. Adoro vê-los jogar, lembram a minha infância, as partidas que jogávamos na terra de Misira, nossas velhas cestas sem rede pregadas em tábuas, sonhando com os Harlem Globetrotters. Sempre gostei de basquete, e gosto também desses meninos que transbordam energia e se entregam completamente. Junto-me a eles, converso com os treinadores, sirvo de árbitro quando precisam... Logo estou passando lá todas as minhas tardes de domingo, apesar de Marie, que se irrita com isso, claro.

Um dia, Raymond Petit, o presidente do clube, vem falar comigo ao fim de uma partida que eu tinha acabado de apitar.

— Kabouna, me diz uma coisa, você se diverte com os nossos meninos, não?

Impossível negar!

— Tenho uma proposta a lhe fazer. Você gostaria de cuidar deles?

— Como assim?

— Você gostaria de treiná-los?

— Treiná-los? Mas eu não sou...

Ele nem me deu tempo de terminar a frase.

— Realmente há algo entre eles e você. Eles o respeitam.

— É normal! Sou mais velho.

Ele dá uma gargalhada.

— Não sei se é "normal", como você diz, mas posso lhe garantir que é a primeira vez em quinze anos que vejo isso! Todos os treinadores que passaram por aqui tiveram dificuldade, muita dificuldade... Alguns chegaram a desistir ao fim de um mês. Com você é diferente, eles imediatamente o adotaram.

— Obrigado, Raymond, mas é impossível, com meu trabalho! E meus filhos...

— Sei disso tudo, mas não lhe tomará mais tempo do que agora.

— Preciso conversar com Marie.

— Sem problema, faça como achar que deve. Mas seria realmente muito bom para todos esses jovens, você sabe! Aliás...

— O quê?

— Conversei um pouco com eles sobre o assunto antes de vir falar com você.

— Raymond!

— Posso lhe dizer que é tudo o que eles querem! Vamos nos falar novamente semana que vem.

Na verdade, só voltamos a nos falar depois de duas semanas, o tempo de que precisei para convencer Marie. Para ela, a coisa é clara: entre o emprego na Dynamic e nossos três filhos, já tenho coisas demais para fazer. E ela não tem a menor intenção de cuidar sozinha da casa.

— Ouça, Capone, já nos vemos tão pouco, você não vai passar todos os seus domingos treinando jogadores de futebol!

— Basquete!

— É a mesma coisa! Além do mais, quanto eles te pagam por isso?

— Eu já te disse que é um trabalho voluntário...

— Vamos ver!

Melhor dizer logo que não ganhei de saída. Então negocio, negocio, e finalmente chegamos a um acordo. Sim, desde que eu fique em casa um domingo por mês. Feito! E assim sou, portanto, promovido a treinador dos dentes-de-leite e dos juniores do time de basquete de Corbeil-Essonnes. Estou louco de felicidade!

Mas Marie não estava enganada, pois logo me dou conta de que o trabalho me toma bem mais dos que as tardes de domingo. Há também os jogos fora da cidade. Ainda me lembro de um encontro em Les Ulis. Perdemos feio. E devemos essa lavada a um único menino. Um menino inacreditável, rápido, esperto, um virtuose. Saltava em todas as direções com seus intermináveis gambitos, dentro de um uniforme três vezes maior do que ele, uma verdadeira pilha elétrica! Não mais que seis ou sete anos, mas possuído por uma verdadeira fúria de vencer, não tinha medo de nada. Nada, a não ser, talvez, os gritos incessantes de seu pai. Este não parava: "Mais rápido, Titi", "Mas o que você está esperando?", "Assim não, Titi!", "Se mexe, cara". Pobre menino... Não dizia nada, mas era visível que daria tudo para que o pai o deixasse quieto, pelo menos um pouco. Sentia-me chateado por ele. Devemos admitir que aquele *coaching* ao molho marinado funcionou... Hoje, "Titi" é um dos maiores jogadores de futebol de sua geração, um campeão mundial. Seu nome é Thierry Henry...

Lembro-me também de um outro menino. Não pelas mesmas razões. Thomas era sensível, discreto, um pouco desajeitado. Vendo-o jogar, sempre tínhamos a impressão de que estava perguntando a si mesmo o que estava fazendo ali. Decididamente diferente de Thierry.

Um dia, uma desconhecida se aproxima de mim ao fim do treino:

— Olá, sou a mãe do Thomas.

Distinta, vestida com elegância. Trocamos algumas considerações esportivas, e ela me pergunta:

— Faz muito tempo que o senhor treina esses meninos?

— Dois ou três meses.

— De que clube o senhor é?

— De que... Ah, não, faço isso só por fazer! O sr. Petit, o presidente, me perguntou se eu podia lhe dar uma mãozinha. Então, como eu adoro basquete...

Ela não está conseguindo acreditar, dá para perceber. Insisto:

— Não é a minha profissão. Sou operário, trabalho na Dynamic.

— A fábrica de borracha?
— Sim.
— Mas é realmente a primeira vez que o senhor cuida de jovens? Ela está começando a me deixar sem jeito com suas perguntas. O que será que está querendo? Ela continua:
— Acho o senhor realmente formidável, Kabouna! — diz, com um largo sorriso. — O senhor permite que eu o chame de Kabouna? Eu me chamo Monique.

Um firme aperto de mão. Agora, tenho certeza, ela tem algo em mente, então espero a continuação.

— Já o observei muitas vezes, Kabouna. E acho que realmente há algo entre o senhor e esses jovens...

— Como assim?

— Certamente o senhor não se dá conta, mas o senhor sabe como estabelecer contato. Faz quatro anos que Thomas está inscrito no clube. Ele já conheceu vários treinadores, mas nenhum lhe causou uma impressão tão forte. Eu mesma conheci os outros, antes do senhor, quando acompanhava meu primogênito nos treinos. Mesmo que alguns deles sejam educadores de formação, posso lhe dizer que não estavam preparados.

— Preparados?

— Não sei se o senhor conversou sobre isso com o sr. Petit. Muitos jovens que vêm jogar aqui são ossos duros de roer...

Isso eu sei, já me disseram. Mas no basquete não há nada que chame a atenção. Ela continua:

— Quase todos são menores, e já viram poucas e boas, acredite-me!

Ela pára de falar. Acho que espera que eu pergunte alguma coisa. Diante de minha perplexidade, retoma:

— Conheço-os bem, vi muitos deles passarem pelo CAE.

— Pelo quê?

— O Centro de Ação Educativa, onde eu trabalho. Sou psicóloga. Esse centro acolhe jovens em dificuldades. Menores que a justiça manda para nós.

Está começando a ficar interessante... mas o tempo está passando. Marie vai realmente ficar zangada.

— Desculpe-me, preciso ir embora.

— Sim, claro. Voltarei domingo para encontrá-lo, se o senhor permitir. Gostaria de lhe falar sobre um assunto.

Uma semana depois, ela está de volta, firme em seu posto.

— Como foi hoje?

— Muito bem!

— Eu sei...

— Hã?

— É, eu o vi da arquibancada.

Essa mulher é realmente espantosa.

— Podemos andar um pouquinho?

E aqui estamos, os dois, caminhando pelo bairro enquanto ela conduz a conversa, sempre repetindo que eu tenho "um contato privilegiado com os jovens, uma autoridade natural impressionante", e depois me fala sobre eles.

— O senhor sabe, esses jovens funcionam por instinto. Não têm necessariamente palavras ou reflexão, mas eles sentem, farejam muito bem seus interlocutores. E, pode acreditar, não são fáceis. A partir do momento em que percebem um flanco aberto, entram e não param mais. Levam você a extremos, provocam. Na verdade, com eles, ganha quem ceder primeiro... E o senhor, justamente, evita a relação de forças. O senhor não precisa disso para se fazer respeitar.

E mais uma salva de elogios. Sinto-me enrubescer, mas, é claro, ela não vê. E continua:

— Sabe, trabalho no CAE há mais de vinte anos. Vi algumas dessas criaturas passarem por lá! O senhor conhece um pouco as histórias deles?

— Só cuido do basquete...

— A maior parte desses meninos está largada à própria sorte há muito tempo. E, sempre, mais ou menos pelas mesmas razões. Sem pais, ou com pais totalmente atarefados. Sem educação. Não vão mais à escola há muito, muito tempo. Resumo da ópera: a rua, as más companhias, drogas, e todos os delitos clássicos, do furto à violência, passando pelo tráfico de todo tipo. Às vezes pior...

Ela deixa a frase suspensa, depois continua:

— Nosso trabalho, na Liberdade Assistida, é acolher esses jovens que ninguém mais quer. Para tentar recolocá-los nos trilhos. A justiça cuida deles por algum tempo... Nós é que temos que nos virar para reerguê-los.

— E se vocês falharem?

— Aí, é como digo com freqüência: "Depois de nós, o dilúvio!"

Ela tenta um ligeiro sorriso, para dissimular sua perturbação.

— Depois de nós, eles não têm mais ninguém, nenhum outro galho em que se agarrar. De volta à casa de detenção, e dessa vez por muito tempo. Nós somos o último recurso deles, de todo modo.

Ela se interrompe, o sorriso se apaga.

— Alguns nem mesmo se assustam mais. Acredite ou não, alguns só têm um desejo: voltar.

— Para a prisão?

— Sim... Pelo menos lá estão em território conhecido. É o único lugar em que conhecem os códigos, as leis. Não vou chegar ao ponto de dizer que eles se sentem bem lá, mas de certa maneira sentem-se um pouco como em casa. E depois, muitas vezes lá eles reencontram os amigos, sua gangue... Eu lhe garanto, alguns estão dispostos a tudo para serem mandados de volta para as celas. Longe de nós e de nossa autoridade. Longe dos empregos que tentamos lhes oferecer. Pense um pouco: eles acham que estão mais "livres" na prisão do que conosco. Loucura, não?

Ela dá uma risada e depois continua, mais grave:

— Nosso papel é dar-lhes os meios de saírem dessa situação. Pelo menos de não reincidirem. Somos muletas mais ou menos sólidas, mais ou menos eficazes. Ou bombeiros, como o senhor preferir!

— Bombeiros?

— Estamos aqui para tentar apagar os incêndios que consomem por dentro os jovens que nos são confiados. Pelo menos esta é a primeira parte do trabalho. Depois, há todo o resto a fazer. E, creia-me, nem sempre é fácil saber o que deve ser feito.

Ela se cala, para me deixar dimensionar o que disse. E faz bem, pois as palavras e as imagens se embaralham em minha cabeça. Descubro um mundo. Um mundo que eu deveria ter conhecido? Faço-me perguntas... Meu trabalho é de treinador de basquete, não de xerife! Não consigo acreditar que esse tipo de situação possa existir na França. Na África, tudo bem, mas na França? E, de repente, me dou conta de uma coisa: como quando eu era aquele menino na estrada de Koulikoro, até hoje continuo acreditando que entre os tubabos não há cegos, entre os tubabos não há loucos. Então, por que haveria meninos criminosos? Lembro-me dos sem-teto de Nova York. Decididamente, tenho muito a aprender sobre o mundo dos brancos.

A voz de Monique me arranca de meus pensamentos:

— Se lhe contei tudo isso, Kabouna, é porque gostaria de lhe fazer uma proposta. O que você acharia de vir se juntar a nós, do centro?

— ...

— Sabe, há três meses tenho tido tempo de observá-lo! Desde que o senhor chegou, o comportamento desses jovens mudou. Esta é a razão pela qual nós poderíamos fazer um bom trabalho juntos.

Balbucio um vago obrigado. O que mais dizer?

— Poderíamos discutir o assunto no meu gabinete, o que o senhor acha?

— Por que não? Mas entre a fábrica e as crianças...

— Eu entendo. Aqui está meu cartão. Leve o tempo que precisar, e quando puder, ligue para mim, certo?

Sini bè ala bolo. "O amanhã está nas mãos de Deus." A vida, o destino, mais uma vez, colocou alguém em meu caminho, uma pessoa incumbida de modificar o percurso. Maktub...

Mas tudo é mais complicado do que parece. Maryam acaba de nascer e a chegada da pequena Aminata já está anunciada. Sou chefe de uma família de quatro crianças, com meu salário de operário qualificado da Dynamic como única fonte de recursos. E Marie tem coisas demais a fazer em casa para pensar em retomar sua carreira de enfermeira. Além disso, nós nos informamos, não há nenhuma equivalência entre os diplomas de Paris e de Bamako. Marie teria, portanto, que recomeçar do zero, se quisesse exercer a profissão aqui. Mais um dos encantos da imigração... Por enquanto, preciso fazer uma escolha: ficar na Dynamic ou me lançar na aventura que Monique me propõe. A segurança, ou o desconhecido.

Marie e eu conversamos muito sobre o assunto. Para ela, não há realmente grandes dúvidas: é mais sensato manter minha situação atual. O único problema é que eu sinto muita vontade do contrário. Ninguém pode ser diferente do que é! Naturalmente, Marie confia em mim. E ela não precisou de Monique para perceber o quanto me sinto à vontade com os jovens, por mais difíceis que sejam. Mas, mesmo assim, a fábrica me garante a segurança do emprego e um salário digno. Do outro lado, o que vou encontrar? E se não der certo?

Discutiremos esse assunto por mais duas semanas. Enquanto isso, voltarei a encontrar Monique para que ela me explique exatamente o que espera de mim. E depois... Depois eu mergulho. É mais forte do que eu. Como lutar contra a própria natureza? Sou um aventureiro. Um aventureiro protegido por uma pequena sombra, Boli.

E aqui estou, diante do sr. Pipo, na fábrica. Conto-lhe toda a história, o basquete, Monique, sua proposta de trabalho... Ele me ouve atentamente, e pergunta:

— E quando você começa?

— No mês que vem. Enfim, se o senhor concordar.
— Você pensou bem?
— Sim, acho que é realmente uma oportunidade interessante. O que o senhor acha?
— O que eu acho? Duas coisas, meu filho. Primeiro, você vai fazer falta aqui, isto é certo! A segunda é que você tem toda razão.

E abaixa os olhos.

— Eu sabia que você iria embora. Um cara como você não é feito para ficar a vida inteira no mesmo lugar. Está certo, Capone, você tem razão em partir.

❈ SERVIÇO NOTURNO ❈

Saí, portanto, da Dynamic. E, dessa vez, para valer. Vinte anos se passaram e ainda sou o homem que escolhi ser naquele dia de abril de 1984: educador judiciário. Nunca mais tive vontade de mudar de trabalho. Não perdi o gosto da aventura, é verdade, mas, além desta, as novidades, os encontros, encontrei-os em minha profissão, minha verdadeira profissão.

Não é tão fácil tornar-se educador judiciário. Não me bastou encontrar Monique. Na verdade, não sou o único a postular o cargo: somos exatamente dezesseis. Depois de uma bateria de entrevistas, começa a seleção. De dezesseis passamos a dez, de dez a cinco e, finalmente, de cinco a dois. Um jovem do tipo cheio de diplomas e eu. Não faço muita fé, principalmente quando o diretor me faz esta pergunta:

— Senhor Keita, como o senhor reagiria a meninos que não gostam de negros?

É a primeira vez que assim, de cara, perguntam-me esse tipo de coisa. O diretor me encara, impassível, perscrutando minhas mínimas reações.

— O senhor sabe, alguns não hesitarão em insultá-lo, chamá-lo de crioulo, macaco, ou coisa pior.

Pergunto a mim mesmo o que eles podem achar pior do que isso...

— O senhor suportaria, senhor Keita? Como o senhor lidaria com isso?

Eu simplesmente não imagino que meninos possam ter reações racistas. Não encontro nada para dizer, e balbucio algo como:

— Escute, eu sou negro, está certo, mas não por deliberação minha! De todo modo, isso não é um problema.

Como argumentação, não foi das melhores... Mas, para mim, isso realmente não é um problema. Um imigrante africano conhece esse tipo de situação, e rapidamente aprende a manter a calma. Suponho que o diretor tenha entendido o que eu queria dizer... Três dias depois, recebo um telefonema de Monique: fui escolhido por unanimidade e começo no dia seguinte como plantonista noturno no Centro de Ação Educativa!

Na primeira noite, apresentam-me Michel, com quem trabalharei em dupla. Quase dois metros, uns cem quilos, mãos imensas, ombros de estivador e rosto de velho caubói, alheio a tudo. Sob nossa responsabilidade, quinze jovens. Média de idade: dezessete anos, todos ali por decisão judicial. Estão no dormitório. Quando chego para o serviço, Michel está lendo seu horóscopo: "Noite tranqüila", ele lê, e comenta:

—Vem a calhar, estou cansado.

Noite tranqüila, pois sim! À meia-noite, ouvimos barulhos vindos do dormitório. Abafados, mas violentos. "Ais", sons de luta, gemidos. Vamos lá... São dois brigando. Tão rápido, estou impressionado. Não é uma briga como costumamos ver entre meninos. Logo se vê que não há nada de brincadeira, fingimento ou espetáculo. Os dois adolescentes batem um no outro sem nenhuma contenção, não querem saber se a garganta do outro vai resistir ou se podem quebrar o seu nariz. Espancam-se para se matar, como cães raivosos. Engulo em seco. Aproximo-me. O que está ganhando é um garoto bonito, tem um rosto magnífico, cabelos bem pretos, mas aspecto muito sujo. O outro é mais frágil, doentio mesmo, e luta como se sua sobrevivência dependesse do assassinato que estava prestes a cometer.

Nada de pânico. Tenho que pensar bem rápido: não devo mostrar que estou impressionado e não devo me enraivecer. Apóio-me em minhas pernas, pego os dois pelo colarinho e os separo... Eles me olham, seus olhos se arregalam... São apenas meninos estupefatos! Não conseguem se recobrar do espanto de verem em cima deles aquele grandalhão negro que tem bíceps suficientes para segurá-los quase suspensos a um metro um do outro. Logo esquecem de bater, e o menino bonito me conta uma história de umas roupas que o outro lhe roubou. Deixo-o falar e falar, enquanto Michel cuida do doentio. Passa-se meia hora. Estão de volta a suas camas. E nós voltamos para nossa sala. "Noite tranqüila..." Logo na ronda seguinte, tudo de novo. Desta vez os encontramos no corredor, tentando se estrangular. Enfio-me entre os dois, separo-os novamente, voltam a se deitar... Não por muito tempo, infelizmente. E desta vez, todos os outros estão assistindo ao espetáculo, até as meninas, que se agitam, os incitam, jogando lenha na fogueira.

Então, eles nunca dormem? Temos que separá-los mais uma vez. "Não se exaspere, não se exaspere." Repito isso para mim mesmo incansavelmente, mas está cada vez mais difícil. Finalmente, adormecem de uma vez, como bebês. São cinco da manhã. Depois de duas rápidas horas de sono, vamos acordá-los. Estou morto de cansaço, sinto dor de cabeça fortíssima, dor nos braços, nos ombros! Se todas as noites forem parecidas com esta, a coisa pode se complicar. Cruzo com o menino bonito e o doentio, que estão voltando do chuveiro, apenas machucados, parecendo bem-dispostos, e tão jovens! Agora sei o nome deles, e sua história: um é cigano, tem problemas com o álcool, o outro tem um triste passado de espancamentos na infância. Ambos foram parar na justiça, claro, senão não estariam aqui. São apenas crianças, mas com uma força de adulto. Passam por mim sem sequer me dirigir um olhar. Como se nada tivesse acontecido, como se eles nunca tivessem batido um no outro!

Às oito horas, Michel e eu somos rendidos pela equipe do dia, quatro educadores. E, naturalmente, eu estou na berlinda. Perguntam-me como foi minha primeira noite, se não foi difícil demais, se consegui dormir um pouco, em resumo, um perfeito interrogatório. Respondo como posso, sem me estender sobre o assunto: sim, foi tudo bem, não, não tive medo, obrigado, até logo e até amanhã! Michel, que ainda não abriu a boca, não resiste:

— Ele não lhes contou tudo, gente...
— Como assim?
— A noite foi animada. Foi o Jean...
— Ele recomeçou?

— É, mas não estava sozinho. Tinha o César e...

Todos se viram para mim.

— Por que você não contou?

— Pensei que...

— Não teve coragem, foi isso? Sabe, estamos acostumados, você não precisa se sentir...

Michel interrompe:

— E sabem do que mais, meninos? Não precisei fazer nada. Foi Kabouna que os separou.

Sem comentários. Michel se levanta e sai da sala. Os outros continuam calados, mas compreendo por seus olhares que agora sou um deles. Não contarei nada a Marie sobre esse incidente. Nem pensar em assustá-la logo no primeiro dia. Ela seria capaz de pedir que eu me demitisse. E eu não quero. Realmente encontrei o meu lugar.

Minha nova vida transcorre assim: chegada ao centro às vinte e uma horas, relatório do dia, início do trabalho meia hora depois, apagar as luzes às vinte e três horas e vigilância da malta até a manhã seguinte, às sete e meia. Depois disso, o nosso relatório, troca de turno e, finalmente, volta para casa. Ao todo, cinco a seis noites por semana.

A volta para casa... Imensa felicidade! Entro bem devagar na casa ainda adormecida, preparo o café-da-manhã com os *croissants* comprados no caminho e vou acordar minha tribo. Lembro-me bem das carinhas sonolentas, os olhinhos ainda colados pelos sonhos da noite, e depois, magia renovada a cada dia, os primeiros sorrisos quando sentem o papai debruçado sobre eles... Maravilha. Depois do café-da-manhã que tomamos todos juntos, vou para o meu quarto, faço uma oração e me deito. Marie leva os menores à escola antes de ir trabalhar. Porque agora ela está trabalhando, faxinas a torto e a direito. São quatro da tarde quando me levanto. Outra oração, chá, e vou buscar as crianças na escola. Ainda tenho algumas horas para aproveitar a companhia delas antes de voltar ao trabalho. Uma vida estranha, mas bem azeitada, com as crianças que aproveitam tanto a minha presença quanto a da mãe. Um verdadeiro luxo. Mas um luxo que levará a um mal-entendido... Em uma tarde como todas as outras, quando vou buscar meus mais novos no maternal, a professora se aproxima de mim. Chama-se senhorita Ladure,* não estou inventando.

— O senhor vai bem, senhor Keita?

— Muito bem, senhorita, obrigado.

— Desculpe-me por lhe perguntar isto, mas... sua esposa não está cansada demais?

— Minha esposa? Não, ela está muito bem, por quê?

— É que não deve ser fácil para ela...

— Como assim?

— O trabalho, educar as crianças, cuidar da casa... Coitada, ela não deve se divertir muito!

— O que a senhorita quer dizer com isso?

— Ouça, não quero que pareça que estou me metendo em assuntos que não me dizem respeito, mas mesmo assim...

Começo a sentir meu sangue ferver.

— Mesmo assim o quê?

---

* Ladure, a dura. (N.T.)

Sem me dar conta, levantei a voz. A professora incha como um sapo e suas bochechas começam a ficar roxas, de tão vermelhas.

— Não, nada... O senhor sabe, há trinta anos trabalho nesta profissão, então já vi algumas pessoas como o senhor passarem por aqui...

— "Pessoas como eu"? O que quer dizer com "como eu", senhorita?

— Chega, não vamos mais falar sobre isso! Tenho que trabalhar...

Seguro-a pelo braço.

— Vamos falar sobre isso, sim. Se a senhorita tem algo a criticar em mim, a hora é agora! E seja clara, por favor!

Pronto, ela finalmente resolve destilar seu veneno:

— Por que o senhor não trabalha? Não está encontrando trabalho? Não tem vontade de trabalhar? Está cansado demais? O senhor não tem vergonha de deixar a pobre da sua mulher fazer tudo sozinha? Ficamos nos perguntando por que vocês...

Não lhe dou tempo de concluir a frase. Já ouvi demais. Então, olho rapidamente para trás para me certificar de que as crianças estão lá fora e de que todos já saíram, e imprenso-a contra a parede da cantina.

— Mas o que é isso, o que o senhor está fazendo?

— Cale-se!

— Mas o senhor...

— Mandei a senhorita calar a boca!

É horrível, quanto mais eu tento me acalmar, mais eu sinto o sangue ferver e minha voz endurecer.

— Não estou gostando do seu tom, senhorita Ladure. A senhorita não pode falar assim comigo! Ouça bem o que vou lhe dizer: saiba que eu trabalho. Todas as noites, aliás. É por isso que a senhora me vê à tarde. Quanto à minha mulher, ela vai muito bem, obrigado, e com certeza não precisa de sua compaixão.

— Mas...

— Ainda não terminei! Pode guardar para si mesma suas considerações sobre as "pessoas como eu". A senhorita não sabe nada! Nem de mim nem dos outros! Não tenho como impedi-la de pensar o que quiser, mas, a partir de hoje, peço-lhe que não me dirija a palavra. Nunca! Entendeu bem?

Nem ouvi sua resposta. Cego de raiva e profundamente ferido, dei-lhe as costas e fui-me embora.

Nem Marie, nem as crianças ou quem quer que seja, aliás, ninguém ouvirá falar desse incidente. Não tive vontade de lhes contar que me deixei alterar a tal ponto por minhas emoções. Ela realmente não valia a pena, aquela pobre senhorita Ladure.

✹ EDUCADOR ✹

Nos quatro primeiros meses no CAE eu não dormi um minuto sequer: muito estresse e muita apreensão. Tinha que ficar em vigília, à escuta. Mas o trabalho não era tão pesado quanto me haviam dito. Talvez eu tenha resolvido o problema desde minha primeira noite, será? É claro que os meninos ainda me respondem, eles me testam. Pedem, por exemplo, permissão para sair dez minutos para tomar ar, e voltam na manhã seguinte. Ou então passam na minha frente sem sequer se preocuparem em esconder o pacote de cervejas. É preciso não se irritar, pegar o pacote de cervejas com um único gesto, adverti-los de que isso será registrado em um relatório. É o jogo, eu sei, e aceitei suas regras. Na verdade, acho que eles rapidamente me consideraram como um deles. Sentem que a vida para mim também nem sempre foi fácil. A chave estava aí: não estou contra eles, mas *com* eles. E não os respeito apenas com palavras, mas nos atos.

Essa experiência noturna me ensinou muito mais sobre esses meninos do que se eu tivesse estudado na universidade. Durante o dia bancam os durões, mas uma vez apagadas as luzes, mudam totalmente e se revelam tais como são: desesperados. Lembro-me especialmente de François. Tinha dezessete anos. De dia, um verdadeiro malfeitorzinho que vandalizava todos os lugares e fugia o tempo todo... À noite, nada disso. Ele chorava. Ainda posso ouvi-lo: "Mamãe, me ajuda", "Mãe, vem me buscar."

Trabalharei à noite de 1984 a 1994 na Proteção Judiciária da Juventude (PJJ), que em 1990 substituiu a chamada Liberdade Assistida. Dez anos que me valerão o diploma de agente técnico de educação (ATE). Meu primeiro diploma! O gesto pode inspirar risos, mas emoldurei o papel e pendurei-o na porta do meu quarto.

Em 1994, serei enviado a uma casa de acolhimento de urgência, em Ris-Orangis, também em Essonne, um lugar onde os jovens nunca ficam mais de dez dias, ao passo que os de Corbeil ficam sob nossa responsabilidade por um período de dois a três anos. Aí, ao longo dos meses, vou mudar de função. Pierre, o diretor do centro, pede-me que reduza o ritmo das vigílias noturnas para cuidar das crianças durante o dia. Fico felicíssimo, é exatamente o que eu queria! Graças a ele, vou, portanto, estruturar projetos que tenho em mente há algum tempo, como levar meus jovens lobos para conhecerem o mar ou a montanha. Vamos com eles em grupos pequenos de cinco ou seis, é mágico. Lembro-me de quando fomos ao monte Blanc, ou ainda de uma pequena tropa que montei às pressas para colaborar com os voluntários que estavam limpando as costas bretãs depois de um vazamento de petróleo no mar. E tem o teatro, as exposições, os museus... Mais um aceno rápido para o menino da estrada de Koulikoro. Imagine: Capone e seu bando de desventurados em roda, todos mergulhados na contemplação das *Ninféias* de Monet. Pergunto a mim mesmo o que os outros, os visitantes do museu da Orangerie, achavam disso.

Pierre me dará outra idéia. Como sou o único negro da equipe, ele sugere que me seja atribuído o cuidado dos jovens oriundos da imigração africana. Ele acha que posso utilizar nossa cultura comum para ajudá-los a se reerguerem, dar-lhes uma segunda chance... Porque é preciso encontrar a palavra certa rápido, muito rápido, tratando-se de meninos que nos são encaminhados de uma hora para outra. "O juiz decidiu, aí está o jovem, virem-se para atendê-lo."

Em 1997, Pierre finalmente sai do centro, e eu peço transferência para o centro Fazenda de Champagne, também em Essonne, mas desta vez em Savigny-sur-Orge. Fazenda porque é uma antiga fazenda, e Champagne simplesmente porque fica no lugar chamado Champagne. Ficarei lá até 2005.

Oitenta por cento dos jovens que acolhemos passaram pela jurisdição penal, ou seja, pela justiça, os demais vêm da civil. Vinte anos antes, a proporção era inversa. É o que se chama, oficialmente, de "recrudescimento manifesto das populações em situação de risco"...

A Fazenda de Champagne abriu logo depois da guerra, no rastro das determinações legais de 1945, visando a regulamentar e a organizar o atendimento dos menores delinqüentes. 1945 é uma data-chave na história de nossa profissão. Antes dessas determinações, a Liberdade Assistida era parte integrante da administração penitenciária. Sendo bem claro: o contexto era absolutamente repressivo. A Fazenda de Champagne era, portanto, uma casa de correção, outro nome para prisão para menores. Foi preciso esperar até os anos 1970, no governo de Giscard d'Estaing, para que estabelecimentos desse tipo fossem suprimidos e substituídos por centros de acolhida como o nosso. Agora, o objetivo é educar, ou melhor, reeducar.

Para fazê-lo, desenvolvemos formações profissionais com vistas a uma futura reinserção. A cada ano, a Fazenda de Champagne forma condutores de empilhadeiras, pedreiros, eletricistas, telhadores, bombeiros hidráulicos... Começarei a trabalhar nas oficinas de formação profissional, chamadas "centro-dia". Mas como ensinar um ofício a um rapaz de dezessete anos que não sabe nem ler nem escrever nem contar? E como transmitir gosto por aprender a ler e por soldar canos a um adolescente que há muito tempo já percebeu que ganhará muito mais dinheiro com suas pequenas armações — o *business*, como eles dizem — do que com um trabalho de verdade? É preciso, portanto, encontrar um fim, um objetivo na medida de suas possibilidades. E, considerando o que são, não é um trabalho fácil...

Cinco anos depois nasce uma nova estrutura, o CPI, sigla em francês para centro de internação imediata. E logo propõem que eu o integre. Subordinados à Proteção Judiciária da Juventude, que por sua vez integra o organograma do Ministério da Justiça, os CPI reúnem jovens de dezesseis a dezenove anos, todos condenados por roubo, assalto, tráfico de todo tipo, receptação, violências por vezes entre as piores...

Essas jovens feras nos são confiadas por alguns meses, em média de três por educador. A capacidade do CPI Fazenda de

Champagne é de nove leitos. Em média, por ano passam por nós cerca de trinta desses tipos, meninos e meninas. Não é grande coisa em relação a tudo que precisaria ser feito, é verdade, mas, mesmo assim, é muito mais do que se faz em um estabelecimento "clássico". Nossas ferramentas: as oficinas de formação profissional e as temporadas de reinserção de apelo humanitário. Nossos resultados: setenta por cento de casos bem-sucedidos e trinta por cento de fracassos.

A diretora do CPI é auxiliada por apenas dez educadores. Sou um deles. Só que continuo não sendo educador. Continuo, de fato, sendo pago como agente técnico de educação, por falta de diplomas. Para receber título, salário e direitos trabalhistas de educador, na verdade eu precisaria ter diploma de segundo grau, ter feito dois anos de estudos especializados e passado em um concurso administrativo. No entanto, já sou educador de fato... E então?

Sou apoiado, defendido — "Capone é uma instituição dentro da instituição", repetem meus colegas e até mesmo o diretor regional. Mas esse tipo de palavra não comove a administração, que exige um diploma. Cabe a mim agir. Um dia, em 2001, recebemos uma visita: a ministra da Justiça, sra. Guigou, que vem conversar conosco e conhecer as instalações... O governo, que fez da PJJ um de seus cavalos de batalha, insiste na necessidade de "fortalecer o setor educativo, dando aos jovens excluídos oportunidades efetivas de superar sua condição, pois os jovens são o celeiro... etc. etc.".

Cumprimentos, apertos de mão, frases soltas, fotos, aquele palanque midiático que se arma quando uma personalidade desse tipo sai a campo. E a sra. Guigou avança resolutamente em minha direção. "Ouvi falar muito do seu trabalho", diz. Conversa rápida de uns dez minutos, sob a mira zombeteira de nossos jovens e o olhar, este mais preocupado, dos educadores. Ela me bombardeia de perguntas e cumprimentos, e depois, com um largo sorriso estudado de profissional, de repente me pega pelo braço, vira-se para a câmera e diz:

— Não se preocupe, senhor Keita, conheço seu trabalho e sua abnegação. Assim, cuidarei pessoalmente para que seu processo seja reexaminado. Obrigada por tudo o que o senhor tem feito, o Estado está com o senhor, o senhor é um exemplo para a nossa república.

Se o Estado está comigo, então... Eu não esperava tanto! Mas teria sido melhor um carimbo em um papel... que nunca virá. Ainda terei que esperar mais cinco anos — e o chamado "sistema de validação das experiências profissionais" — para ser nomeado, reconhecido e remunerado integralmente como educador.

QUINTA PARTE

❈ MAMÃE NOS DEIXA ❈

O verão de 1995 se aproxima. Meu primeiro ano no CPI está terminando. Estou esgotado. Preciso descansar e respirar. Programei levar Marie aos Estados Unidos. Uma espécie de peregrinação para compartilhar com ela o que vivi por lá. Nossas primeiras férias de verdade, porque até agora nunca viajamos juntos.

Três noites antes do embarque, sou brutalmente acordado no meio do sono. Tive um sonho: minha mãe me chamava, falava comigo, eu a via, deitada, de olhos fechados, serena e sorridente, mas ela me chamava, chegava a insistir. A cena era incrivelmente precisa, e o cenário, muito claro: nossa casa, o quarto de minha mãe, sua esteira, seu rosto, sua posição, eu sentia até o cheiro do chá e de *wousoulan* flutuando no ar. Não digo nada a Marie. Não quero preocupá-la e, principalmente, que ela me tome por um iluminado! Mas, no dia seguinte, tenho exatamente o mesmo sonho. Desta vez, sinto necessidade de contar para ela:

— O que você acha?
— Não sei, Capone... Isso o preocupa?
— Não, na verdade, não. Mas que é estranho, é.

Na terceira noite, algumas horas antes de nossa decolagem para Nova York, tenho a mesma visão. E sempre aqueles chamados...

— Marie, Marie, levanta!
— Mas que horas são?
— Não sei, levanta, Marie! Os sonhos voltaram!
— O quê, sua mãe?
— Sim, de novo, mamãe ali, me chamando...
— Ouça, Capone, você falou com ela há menos de uma semana e estava tudo bem.
— Sim, eu sei, mas...
— Então, volte a dormir, amanhã voltamos a falar do assunto, se você quiser.

Impossível fechar os olhos. Não me sinto especialmente inquieto, nem angustiado, mas perturbado. Eu, que nunca acreditei no acaso, não posso ficar indiferente a esses sinais. Levanto-me e vou à cozinha preparar um chá. E me vejo girando em círculos. Não, não posso viajar! Mas como explicar isso a Marie? E nossas férias... Para pagar a viagem, tivemos que economizar o ano inteiro. E tive tanta dificuldade em convencê-la a "abandonar" as crianças por algumas semanas... Quatro horas pensando no escuro da cozinha.

Finalmente, Marie vai me ouvir sem julgar. É verdade, ela acha que estou exagerando, mas não tenta me segurar. Uma vez tomada a decisão, tudo caminha muito rápido: mala, táxi, aeroporto e passagem de ida para Bamako. Seis horas depois, estou chegando a minha terra. Não estão me esperando, naturalmente, porque ninguém está a par de minha vinda. No aeroporto, dou um telefonema rápido para Cheick Amala Touré, um de meus amigos de infância, e peço-lhe que venha me buscar sem fazer perguntas. Ele vem sem pestanejar. É também nesses momentos que se reconhecem os verdadeiros amigos.

— Você pode me deixar em casa?
— É claro, Capone? Você vai ficar muito tempo aqui?
— Não sei.
— Como assim, não sabe?
— Alguns dias, vamos ver, depende...
— Depende de quê, Capone?
— Te explico mais tarde. Obrigado por ter vindo, Cheick. Eu ligo pra dizer quando vou embora.

Quando empurro a porta de casa, a estupefação é geral. Todos ficam muito felizes, mas sinto que acham minha chegada um pouco estranha. Rodada geral de beijos, e depois pergunto a Mamou:

— Papai não está?
— Está descansando no quarto. Vou avisá-lo.
— Não! Deixe-o dormir. Faremos uma surpresa mais tarde.
— Como você quiser, Capone...
— Diga-me, como está mamãe?
— Mamãe? Ora... muito bem, por quê?
— Está dormindo?
— Não, ela não está aqui.

Meu coração dá um pulo.

— Onde ela está?
— Em Koulikoro, foi enterrar um de seus tios. Ela volta esta noite. Ou amanhã de manhã.

— Mamou, você poderia pedir às crianças que não falem de minha chegada?

— Certo, mas você tem certeza de que está tudo bem, meu irmão?

— Estou bem, só um pouco cansado.

Três horas depois, quando meu pai me vê ao acordar, não deixa transparecer seu espanto. Como sempre, sinto-o profundamente comovido ao me abraçar... Conversamos por uma ou duas horas, e então... surpresa! Mamãe aparece na sala! Corro para abraçá-la com tanta força que quase a quebro, sinto seu cheiro, aspiro-o profundamente, estou tão feliz por vê-la... e desta vez, não em sonho. Os pensamentos entram em choque em minha cabeça. Primeiro o alívio, depois a alegria. Penso também em Marie, na viagem de que a privei... Com que cara vou voltar para casa?

Observo minha mãe com atenção e avidez. Ela envelheceu e talvez tenha até emagrecido um pouco, mas fora isso, parece bem, alerta, alegre. Seus olhinhos maliciosos continuam cintilando como sempre. Seu riso, também infantil, enfeita lindamente a nossa casa.

Já é noite alta. Aqui estão meus pais, Mamou, alguns sobrinhos e sobrinhas, a que logo se juntam minhas irmãs caçulas, Michelle e Maryam, e meus irmãos mais velhos, Abdulaye e Mamadou. Pouca gente, na verdade, pois Mamou respeitou meu desejo de não alardear a notícia de minha chegada-surpresa. Vamos todos para o chão da varanda partilhar bolachas de milhete e o carneiro temperado que minhas irmãs prepararam. Começo, finalmente, a relaxar. Meus pressentimentos agora são apenas más lembranças...

Subitamente, minha mãe se levanta e, em silêncio, retira-se. Nada fora do normal, quer dizer, sempre a vi fazer isso. Vai fazer suas abluções antes da oração da noite. Os minutos passam. Como não a ouço mais salmodiar, também me levanto e vou vê-la em seu quarto. Encontro-a deitada na esteira, olhos fechados e sorriso nos lábios. Exatamente como naqueles malditos sonhos... Aproximo-me.

— Está tudo bem, mãe, você está se sentindo bem?

— Estou bem, meu filho, estou bem. Só um pouco cansada...

—Vou deixá-la dormir

— Não, não, fique, estou tão feliz que você esteja aqui. Conte-me...

É sempre o mesmo ritual, e dura algumas horas. Mamãe adora que eu lhe conte minha vida nos mínimos detalhes. Quer saber de tudo: as crianças, Marie, meu trabalho, nosso apartamento... Mas também o que comemos, como nos vestimos, se nossos vizinhos são gentis, se não faz frio demais. E Paris, naturalmente, cujos encantos eu lhe exalto pela enésima vez. Lembro que ela sempre me perguntava: "E a torre Eiffel, continua lá, a torre Eiffel?" Não sei por que, mas minha mãe sempre acreditou que os monumentos de Paris só existiam por um certo tempo. Que iriam destruí-los ou removê-los. Eu ria. Achava engraçado e comovente ao mesmo tempo.

Mais ou menos uma hora depois, mamãe acaba adormecendo. Sinto-a feliz, relaxada. Respondi a todas as suas perguntas. Cubro-a com a colcha, acaricio-lhe a fronte, tiro suas sandálias e depois, bem devagar, saio do quarto e vou fazer a minha oração. Uma oração na qual, ainda lembro muito bem, pedi perdão por ter me deixado tão prontamente influenciar por meus sonhos... Depois vou encontrar os demais no pátio para tomar o chá da noite com eles.

— Ela dormiu? — pergunta Michelle.

— Sim, parecia cansada...

— É a viagem. Você sabe como é, ela foi para ficar dois dias e acabou ficando quase uma semana em Koulikoro!

— Sei...

— E você, meu irmão, como está? Conte-nos um pouco!

Não me faço de rogado, antes de me recolher, abatido pelo cansaço e, sem dúvida, mais ainda pelos sonhos. Sonhos que, graças a Deus, não foram premonitórios...

— Você vai se deitar?

— Sim, estou cansado. Até amanhã!

Dirigindo-me ao meu quarto, passo pelo de minha mãe. Paro, empurro a porta e dou uma olhada.

—Você vai dormir, meu filho?

— Eu te acordei?

— Não, ainda não estava dormindo. Os outros estão deitados?

— Estão tomando chá, mãe.

— E o papai?

— Está dormindo.

Ela faz sinal para que eu me aproxime.

— Me dê a mão, meu filho.

Mamãe sempre gostou de sentir a minha mão na sua.

— Conte mais!

—Já contei tudo, mãe!
—Eu sei, mas... Por favor!

Como recusar? Então recomeço, procurando enfeitar minha narrativa com novos detalhes, verdadeiros ou falsos, pouco importa, pois ela gosta acima de tudo de me ouvir, viajar em minhas palavras. O resto...

Continuo falando, falando, e depois de uns quinze minutos, ela parece ter adormecido novamente. Aproveito para me levantar cuidadosamente e ir tomar um copo d'água na cozinha. Depois, sempre na ponta dos pés, volto a me sentar a seu lado e continuo a lhe contar minhas histórias. Mesmo que esteja dormindo, não faz mal, estou contente por fazê-lo. Pego sua mão novamente, e levo um susto: está gelada! Os instantes que se seguem são um verdadeiro pesadelo. Meu estômago e minha garganta imediatamente se fecham e meu coração dispara. Chamo-a, toco-lhe o rosto, aperto-lhe as mãos, nada, ela não se mexe. Então, sacudo-a sem cuidado nenhum. Nenhuma reação. Oh, meu Deus, não é possível, faça com que isto seja apenas um pesadelo! Mas não, não é um pesadelo, é a aterradora confirmação dos sonhos premonitórios que tive a seis mil quilômetros daqui.

Mamãe partiu dormindo. Morreu me ouvindo. E, principalmente, segurando minha mão. Sim, mamãe partiu e eu estava lá, com ela, bem ao seu lado, como se sua alma, antes de alçar vôo, tivesse querido que eu a acompanhasse. *Mama, i togo ka sennya.* "Mamãe, santo seja o teu nome."

E pensar que apenas meia hora antes conversávamos alegremente e ela parecia perfeitamente serena... Mamãe morreu com setenta e oito anos: uma idade canônica no Mali, onde a expectativa de vida raramente vai além de cinqüenta anos. "Parada cardíaca", dirão algumas horas depois no Hospital Gabriel-Touré. Nenhum sofrimento. Não posso deixar de dizer que eles poderiam ter previsto, antecipado, mas o médico é formal:

— Ouça, senhor Keita, examinei sua mãe há exatamente dois meses; a se acreditar no que está escrito em seu prontuário, a não ser pelo diabetes, ela estava perfeitamente bem.

Continuo incrédulo.

— Mas, e o coração, doutor, o coração?

— Espere, deixe-me verificar. Aqui está. Em 29 de março último, fizemos um eletrocardiograma, o ritmo estava baixo, mas regular. Quanto à pressão, idem, ligeiramente inferior à normal, nada de alarmante também.

Não é possível... Se pelo menos tivessem conseguido explicar a extrema brutalidade de seu falecimento, dar uma boa razão, qualquer coisa, mas não, nada, nada, estou estupefato. Entre nós, na África, ninguém morre assim, nunca. Estamos acostumados com doenças, malária, longas agonias, septicemias, gangrenas, amputações e sei lá mais o quê... Mas morrer assim, na cama, e sem nenhum prenúncio, é impossível. É... uma morte de tubabo! Pelo menos, digo a mim mesmo, ela não teve tempo de sofrer. E, principalmente, eu estava ao seu lado. Graças ao meu inacreditável pressentimento, eu estava segurando a mão de minha mãe no exato momento em que ela se foi. Perdido em meus pensamentos, saio um momento para o corredor do hospital para tomar ar. E, de repente, me dou conta de que cheguei ao Mali vestido com um terno preto. Pela primeira vez...

Começa a procissão dos mais chegados ao Hospital Gabriel-Touré. Estão consternados, é claro. É tudo tão súbito, tão violento, tão fora do normal. Papai não tem forças para vir beijar sua mulher pela última vez. Sou eu, portanto, quem deve organizar o velório. Este é conduzido sob a autoridade dos griôs da família, como todas as passagens importantes de nossas vidas. Depois, sempre segundo a tradição, a melhor amiga de minha mãe procede à limpeza do corpo, que ela coloca, nu, dentro de uma mortalha. De manhã bem cedo, todos vão para a mesquita, onde o imã recita a prece dos mortos, que chamamos de *Salet Djaneza*. Sempre na tradição, o homem de fé conclui seu sermão dirigindo-se à assembléia desta maneira:

— Há alguém aqui a quem Founé Cissé devia dinheiro?

Um defunto, de fato, não pode ir para sua última morada se estiver devendo um centavo que seja. E então, acontece uma coisa excepcional, algo que nunca vi. Um homem de aproximadamente quarenta anos se levanta e pede a palavra ao imã:

— Estamos ouvindo, irmão.

— Pela graça de Alá, Founé não me deve nada, mas...

A assembléia prende o fôlego.

— Sou em quem lhe deve dinheiro.

Estupor nas fileiras.

— E isso não é tudo, devo-lhe também a vida, pois foi ela que me trouxe ao mundo.

Nunca esqueci aquele momento. Impossível imaginar homenagem mais bonita, sobretudo em um momento em que, com tanta freqüência, vi famílias se dilacerando por causa de antigos espólios, por alguns punhados de francos. Porque os africanos são capazes do melhor, mas também do pior... Minha mãe nada deixou além de imperecíveis lembranças no coração daqueles que cruzaram seu caminho...

Depois da mesquita, vem a hora de preparar os funerais. Um outro costume prevê que, para toda pessoa importante — minha mãe era uma parteira renomada —, a triste notícia seja anunciada nas ondas da rádio nacional: "Founé Cissé, de Misira, faleceu hoje. Os funerais terão lugar em tal dia, a tal hora e em tal lugar." No dia marcado, mais de duas mil pessoas acorrerão ao cemitério de Niarela. Três avenidas serão fechadas para a ocasião. Essa onda humana tem algo de grandioso. O espetáculo será tão marcante que ainda hoje, quando volto ao país, pessoas vêm comentar comigo, e muitas vezes pessoas que não conheço... Mas naquele dia, no cemitério de Niarela, não sou Capone, sou o filho de Founé.

Papai partirá cinco anos depois, com oitenta e dois anos. Nenhuma doença, nenhuma complicação, nada. Oficialmente, morreu de velhice, simplesmente esperando a sua hora, que "viessem buscá-lo", como ele sempre dizia com um sorrisinho apagado. Mas eu sei muito bem que a verdade é outra, e que ele morreu de tristeza e solidão. Meus pais eram como aqueles passarinhos que dizemos inseparáveis: quando um se vai, o outro se deixa morrer.

Quando soube de sua morte, eu estava na França. Mas desta vez não fiquei nem surpreso nem chocado. Era esperado, previsto, estava na ordem natural das coisas. Não se pode segurar alguém contra sua vontade. Papai viveu bem. Amou e foi amado, o que no início não era tão simples, pois seu casamento lhe foi imposto pelas tradições da época... E, depois, ele teve tempo de conhecer meus filhos, de nos ver felizes, com boa saúde e amparados.

De meu pai, guardo muitas coisas. A começar pela lembrança de sua generosidade. Ele nunca teve dinheiro, e o pouco que tinha dava sem contar. Para nós e para os outros, para todos que vinham pedir, e Deus sabe como eram numerosos. Lembro que isso tinha o dom de aborrecer minha mãe. Mas papai sempre lhe respondia: "Ajudar qualquer infeliz só pode enriquecer. E tudo o que você dá lhe será devolvido cem vezes mais." Sem dúvida, ele era um pouco ingênuo, bom demais. Incapaz de imaginar o mal. Foi um encontro tão feliz, o deles. Meu pai passava a vida distribuindo o que não tinha e minha mãe dava a vida. Essa generosidade é o mais belo legado de meus pais.

Meu pai, como todos os membros da família, foi enterrado no cemitério de Niarela. Ainda ouço suas palavras ressoando em meus ouvidos. Foi algumas horas depois da morte de minha mãe:

— Meu filho, certamente não vou ficar muito tempo mais por aqui. Sua mãe não está mais conosco, e não sei viver sem ela. E não tenho muita vontade de aprender. Agora, estou velho, muito velho; então, logo será a minha vez. É por isso que quero lhe dizer hoje o quanto me orgulho de você. Você teve uma bela vida, meu filho, conseguiu muitas coisas. Nunca lhe disse isto, mas eu gostaria de ter feito tudo que você fez. Não pude. Ou não soube. Mas não faz mal, você fez. Que Alá abençoe seu nome.

Meu pai nunca havia falado assim comigo. Eu estava abalado.

— A você, meu filho, eu confio o que tenho de mais caro. Quero que você me prometa que vai olhar por seus irmãos e irmãs. Quero que vocês se mantenham sempre juntos, unidos. E que vocês se amem como mamãe e eu amamos vocês. A família é o que há de mais importante, as raízes da vida. E nossas raízes, dos Keita, são muito bonitas. Então, prometa-me que cuidará bem delas.

Silenciou um minuto e, como costumava fazer, concluiu com um provérbio bambara:

— *Bènbeli so bonya o bonya, don kelen tumun don.* "Por maior que seja a família em que reina a discórdia, sua ruína é questão de um dia."

Em nossa terra, a responsabilidade de cuidar dos outros quando o patriarca morre normalmente recai sobre o primogênito. É seu papel, seu lugar e seu dever. No nosso caso, papai me designou. Ele me havia confiado a responsabilidade de sucedê-lo. Um gesto absolutamente excepcional. É claro que prometi a meu pai que respeitaria seu desejo. Eu estava comovido por ele ter me escolhido para representá-lo "além das nuvens", como gostava de dizer. Assim, desde que ele partiu, eu velo pela sorte da minha grande família...

❧ HISTÓRIAS DE JOVENS ❧

Como diz um provérbio que aprecio particularmente: "A maior prova de coragem não é morrer, mas viver." Então, vamos à vida, e de volta ao CPI!

É chegada a hora de olhar um pouco para trás. Primeira constatação: os meninos que mandam para nós agora são cada vez mais novos. Não é raro que tenhamos que cuidar de garotos de quinze, dezesseis anos, uma punhalada no peito. Segunda constatação: essas crianças são também muito mais duras do que as que as precederam. Quase todas já se houveram com a justiça, algumas já passaram pela casa de detenção, e a maioria ignora os códigos elementares de educação. Para elas, "bom-dia", "até logo", "obrigado", "por favor" soam como uma língua estrangeira. No CPI, você pode passar por um jovem dez vezes no mesmo dia, olhar para ele, cumprimentá-lo, ele não responderá. Aos olhos dele, você é transparente. Não é desprezo, é algo mais simples, e mais grave: não diz nada porque nunca lhe ensinaram, ou foi há tanto tempo que ele já esqueceu. Acontece-nos até mesmo de receber adolescentes que não sabem se lavar. Ou, mais exatamente, que não têm consciência da necessidade de se lavar. Sejam os dentes, as mãos, os cabelos ou o corpo. Não farão nada espontaneamente, nada sem que ordenemos, e toda noite temos que repetir as palavras mais elementares. Há também os que se deitam sem tirar a roupa, os que nunca usam roupa de baixo, os que comem com as mãos, os que não dormem com lençóis, os que nunca pensam em limpar o traseiro depois de terem ido ao banheiro... Às vezes temos a impressão de estar diante de crianças selvagens, daquelas criaturas que antigamente se encontravam nas florestas. Menino-lobo, menino-pantera, menino-urso... Inútil procurar explicações intelectualmente elaboradas, a resposta é sempre a mesma: ausência total ou quase total de educação. Para as mesmas causas, as mesmas conseqüências... Mas, por mais que convivamos com isso, nunca conseguimos nos acostumar.

Dito isso, devo confessar que, às vezes, junto com as lágrimas vem o riso desbragado. Lembro-me de Benjamin, dezesseis anos, que, sem que soubéssemos por que, colocava duas cuecas, uma por cima da outra. De Olivier, dezessete anos, que descobrimos que se lavava com a esponja da cozinha! Da bela Sophie, que tosou seus cabelos a golpes de estilete porque estava com piolhos e ignorava que havia outros modos de agir. Menos engraçado, Arnaud, que tivemos que levar com urgência ao hospital porque havia engolido alguns goles de detergente. Desejo de morrer? Alguma grande frustração? Não, ele estava, simplesmente, com prisão de ventre... Lembro-me também de Clémence, enviada para o nosso centro porque havia fugido de todos os abrigos precedentes. Como Arnaud, ela também foi levada à emergência. Por causa de suas orelhas... Como as achava um pouco exageradas, aplicou-lhes Super Bonder.

Imagine o estrago... Malek, por sua vez, achava seus cabelos crespos demais. A solução? Colá-los atrás, de maneira que não se levantassem mais. Super Bonder de novo, em toda a cabeça. Resultado: navalha zero durante um ano e o couro cabeludo severamente comprometido... Uma outra moça, morena, sonhava em ser Marylin Monroe. Para descolorir os cabelos, esvaziou uma garrafa inteira de água sanitária na cabeça... e ficou completamente careca.

Há também aqueles que não conseguem mais andar normalmente. Seja porque roubaram os tênis novos de alguém sem imaginar que poderiam não ser do tamanho certo. Seja porque preferem sofrer dentro de sapatos que não lhes cabem, mas que, pelo menos, têm a vantagem de estar na moda. É que qualquer coisa é melhor do que se passar por cafona entre os amigos.

Entre todos esses profundamente feridos pela vida, há alguns que jamais esquecerei. Como Catherine, uma beninense. Abandonada ao nascer, ela foi enviada para um orfanato e adotada aos três anos por um casal de franceses. Infeliz escolha. O pai adotivo se afunda no álcool e bate em tudo que vê pela frente; a mãe começa a se prostituir. Haveria pessoas melhores para acolher uma criança abandonada... Desta vez, a DASS, o orgão governamental responsável pela proteção à infância, normalmente vigilante, passou ao largo. Catherine é deixada à própria sorte, e o inevitável acontece: tentativas de suicídio, violências, descaminhos... Internação automática no centro. Ficará seis meses conosco. Figura angelical, temperamento forte, inteligente e viva, mas revoltada e irascível — em seu lugar, como não sê-lo? Catherine é um vulcão em permanente erupção. Personalidade cativante mas complexa, difícil de conduzir. Um metro e sessenta de nitroglicerina pura: chegar perto demais é correr o risco de ser agredido fisicamente. Apesar de tudo, com grandes reservas de paciência e de perseverança, conseguimos reescolarizá-la, para que completasse o ensino fundamental. Aos dezesseis anos, é verdade, mas a menina pega tudo rápido, muito rápido, por menos que queira se esforçar. Revi Catherine por acaso, há dois anos. Em uma farmácia, perto de minha casa. Ela me reconheceu? Não sei. Mantive-me discreto e não disse nada, simplesmente porque não quis lembrar-lhe daqueles meses sombrios. Reconheci-a primeiro pelo rosto, por aquela expressão tão particular que sempre vi no fundo de seus olhos, uma mistura de revolta, orgulho e dor. Mas como não tinha certeza, baixei os olhos até o crachá que trazia sobre a blusa branca. Nele, estava escrito: "Catherine M., doutora em farmácia."

Mais ou menos na mesma época, um rapaz nos foi confiado pelo juiz da infância. Consulto seu dossiê. Rachid, quinze anos, órfão de pai, mãe maníaco-depressiva. Mais um caso clássico. É um adolescente discreto, sonhador e extremamente sensível, mergulhado em seu mundo. Nenhuma incivilidade dirigida a quem quer que seja. Nada a ver com os outros. Rachid é tão limpo e cuidado quanto seus companheiros são cascudos. Apagado, mas desenvolto quando pode ficar em evidência, representar um papel, experimentar as roupas das meninas. É, parece-me, o único homossexual da história do CPI, pelo menos o único assumido. À noite, em vez de se masturbar como seus companheiros de dormitório, ele raspa meticulosamente o corpo e se enche de todo tipo de cremes. Um, eu me lembro, cheirava à manteiga de karité que, quando criança, eu ia buscar em Kita com Boli.

Qualquer diferença marginaliza, e até exclui. Mais ainda entre os adolescentes. Rachid não é exceção à regra. Quando os outros meninos descobrem sua natureza, fazem com que pague caro, muito caro. Trotes, torturas mentais e físicas acabaram por levá-lo a desejar a própria morte. Graças a Deus, cheguei a tempo de introduzir dois dedos em sua garganta e fazê-lo vomitar os produtos de limpeza que havia acabado de ingerir. Mas, se consegui salvar-lhe a vida, não pude impedi-lo de, algumas semanas depois, cair na prostituição. Um risco bem conhecido no caso desse tipo de adolescente. Várias vezes, de madrugada, vi-o voltar ao centro de minissaia de oncinha e espartilho, peruca mal encaixada e maquiagem borrada. Rachid havia sido enviado para ficar seis meses conosco. Ao fim de dois meses, teve que ir embora. Apesar de toda a nossa atenção, não podíamos garantir sua segurança. O assédio de que era vítima tornava-se constante, insuportável, e a crueldade exercida contra ele, sem limites. Por mais que sejamos profissionais, nada é mais rápido do que uma navalhada no meio da noite. E nada se apaga mais rápido do que o remorso. Fim do episódio Rachid, um episódio doloroso. Enviado a um outro centro, talvez um pouco menos violento.

Felizmente, o epílogo é mais bonito... Muitos anos mais tarde, para festejar nosso aniversário de casamento, levo Marie a um templo da noite parisiense, Chez Michou, um cabaré da colina Montmartre que eu havia descoberto ao chegar a Paris. Os números se sucedem, Marie e eu rimos às gargalhadas. O mestre-de-cerimônias vem ao palco, pega o microfone e anuncia.

— Senhoras e senhores, peço-lhes agora uma salva de palmas para a grande, a única, a sublimíssima Dalida!

A cortina se abre... Longa cabeleira loura e vestido colante de cetim... Rachid. Ao fim do espetáculo, Marie me incentiva a ir cumprimentá-lo no camarim. Mas eu me recuso. Como com Catherine, a farmacêutica, não quero perturbá-lo. E menos ainda lembrar a Rachid/Dalida uma época que ele certamente deseja esquecer. Mas saí com o coração em festa. Obrigado, vida!

Impossível também lembrar de Rachid sem pensar em Alain. Outro menino, outro motivo para internação no centro: seus pais "simplesmente" não têm meios para educá-lo. Outro caso clássico... Desemprego, ociosidade, depressão, álcool, e nem mais um centavo no bolso no meio do mês, os oficiais de justiça, os cortes de luz, a rua ou o suicídio... Ao dizer "meios", é preciso deixar claro que não se trata apenas de dinheiro, mas também de meios psicológicos e intelectuais. Uma "pena dupla", de todo modo, como se um infortúnio já não fosse o bastante. Todo mundo já ouviu falar disso, mas é bem difícil imaginar a situação em todos os seus desdobramentos.

Quando o recebemos, Alain tem seus quinze anos. Apresenta um retardo mental grave. Exprime-se como uma criança de sete anos. Mal sabe dizer "olá", não conhece a palavra "obrigado" e nunca olha de frente para alguém. Quanto à higiene... Será que alguma vez ela existiu em sua família? É impossível pensar em fazê-lo seguir uma escolaridade normal. No máximo, poderemos ensiná-lo a escrever... E isso não é tudo: Alain também não foi bem aquinhoado pela natureza.

Cabeça de coruja sobre um enorme pescoço magricelo, nariz grande e arqueado, orelhas de abano, e uma acne tão voraz que cobre o seu rosto inteiro. Perguntamo-nos sob que estrela esse pobre garoto terá nascido. Por todas essas razões, é a vítima ideal de nossa malta de adolescentes sádicos. Como Rachid, ele não poderá ficar conosco porque corre perigo. E, como ele, dará uma bela rasteira no destino.

Alain, com efeito, se tornará um astro em sua área, o *bodybuilding*. Uma paixão que o arrebatou depois de sua passagem pelo centro, e graças à qual ele conseguiu superar todas as suas limitações. Premiado em inúmeros concursos, de Paris a Los Angeles, passando por Atenas e Sydney, ele se valeu da notoriedade adquirida no reino do fisiculturismo para ser contratado como guarda-costas do *jet-set*. E foi assim que, no CPI, acostumamo-nos a trabalhar sob os olhares de quase todas as celebridades do planeta, pelo menos daquelas que Alain havia protegido e cujas fotografias autografadas sempre nos enviava. Johnny Hallyday, Alain Delon, Jean-Paul Belmondo, Isabelle Adjani, Catherine Deneuve, Michel Platini, François Mitterrand, Jacques Chirac... Mas também Tina Turner, Pamela Anderson, Robert Redford, Barbra Streisand, Liza Minelli, Ray Charles, James Brown, Sharon Stone, Madonna... A lista é imensa. Uma dessas fotos autografadas me deixou particularmente enciumado... Nela está o nosso garoto brindando, com a maior naturalidade do mundo, com os dois ídolos de minha juventude, Aretha Franklin e Diana Ross, as rainhas da Motown! Meus olhos quase saíram das órbitas.

A bela história de Alain não termina aí. Um dia, recebemos mais um envelope dele. Abrimos, gracejando: quem vem lá, desta vez? Quem mais ele encontrou para nos surpreender? Michael Jackson? Pelé? Mohamed Ali? Nelson Mandela? Estávamos longe de sequer imaginar... Do envelope sai uma fotografia em que vemos Alain ao lado de João Paulo II. O sumo pontífice e ele posam em frente a uma imensa escrivaninha, ambos de pé, e, detalhe que não deixamos de observar, a mão direita do Santo Padre está posta sobre o antebraço esquerdo de nossa vedete, como bons e velhos amigos que se reencontram. Na série "Sou amigo das estrelas", difícil superar esta... Depois de nos ter feito rolar de rir, voltamos à fotografia. Como de costume, Alain rabiscou algumas palavras com sua escrita precária. E, então, a cereja do bolo... "Olá, toda equipe do CPI! Uma grande saudação a Capone. Penso sempre em você e espero que tudo esteja bem. Comigo, tudo bem. Escrevo-lhes de Roma, aonde vim trabalhar em um concerto. Graças a amigos, consegui ver o papa e me aconteceu uma coisa engraçada: tive uma iluminação. Minha vida mudou, e agora decidi me consagrar a Deus. Até a próxima, do seu Alain." A vida já me havia trazido muitas surpresas, mas dessa vez fiquei estarrecido! Com que, então, o fisiculturismo leva a tudo... até mesmo ao papa, até mesmo a Deus!

Infelizmente, o *happy end* nem sempre acontece no CPI, longe disso... Para ser honesto, preciso citar outros nomes, contar outros fragmentos de vida que me marcaram tanto quanto os precedentes, mas não do mesmo modo.

Bernard. A lembrança mais penosa, mais dolorosa de minha carreira. Muito conhecido tanto pela polícia quanto por nossos serviços, este rapaz de dezessete anos tem um pesado passivo psiquiátrico e jurídico. Especializou-se em assaltos e em roubo de carros. Não qualquer carro, apenas os modelos esportivos ou de alto luxo, que dirige sem habilitação, é claro... É um maioral. Mais do que um ladrãozinho, uma figura respeitada no meio. Somos sua última chance. Se fracassarmos, ele volta para a casa de detenção. Mas, desta vez, por muito tempo...

Certa manhã, Bernard desaparece. Até aí, nada fora da rotina. Uma noite em que estou de plantão, ouço o ronco de um motor possante, chego até a janela e vejo-o chegar ao volante de um esplêndido cupê. Faço sinal para que suba, mas nada, nenhuma resposta. Ele não se mexe, e olha para mim com um sorrisinho no canto dos lábios, manifestamente muito orgulhoso de si mesmo. Depois de ter me certificado de que os outros estão dormindo, coloco um casaco e um chinelo, e desço para encontrá-lo, decidido a lhe exigir uma explicação convincente. Adoro minha profissão, gosto muito do filho-da-mãe, mas desta vez ele está começando a me dar nos nervos. Não consegui chegar até o pé da escada. No meio dos degraus, dou de cara com ele. Ou melhor, com eles: Bernard e a espingarda de ar comprimido cujo cano ele pressiona em minha garganta!

Em todos os anos que passei na PJJ, foi a única vez que vi a morte de perto. Friamente abatido por aquele menino grande e desengonçado que nem barba tinha. A cena não foi longa. Apenas dez minutos... O diretor, que tinha um alojamento funcional em cima do dormitório, havia alertado o Serviço Regional de Polícia Judiciária de Versailles. Vieram quinze policiais, encapuzados como em um seriado policial de televisão. Mas não era ficção. Eu estava correndo o risco de deixar viúva e cinco órfãos. Tudo aconteceu muito rápido, pularam em cima dele vindos de todas as partes, de cima, de baixo, dos lados, de todos os sentidos, também como em um filme, mas um filme ruim. Bernard não opôs nenhuma resistência. Não tinha visto eles chegarem, não tinha como enfrentá-los e, de todo modo, estava impossibilitado de esboçar qualquer gesto de reação por conta da quantidade de maconha que havia consumido. Acho que nunca abençoei tanto as virtudes flutuantes desse vegetal como naquela noite.

Dez minutos é muito tempo. Dizem que a morte é fria. Não sei. Mas posso afirmar que o cano de uma arma enfiado na garganta é glacial. Não sei se tive medo. Lembro que meu primeiro pensamento foi para Marie, as crianças, e Boli... Na verdade, não tive realmente tempo de sentir medo. Talvez porque estivesse concentrado demais em encontrar algo que pudesse dizer. Ninguém tinha me ensinado, percebi por instinto: era preciso falar o tempo todo, não permitir que o fio se rompesse, custasse o que custasse. Não deixar Bernard viajar sozinho, à deriva, prisioneiro de seus fantasmas. Tentar trazê-lo à razão. Ou, antes, apaziguá-lo.

Eu conhecia bem o filho-da-mãe, ele estava conosco havia dois meses. Já tínhamos conversado muito. Sobre tudo, mas principalmente sobre ele. Seu percurso, sua família, a mãe que tinha se prostituído antes de cortar os pulsos, o pai que o havia espancado tantas vezes... De sua irmãzinha, a última pessoa que ainda lhe dava vontade de se apegar a algo. Chamava-se Caroline, tinha quatro anos e Bernard a adorava. Ele queria tirá-la das garras maléficas do pai e levá-la para longe, protegida. Para lhe dar as oportunidades que ele nunca teve. Tudo isso com apenas dezessete anos. Era só quando falava dela que Bernard usava o verbo no futuro, um tempo que não usava para si mesmo havia muito tempo. Ele me dizia: "Mais um assalto, um grande golpe, e vou parar. Então, vou buscar Caroline, e nós dois iremos para bem longe..."

Naquela noite, falei-lhe de sua irmãzinha. Quanto mais eu falava, mais ele se acalmava. Será que, ao menos, ele estava me ouvindo? Estava determinado? A quê, aliás? A matar? Não creio. A me matar? Não, com certeza não. Conhecíamos bem um ao outro, eu havia passado muitas noites o ouvindo, ele havia depositado confiança em mim. Acho que posso afirmar que ele gostava de mim. Seja como for, sei que me respeitava porque eu o respeitava. É por isso que, quando penso naquela noite, lembro-me principalmente do medo dele. Não de mim, não, mas dele mesmo e das conseqüências de seu ato. Ele havia entendido que nunca mais veria a irmã.

A interpelação: os gritos de Bernard que rasgam a noite, a calma e a rapidez dos homens de preto, os outros meninos descendo a escada correndo, assustados, todas as luzes se acendendo, o cortejo das viaturas da polícia... E, de repente, o silêncio. Um silêncio impressionante, opressivo. Fim da cena; circulando, não há mais nada para ser visto. Fico ali, petrificado, na escada. Incapaz de me mexer ou de dizer o que quer que seja. Falam comigo, não consigo entender nada. Sinto muito frio, meu corpo está gelado e rígido. Depois, com o passar das horas, a máquina volta a funcionar, lentamente, como uma bomba em que se coloca água.

Algumas horas depois, aconselham-me a não vir trabalhar. Discordo. Ao contrário, é preciso que eu volte o quanto antes, para não ter tempo de remoer o que aconteceu. Portanto, retomo o serviço na mesma noite, como se nada tivesse acontecido. E recebo a visita do prefeito e do delegado. O primeiro faz questão de me parabenizar por meu "sangue-frio exemplar", e o segundo me informa que o fuzil não estava carregado... Bernard sabia disso? Estou convencido de que não. Ele não teria sentido tanto medo.

À espera do julgamento, ele será levado para a detenção. Mas não em um hospital psiquiátrico, um erro que custará caro. Menor na ocasião do ocorrido, ele pega dez anos, dos quais dois com *sursis*. Finalmente, cumpre apenas três, pois foge com um de seus companheiros de cela. Alguns meses depois da fuga, é preso novamente. Seu caso se agravou ainda mais, pois nesse ínterim houve assassinato: um casal de aposentados cuja casa ele estava roubando. Processo, julgamento e prisão. Perpétua, dessa vez, com uma pena inapelável de vinte anos. Esta também ele não cumprirá integralmente, longe disso. Bernard se enforcará na cela quatro meses depois de sua condenação. Sem nada deixar para trás, a não ser uma carta quase indecifrável dirigida a Caroline. Tinha vinte anos. Vinte anos e quatro meses, mais exatamente.

Desse episódio, mais do que o medo, guardo dentro de mim um travo de amargura: nós, educadores, fracassamos. Não conseguimos impedir que esse menino naufragasse. Ele partiu sem nunca ter experimentado uma vida normal, sem sequer ter conseguido imaginá-la. Quinze anos depois, sua morte continua a me assombrar... Poderíamos tê-la evitado? Onde começam, mas, principalmente, onde terminam as nossas responsabilidades? Perguntas que nunca cessamos de nos fazer.

★★★★

Outra história, outro drama. O de Mathias, dezesseis anos. Mathias nos foi encaminhado porque seus pais não estão aptos para cuidar dele. E porque cometeu alguns delitos. Nada de muito extraordinário. Um menino inteligente, até mesmo brilhante, taciturno, que se recusa a se misturar com os demais. Uma única paixão, um único sonho: a conquista do espaço. Nada digno de nota além disso. A rotina, portanto. Até aquela noite. São aproximadamente duas da manhã, a noite foi relativamente calma, as luzes estão apagadas há muito tempo e todos parecem dormir profundamente. De repente, ruídos chamam a minha atenção. Levanto-me, acendo a lanterna e vou verificar. Vem da cama de Mathias. Aproximo-me dele bem devagar e apuro os ouvidos. Ele está agitado, sacode a cabeça, fala dormindo, balbucios ininteligíveis. Espero mais um pouco, ele parece ter se acalmado, volto para o meu quarto. Quinze minutos depois, começa tudo de novo. Mas, desta vez, os sons estão amplificados, tenho até mesmo a impressão de ter ouvido gritos. Levanto-me novamente, é Mathias. Sacudo-o, ele murmura uma última coisa, e silencia. Duas horas depois, novo alerta. Mathias de novo. Mas, desta vez, ele está especialmente agitado. Quando chego a sua cama, encontro-o encharcado, com uma inacreditável expressão de dor em seus traços infantis. Por pouco eu não diria que está enfeitiçado, como já vi no Mali. Debruço-me sobre ele. Ele geme, não pára de gemer. Sofre tanto que dá medo. Impossível compreender o que está dizendo. Mas algumas palavras se repetem: "Mamãe... Não... Crianças... Quero ver as crianças..." Estranho. Estou acostumado a ouvir as palavras mais surpreendentes e escabrosas, mas aquelas... Uma voz interior me interpela. Preciso entender o que está acontecendo, tenho que acordá-lo.

— Hein? O quê? Capone?

— Tudo bem, Mathias? Você está se sentindo bem? Teve um pesadelo?

Ele me olha, confuso, sacode a cabeça. E, subitamente, começa a chorar, lágrimas aos borbotões. A dor dele dói em mim. Faço-lhe perguntas, procuro acalmá-lo, mas não há nada a fazer. Ele parece corroído por dentro por um mal invisível. Não posso deixá-lo assim.

— Levanta, Mathias!

— Por quê?

—Vamos tomar alguma coisa lá embaixo.

Ele recusa, mas não lhe dou escolha. Descemos, tomamos um refrigerante, comemos um tablete de chocolate, e eu o convido para vir comigo ao meu quarto. Não é um gesto recomendado, em nossa profissão. Temos que saber preservar nosso próprio espaço. Estabelecer uma fronteira entre eles e nós não é apenas uma questão de postura, mas uma regra essencial para manter a autoridade. É bem verdade que eles não são prisioneiros, tanto quanto não somos carcereiros, mas os perigos são onipresentes. Mal senta à minha frente, Mathias volta a soluçar. Estou emocionado e, mais do que isso, fico perplexo. Ignoro por que, mas pressinto algo de grave.

— O que está acontecendo, menino, você quer me contar?

Nenhuma resposta. Peço-lhe, então, que olhe para mim. Ele continua sem reagir. Fiel aos meus hábitos, começo, então, a falar de coisas sem importância. Falo sozinho, preencho o espaço, faço graça. Digo-lhe tudo que me passa pela cabeça, falo de minha terra, da África, de meus projetos... Em resumo, deixo-o vir até mim como quiser, no seu ritmo. Mas ele continua não reagindo...

— Estou aqui para ouvi-lo, Mathias. Você não tem nada a temer, pode conversar comigo livremente. Aqui ninguém o julgará, olhe para mim, Mathias, olhe para mim!

Então, finalmente, ele levanta o rosto. E sou fulminado... Fulminado pelo que leio no fundo de seus olhos. Ele me faz lembrar um provérbio de minha terra: "Um homem que se afoga se agarra à água." Mas ele começa a se abrir. E, de repente, sou em quem não consegue mais falar... Mathias, de apenas dezesseis anos, tem dois filhos. Uma menina de três anos e um menino de um ano e meio. Não conhece o segundo. Há dois anos não vê sua filha mais velha. Estou abismado. Nunca me vi diante de uma situação assim, e já vi muita coisa nesta vida. Tento me antecipar, mas não me ocorre mais nada, não sai mais nada, o silêncio se impõe. Insistir seria torturá-lo. Acompanho-o de volta até o dormitório e volto ao meu quarto, desarmado.

Apenas meia hora depois, um barulho chama novamente a minha atenção. Levanto-me, percorro o dormitório com os olhos... Mathias não está mais lá, ele desapareceu. Acendo rapidamente a luz e vejo-o abrindo a janela, com o lençol amarrado em volta do pescoço, prestes a se enforcar no vazio. Grito: "Mathias!" Olho para ele, ele olha para mim, nenhuma palavra. Mas aquele olhar... Aquele olhar... Então tudo se acelera. Pulo sobre as camas, corro, mergulho em cima dele, seguro-o no chão como um jogador de rúgbi e afrouxo como posso o nó do lençol. Em seguida o levo para o meu quarto, carregando-o nos braços. Ele está lívido e frio. Um afogado, mais uma vez... De sua boca arroxeada não sai mais nenhum som, mas as lágrimas escorrem de seus olhos fechados... A imagem é terrível. Difícil pôr em palavras. Não tenho como me conter. Desta vez, preciso saber. Mesmo que seja preciso bater nele. Mas não precisei fazer nada... Tudo saiu de uma vez só, como quando se tem convulsões.

Tudo? Poucas palavras, na verdade, mas que palavras! A mãe dos dois filhos de Mathias é sua própria mãe. Essa mulher, toxicômana devastada por coquetéis medicamentos-álcool, o proibiu de revelar sua história. O menino, portanto, guardou segredo... Até aquela noite em que as muralhas internas cederam de uma só vez sob o peso da dor. Uma barragem que se rompe, liberando milhões de metros cúbicos de águas furiosas...

Mathias não se tornou astronauta, mas hoje trabalha em uma pequena cooperativa de serviços que ele mesmo montou. Casou-se e tem dois filhos. Dois outros filhos...

✵ UMA BIBLIOTECA ✵
EM MISIRA

2002: ganharemos mais um instrumento para nossa equipagem de salvamento, a que chamamos "temporadas de ruptura". A iniciativa é de Jacques Toubon, então ministro da Justiça. Com seu incentivo, são criados as UEER, mais uma sigla cabalística, Unidades Educativas de Enquadramento Reforçado. A idéia é levar um pequeno grupo de jovens para longe de seu meio habitual para que vivam e trabalhem, por um determinado tempo, neste caso sete semanas, em alguma obra útil para a coletividade. Uma idéia talhada para mim... Finalmente vou poder realizar um projeto que tenho em mente há muito tempo. Ajudar esses jovens ajudando os meus, lá em Bamako. Em outras palavras, matar dois coelhos com uma só cajadada.

De tanto pensar na idéia, uma palavra acaba se impondo: biblioteca. Livros são conhecimento. Conhecimento é instrução, e a instrução é a melhor maneira de permitir que uma criança construa um futuro para si. Nunca esqueço o quanto a escola me fez falta quando eu era um menino de seis anos que perguntava a si mesmo o que fazer para ajudar Boli. O projeto tem nome, resta construí-lo. O objetivo é que todos se beneficiem: os educadores como responsáveis pelo projeto, os jovens com o trabalho que farão no local, e os malineses com o que deixaremos para eles. A equipe que vou liderar é rapidamente constituída: três educadores e cinco jovens de dezessete a dezenove anos.

Há Oscar, um menino diabético insulinodependente cujo pai morreu e que, antes de vir para o centro, vivia só com a mãe. Quando foi pego por pequenos delitos, sua mãe havia solicitado uma medida de assistência social, mas quanto mais ele era acompanhado, mais se afundava — curiosamente, sem nunca deixar de seguir com atenção o tratamento demandado por sua doença. Foi solicitada sua internação. Tem dezessete anos e meio, nenhum projeto escolar, mas um sonho: ser instrutor de auto-escola.

Mamadou, dezoito anos, foi encaminhado ao centro por ter agredido o padrasto: ele o odeia tanto que quis impedir que a mãe dormisse com ele. O padrasto apresentou queixa. Mamadou é de ascendência malinesa e nunca esteve no Mali. Trabalhou em um McDonald's, depois começou os cursos de formação para o comércio, mas parou antes dos exames.

Alexandre é um francês-francês. Está internado desde a tenra infância, vítima do padrasto que o molestava. Um comportamento que reproduziu. Não é exatamente violento, mas não suporta nenhuma restrição. Um adolescente fugidio — e fugitivo.

Tahar é de origem tunisiana. É um delinqüente barra-pesada, com um longo passado de muitas reincidências. Não respeita nenhum adulto. Está no centro por ter sido declarado culpado de ameaças de morte, armado de faca.

Benoît é de origem italiana. De pai desconhecido, vivia com a mãe, porteira de um prédio. Quando começou a cometer pequenos delitos, a mãe o acobertou. Fazia vista grossa e escondia os objetos roubados. Foi um colega quem advertiu o comissariado, por seu comportamento violento. Ele havia se tornado o terror do bairro, a ponto de o delegado solicitar sua internação.

A aventura no Mali, sobretudo com nossos patinhos feios, não pode ser improvisada. Há muitos riscos e muita coisa em jogo. Previmos nove meses para preparar a temporada. Começo por submeter propostas de formação a meus superiores, que, fato excepcional, irão aprová-las sem regatear. Trata-se de habilitar os jovens para dirigirem automóveis e caminhões, para tirarem a carteira nacional de socorrista e o BAFA (Brevê Nacional de Animador Sociocultural). Em seguida, encaminhá-los para o aprendizado dos ofícios necessários à construção de nossa biblioteca — telheiro, pedreiro, marceneiro e pintor. E concluir com um treinamento físico intensivo de sete semanas. Uma vez aceitas as minhas propostas, não vou mais deixar minha afinada equipe em paz. Não sairei de seus calcanhares. Vou me esforçar para motivá-los, incentivá-los, perturbá-los, em resumo, fazer as coisas de modo que eles não larguem o leme de nossa embarcação.

Os conflitos e tensões não tardam a irromper. Tahar, por exemplo, recusa-se a parar de cuspir por todos os lugares aonde vai, nos corredores, nos elevadores. Para que ele entendesse, tive que organizar uma reunião geral em que as pessoas lhe expuseram seu ponto de vista. Em suma, nada demais. Era esperado.

Não se pode pedir a esses jovens que façam tanto esforço e recebam tanta informação em tão pouco tempo sem que explodam. Não se desligaram completamente da escola há tanto tempo? Então, por que perder tempo misturando cimento quando se pode ganhar cem vezes mais com receptação? A licença de socorrista e o BAFA, em compensação, são ótimas surpresas para eles: o que pode ser mais divertido do que nadar em uma piscina com meninas bonitas? E nem estou falando das técnicas de reanimação, das massagens e da respiração boca-a-boca que têm que aprender... Mas o que mais interessa a eles, de longe, é seguramente aprender a dirigir. Todos se imaginam ao volante de esplêndidos carros. Sonhar é de graça.

E quanto à perspectiva de uma viagem ao Mali? Estão muito felizes por partir, é verdade, mas não por razões nobres... Eles pensam no avião que vão pegar pela primeira vez, no sol, nas belas africanas... E em deixar o CPI, onde se sentem prisioneiros. Por enquanto, não se pode dizer que estejam muito mobilizados pelo projeto. Apesar de tudo, nossa pequena tropa avança. Não muito rápido, mas avança. Seu motor mais eficaz, confesso que não havia imaginado isso, é a competição. Seria pouco dizer que meus cinco valentões estão orgulhosos! Assim, desde que Oscar, por exemplo, tirou sua carteira de habilitação, os outros se esfalfam para conseguir o mais rápido possível o CAP, Certificado de Aptidão Profissional, uma forma de se fazer importante, naturalmente. Quanto mais competirem nesse campo, mais cedo estaremos municiados para nossa aventura africana.

Dois meses antes da partida, aciono a última etapa: a coleta de livros. Construir uma biblioteca é ótimo, mas não serve para muita coisa se não houver nada dentro dela. Essa parte também se revela trabalhosa. Faço questão de que os jovens assumam eles mesmos esta última parte da preparação. Sendo mais claro, quero que eles se virem para conseguir os livros e cadernos de que precisaremos lá. Vejo nisso uma excelente maneira de envolvê-los no projeto, dando-lhes uma oportunidade de recuperar um pouco da auto-estima que perderam.

Em um primeiro momento, é preciso ensinar-lhes a determinar nossos parceiros em potencial: editores, gráficas, livreiros, associações, um verdadeiro trabalho de prospecção. Depois, ensinar-lhes como conseguir um encontro, como apresentar nosso projeto, como fazer com que seus interlocutores se disponham a nos dar uma mãozinha. Uma verdadeira estratégia de marketing. Para a maioria de nós, esse tipo de formalidade é dispensável. Para eles, trata-se de retomar tudo do zero: escolher a roupa adequada, cumprimentar, comportar-se corretamente, não cometer desvios de linguagem. Mais difícil ainda, desenvolver uma argumentação clara e estruturada, responder às perguntas sem se perder ou se tornar agressivo, pois a provocação é a única linguagem que, até o presente, eles têm em comum. Em resumo, uma quantidade enorme de coisas que os afligem, porque se acham incapazes. Nesses momentos, no cerne do projeto, é crucial não abandoná-los. E não os abandonamos um só segundo... Resultado: meus jovens conseguem a doação de centenas de obras e alguns milhares de borrachas, lápis, canetas hidrográficas e esferográficas. E isso não é tudo: conseguem também, com um editor, quatro mil manuais escolares e cinco mil cadernos pela metade do preço. Para uma primeira tentativa, é um enorme sucesso! Quanto ao resto: cem por cento de aprovação para a carteira nacional de socorrista. De cinco, três obtiveram o BAFA. Quatro tiraram a carteira para automóvel e um para caminhão. Quanto à especialização profissional e ao treinamento físico, todos são considerados aptos para o serviço.

Chega o dia D, o dia do embarque para Bamako. Sete semanas de trabalho obstinado nos esperam em campo. A temporada não será nada fácil, mas eles ainda não sabem disso. Vigilância máxima...

Lá, não me hospedo com minha família. Naturalmente, vou em casa saber das novidades, ajudar no que for preciso ou levar dinheiro, mas faço questão de que fiquemos os nove juntos, em regime fechado. No espírito da seleção francesa de futebol de 1998. E quando uma equipe se prepara para uma Copa do Mundo, não se pode tirar o olho dos jogadores, é preciso que todos se mantenham unidos e solidários. É o preço a pagar pelo sucesso. É claro que não tenho em minhas fileiras o Zizou da espátula nem o Barthez da furadeira, mas nada impede que eu me sinta o próprio Aimé Jacquet de Misira. Por isso aluguei um grande sítio com piscina e sala de musculação, situado a algumas centenas de metros do lugar onde vamos construir a biblioteca. A minha Clairefontaine, de certo modo.

Logo na manhã seguinte à nossa chegada, estabeleço um plano de vôo preciso. Ninguém se torna campeão do mundo assim, sem mais nem menos. Nem em Misira! Sigo à risca os preceitos de são Jacquet: despertar todos os dias, menos domingo, às cinco e meia. Chegar ao canteiro de obras às seis e quinze, iniciar os trabalhos às seis e meia, pausa de quinze minutos às dez horas, e mais três horas de trabalho. Treze horas, fim dos trabalhos, lavamos e arrumamos o material. Uma e meia, almoço; duas e meia às quatro e meia, sesta; quatro e meia às dezenove horas, folga; sete e meia, jantar; descanso até nove e meia, hora de apagar as luzes. Às dez horas, todos devem estar roncando.

O método dará seus frutos, pois nossa Copa do Mundo, a biblioteca de Misira, será entregue a tempo, ou seja, sete semanas depois de iniciada a obra. Sob as ordens de um mestre-de-obras da Associação Francesa dos Voluntários do Progresso, a AFVP, uma ONG que atua desde 1963 em todas as ex-colônias tricolores, meus pequenos operários-soldados fazem um trabalho admirável. Hoje, oito anos depois, nossa obra continua de pé. Melhor, foi ampliada com novas estantes e aproximadamente cinco mil obras suplementares, a maioria das quais obtidas gratuitamente.

Que orgulho! Um orgulho imenso! Primeiro para os meus meninos, que essa esplêndida aventura humana mudará profundamente. Pela primeira vez na vida, eles foram até o fim de um projeto, da concepção ao arremate, do primeiro ao último dia. Foi-lhes confiada uma missão e eles a cumpriram com louvor. O que poderia haver de melhor para adquirirem o respeito por si mesmos que sempre lhes fez tanta falta? Melhor ainda, também se sentiram úteis e importantes, e a mais bela recompensa encontraram nos olhares admirados e amorosos das crianças de Misira. Daqueles olhares que valem por todos os agradecimentos do mundo... Nenhuma taça, nem mesmo a da Copa do Mundo, poderá substituir aqueles olhares. Outra razão de alegria: todos, sem exceção, se apaixonaram por meu país. Apesar do calor sufocante, apesar da dificuldade do trabalho, das longas jornadas, da diarréia que abaterá todos eles, apesar do banzo que os acometerá à noite, ao se deitarem, tão forte que às vezes chegam às lágrimas — mesmo com dezoito anos, mesmo tendo passado pela prisão, são capazes de querer a mãe, e temos, então, que levá-los para telefonar para a França, para acalmá-los e elevar-lhes o moral —, apesar de tudo isso, eles adorarão o Mali. O que de melhor eu poderia sonhar? Eu, que nunca havia ido à escola, acabava de construir uma biblioteca no mesmo lugar onde cinqüenta anos atrás eu vasculhava lixeiras...

Mas o maior sucesso da operação se tornará visível com o tempo, depois do retorno à França. Dos meus cinco jovens, quatro saíram-se magnificamente bem. Acabaram-se as fugas, as drogas, o tráfico, a violência. Em resumo, tudo que os havia levado ao CPI. Meu único fracasso será Alexandre, que voltou para a casa de detenção — mas talvez ele tivesse necessidade de um psiquiatra e não de um educador, quem sabe? César realizou seu sonho: é instrutor de auto-escola. Mamadou é chefe de seção no Carrefour. Tahar tornou-se motorista de ambulância. E Benoît... Benoît! Logo que chegou à França, tirou o CAP de pintor de paredes e foi para a Córsega trabalhar como operário, o tempo suficiente para guardar dinheiro... E voltou para o Mali! E continua lá, aliás. Montou uma pequena empresa de pintura de paredes, muito próspera, e vive com uma malinesa.

O que é que Boli me dizia, já naquele tempo? "Você verá, meu pequeno, o que você já fez não é nada perto do que o espera. A vida ainda lhe reserva grandes coisas, acredite em mim."

O sucesso é grande, mas há um preço a pagar. Pela primeira vez na vida, meu corpo não me obedece mais. Levanto-me de manhã muito cansado, com dores por todo o corpo... Quanto mais a temporada avança, mais difícil vai ficando o despertar. E é impossível falar do assunto: o que está em jogo é muito importante. De volta à França, a dor continua, tanto que, três semanas depois, vou consultar um médico. Ele não diagnostica nada. Vou ver outro médico, e nada. No entanto, ao levantar e ao deitar, quando vou me vestir e tirar a roupa, meus gestos estão ficando cada vez mais penosos. San Fernando dez vezes pior! As articulações rangem, emperram, travam. E quanto mais o tempo passa, pior fica. A dor acaba por se tornar onipresente. Não há mais nenhuma parte de minha grande carcaça que não me faça sofrer. Não consigo mais segurar nada com força nas mãos e sou incapaz de flexionar os joelhos sem morder os lábios para não gritar.

Marie resolve entrar em ação. Marca uma consulta no hospital de Corbeil-Essonnes, onde trabalha há pouco tempo como auxiliar de enfermagem. Desta vez o diagnóstico é claro: poliartrite reumatóide de crises severas. Nada muito grave ou singular, a não ser o fato de que o professor me confessa nunca ter visto uma patologia assim se manifestar tão tarde e tão violentamente. Como não pensar em todos aqueles sacos que carreguei nos ombros quando era pequeno? E, mais tarde, naqueles caixotes, nas pilhas de jornal que transportei, naquelas pias de louça em que eu mergulhava as mãos, nas laranjas que colhi, e depois mais caixotes, mais louça, a britadeira e todo o resto? Chegou a hora de pagar, finalmente...

Hoje estou melhor. Apesar das deformações dos dedos e dos artelhos, sinto bem menos dor. O que, a se acreditar no que diz o médico que me acompanha, é quase um milagre, pois, a partir do momento em que o acomete, esse tipo de patologia não o larga mais. Estranho? O africano que sou viveu vidas demais e viu coisas demais para estar realmente surpreso.

❊ O ORFANATO ❊

Com o sucesso da operação "biblioteca", e apesar da deserção de dois pseudo-educadores, fui encarregado de organizar, a partir de então, uma viagem por ano. Depois da biblioteca, dos livros, do conhecimento, passemos a necessidades mais elementares. Eu queria poder ajudar as crianças de Bamako. Não aquelas que têm teto e família, mas as outras, tão numerosas, que foram abandonadas e vivem nas ruas. Um verdadeiro flagelo em nosso país. Tanto mais porque esses meninos, além de serem órfãos, são aleijados. Ou de nascença, ou porque passam a vida nas ruas. A natalidade continua não sendo controlada no Mali. As mulheres dão à luz, em média, sete vezes. E quando não têm recursos para educar o filho, elas o abandonam, principalmente se ele for aleijado. A prática vem desde a noite dos tempos.

Ajudar as crianças, portanto. Idéias não faltam... Mas é preciso que nossa ação seja útil o mais rápido possível. É por isso que decido levar nossa ajuda a uma estrutura já existente, o orfanato de Bamako. O prédio foi construído há mais de cinqüenta anos e, como nada mudou desde então, tudo precisa ser refeito: a pintura, o teto, as paredes, os banheiros... No entanto, é impossível refazer tudo; só ficamos sete exíguas semanas no Mali. Vou, portanto, me restringir ao mais urgente. Ao mais necessário. A saber, a construção de um coletor de águas servidas. Construção? Sim, pois antes de nossa chegada simplesmente não havia nenhum. As crianças faziam suas necessidades em caixotes que eram esvaziados atrás dos muros do orfanato, no chão e a céu aberto. Não é difícil imaginar as conseqüências sanitárias... e olfativas. Os mosquitos e outros insetos africanos adoram esse lugar. Resultado: avanço galopante da malária entre crianças particularmente vulneráveis. Uma vez lá, teremos que trabalhar como condenados. Na planta, construir um coletor não parece nada, o bê-á-bá da construção civil... Mas, na prática, significa escavar galerias, organizar e instalar todo o sistema de evacuação, construir uma fossa séptica, verificar os alinhamentos, receber os vasos sanitários e colocá-los. Um trabalho de titã!

A rotina e a disciplina são as mesmas de nossa temporada anterior, mas o trabalho é diferente. Nada de placa de concreto a moldar, nem teto a fazer, nem estantes a montar ou livros a arrumar, mas mãos mergulhadas na merda — vamos dar nomes às coisas — sete horas por dia e seis dias por semana. Tudo isso sob uns bons quarenta graus e um índice de umidade beirando os 85%. Não é exatamente o Club Med... Confesso que há dias em que pergunto a mim mesmo se não estou exigindo o impossível dos meninos. Mas não. Mais uma vez, nenhum deles nega fogo. Continuamos unidos no mesmo esforço até o fim. Como se a finalidade de nossa ação transcendesse as dificuldades. E que felicidade no dia em que a primeira criança puxou a descarga! Como imaginar que um simples glu-glu possa significar tantas coisas?

No ano seguinte, outra viagem, outro projeto. E de volta ao orfanato. Desta vez, coloco a barra um pouco mais alto. No programa de sete semanas, três construções: uma lavanderia, uma cozinha e uma sala de jogos para os pequenos. Para esta última, segundo o método empregado dois anos antes, os cinco jovens que irão comigo terão sido previamente encarregados de coletar brinquedos entre os fabricantes e outras associações. Terceira aventura e terceiro sucesso! Mesmo que, desta vez, eu tenha precisado apelar para a mão-de-obra local para terminar o projeto a tempo. Em dois anos, o orfanato em ruínas e insalubre tornou-se um estabelecimento digno de seu nome. Desde então, os órfãos vivem em condições decentes, e a capacidade do estabelecimento quase dobrou. E, desdobramento inesperado de nosso trabalho, que, sem dúvida, se originou no barulho feito em torno do projeto, os pedidos de adoção disparam.

Um ano depois, ainda no orfanato, previ a construção de uma sala de tratamento e de uma piscina para reeducação das crianças deficientes que, por enquanto, são mantidas afastadas, juntas no fundo do dormitório. E, se sobrar tempo, faremos um pequeno salão para receber as pessoas interessadas em adotar e as mães que vão buscar leite, distribuído para aquelas que não o têm em quantidade suficiente. Esta missão será a última no orfanato. Depois disso, depois de nós, o resto deverá prosseguir: material a ser comprado, pessoal a ser formado... Com nossas sete semanas por ano no país, não seremos mais do que a faísca que terá acionado o motor. E é difícil prever aonde o motor levará a máquina; só nos resta esperar.

Última missão, e mais um sucesso. Meus jovens não esmoreceram. A sala, a piscina, o salão, tudo está funcionando... Está na hora de voltar para a França. Outras obras nos esperam, e não das menores.

Duas delas me falam especialmente ao coração. Para começar, a associação da qual Marie é presidente. Marie sempre me apoiou e incentivou em tudo que fiz. E não abandonou sua linha de conduta quando se tratava das missões do CPI no Mali, de tal modo que acabei por compreender: ela também quer agir. Vem a calhar, pois estou perdendo o fôlego. A idade, o cansaço, a angústia também. Então, quando vejo tudo que ainda precisa ser feito... E a raiva, ou pior, o desgosto. O clichê insiste em que meu país seja miserável. A realidade é bem outra: há dinheiro no Mali, muito dinheiro, aliás, mas no bolso dos altos dignitários do poder estabelecido. O câncer da corrupção corrói meu país, que está morrendo disso. Daí minha raiva, minha amargura... Confesso que preciso de ajuda. Preciso de sua ajuda, Marie.

Refletimos juntos sobre o que ela poderia fazer para ampliar o que já foi realizado em Bamako. Foi assim que ela criou a Associação Falato — "órfãos" em bambara. O estatuto tem cinco linhas: levar ao conhecimento do maior número de pessoas o destino dos pequenos órfãos de Bamako; assegurar o recrutamento e a formação do pessoal; fornecer o material necessário ao bom funcionamento do estabelecimento: medicamentos, berços, incubadoras, leitos, mamadeiras, tira-leites; auxiliar financeiramente nos cuidados e na educação dos pequenos; facilitar os procedimentos de adoção mediante um sistema de apadrinhamento entre nossos dois países. Para todas essas ações, nosso parceiro é o Conselho Geral de Essonne, o departamento onde moramos.

A partir de então, Marie e eu trabalhamos de mãos dadas, unidos por uma aventura sem fim. Naturalmente, continuo a ir a campo todos os anos com meus jovens, mas, além dessas missões, funciono como batedor para a associação de minha mulher, de certa maneira sobre seus olhos e ouvidos no país. Estou numa ponta da corrente, e Marie na outra, como os dois tempos de um mesmo motor, o motor daquela famosa mobilete que me jogou no chão certo dia de 1969, há trinta e sete anos. Nossa meta, nosso sonho, meu e de Marie, é que o orfanato não tenha mais razão de existir... Sem dúvida, não estaremos mais neste mundo se tal sonho um dia se realizar. O que importa, no fim das contas?... Teremos semeado. E, depois, quem sabe? Talvez, um dia, nossos filhos assumam nosso lugar.

Foi assim que encontrei Bakari, um órfão entre tantos outros. Achei-o perto do cruzamento do Hospital Gabriel-Touré. Os meninos de rua sempre se aninham nos lugares de passagem, não muito longe dos mercados onde podem conseguir comida, e dos sinais, onde lavam pára-brisas. Bakari não tem nenhuma família. Desde os seis anos, alimentou-se de restos e dorme no chão. Quando o conheci, tinha quinze anos. Em seu pescoço, via-se uma grande cicatriz cuja origem ele desconhecia. E, no resto do corpo, feridas. Como os outros meninos de rua, tinha a barriga inchada, os membros magérrimos, os olhos avermelhados ou colados pela conjuntivite. Para começar, levei-o ao centro de saúde, onde limparam suas feridas e trataram seus olhos. Depois procurei um abrigo, acionando todos os meus contatos. Foi assim que Bakari pôde ser acolhido no Village SOS de Sanankoroba. Alguns gestos de rotina, e uma vida salva... Hoje, Bakari é motorista de táxi em Bamako. Mas elas são tantas, essas crianças nas ruas...

Verão de 2004. Vim descansar por algumas semanas em casa, em Bamako. Certa manhã, batem em minha porta. É Souleyman, um rapaz de vinte anos que conheci bebê. Falamos de tudo e de nada, de seus projetos, da vida em Bamako. Como sempre, ele me bombardeia com perguntas, pede conselhos. Ele sabe, como todos os seus amigos, que minha porta está sempre aberta, o que não é exatamente do agrado de Marie, que às vezes se irrita com essa sucessão de visitas. A conversa chega ao fim, Souleyman está quase se retirando quando, subitamente, ele me interrompe, embaraçado.

— Posso ajudá-lo em alguma coisa, Souleyman?
— Nada, nada... Na verdade, tenho algo a lhe dizer. Meus amigos e eu decidimos homenageá-lo...

Meu sorriso se apaga. Não gosto da palavra, devo confessá-lo.
— Como assim?
— Todo mundo aqui o conhece. Todo mundo sabe de onde você vem e o que você conseguiu fazer com a sua vida...

Minha vez de ficar embaraçado.
— O que você já fez pelas crianças: a biblioteca, o orfanato, o campo de futebol...

— Obrigado, mas...

— Então é isso, meus amigos e eu estivemos pensando em como poderíamos homenageá-lo e ajudá-lo a continuar o que você realizou. Há três meses, criamos uma associação, o MOJEC, Movimento dos Jovens pela Educação e a Cultura. O objetivo é centralizar e coordenar todas as ações em prol dos meninos de rua. Hoje, temos cerca de cem membros, quase todos jovens da minha idade. Pensei, enfim... Pensamos em lhe pedir que seja nosso presidente de honra...

Então, ele solta uma grande gargalhada e se recompõe:

— Na verdade, não é nada disso, Capone... MOJEC é só porque precisávamos de um nome. Queríamos que a associação tivesse o seu nome, mas todos os seus irmãos e irmãs disseram a mesma coisa: "Ele nunca aceitará, nem vale a pena tentar!" Até sua mulher...

— Marie?

— Sim, liguei para ela na França para saber o que achava. Ela desaconselhou qualquer coisa feita pelas costas, sem que você soubesse. É por isso que, em vez de fundar uma Associação Capone, eu lhe peço que seja presidente de honra do MOJEC.

Marie... Cheia de segredinhos. Conheço bem isso. Em todo caso, ela entendeu: eu jamais aceitaria dar meu nome a qualquer instituição. Mas ajudar um grupo de jovens...

— Então, Capone? A idéia lhe agrada?

— Não, mais que isso, Souleyman, estou muito comovido. Obrigado, obrigado do fundo do coração. Vamos fazer grandes coisas juntos.

A vida, mais uma vez, acaba de me trazer um estranho presente... E, ao mesmo tempo, de me dar uma preciosa lição: as coisas acabam acontecendo quando as desejamos com força... Souleyman e seus amigos simplesmente se anteciparam à minha vontade. Crianças abandonadas, crianças de rua, a mesma luta. Há muito o que fazer. Acompanhamento médico, soluções de alojamento, reencaminhamento escolar, aprendizado de um ofício, orientação profissional, criação de um time de futebol, de um curso de teatro... Que forma, afinal, nossa ação tomará? Os contornos só poderão ser desenhados quando eu vier definitivamente viver em minha terra.

❀ EPÍLOGO ❀

Mesmo estando há vinte anos inteiramente mergulhado neste ofício, continuo apaixonado por meu trabalho. Mas de um modo diferente daquele do primeiro dia, com o prazer de transmitir, ensinar, guiar e me manter íntegro. "Governar, educar ou curar, é tudo a mesma coisa", sempre diz um de meus colegas.

Educar... Eu, o menino de Misira que fez seus estudos nas lixeiras, tornei-me educador, da palavra latina *educare*: conduzir, levar. Na verdade, quanto mais eu avanço na existência, mais tenho o sentimento de que os atalhos que peguei em três continentes não tinham como objetivo senão me conduzir, me trazer a este ofício de educador. Como se eu sempre tivesse sido feito para isso. Não provoquei nada, não premeditei nada. As coisas vieram naturalmente a mim, um encontro depois do outro, de Baba a Monique. Sem dúvida, minha estrada estava traçada em algum lugar. O maktub.

E dizer que eu poderia ter ficado a vida inteira em Bamako, como todos os meus parentes que nunca saíram, que sequer pensaram nisso. E que foi viajando que me tornei um griô entre os meus. Pois é o que sou, hoje, uma espécie de griô. Transmito o saber com a maior sensatez que posso. Não mudaria de profissão por nada neste mundo. Entretanto, sentir-me bem em meu trabalho não me impede de ter opiniões e críticas sobre as condições em que ele se desenvolve, sobre as orientações adotadas ou não por este ou aquele governo, de criticar esta ou aquela medida, de sugerir uma outra... Mas, além da política, da polêmica, da papelada administrativa, da contagem de pontos para a aposentadoria, dos índices e das planilhas, o que fica é a aventura. Trabalhar com nossos patinhos feios é como dançar sobre um vulcão. Tudo se movimenta, estimula, provoca, se agita, em resumo, tudo pulsa. Magnífico!

Ignoramos a rotina. A cada partida, a cada chegada, uma nova personalidade a descobrir, a domesticar. A proteger, também. Dela mesma e de seus congêneres. Depois vem o momento de definir os contornos do projeto que manterá esses jovens ligados a nós por alguns meses. Manobra de negociação delicada: é preciso ensiná-los a não relaxar, principalmente a não deixar a peteca cair. Temos que lhes dar, ou devolver, gosto pelo esforço, pela perseverança e ambição pessoal. Gosto pela vida, simplesmente.

O trabalho passa por coisas aparentemente tão simples como sentir vontade de se levantar de manhã para se projetar no futuro, mesmo que este futuro não vá além de uma noite. Cada dia é um novo desafio, um desafio ainda mais difícil de vencer por termos apenas três meses para enfrentá-lo. Mal meus meninos chegam, temos que pensar em sua partida, nas internações, nas soluções emergenciais, em seus processos que precisamos defender diante de magistrados assoberbados que parecem não entender muito bem o nosso papel... Esses jovens são selvagens como lobos. Para domá-los, é preciso se misturar com eles. Se o domador insistir em ficar fora da jaula, ele não terá nenhuma oportunidade de amansar a malta. Essa implicação tão física quanto moral me fascina.

Às vezes nos vemos a ponto de abandonar tudo. Na verdade, a cada vez que é preciso ir buscar um de nossos internos na delegacia, sentimo-nos humilhados e traídos. Mas voltamos pensando que sempre há uma solução. E as missões no Mali são uma. Uma entre tantas outras. Sempre digo a mim mesmo que nós, educadores, somos como pontos de apoio na vida das pessoas. O que está acontecendo agora em minha terra, na África, com os jovens que cuidamos no CPI? Por sua vez, tornaram-se pontos de apoio na vida dos meus conterrâneos... É possível imaginar resultado mais bonito?

Esses momentos que vivo no Mali com meus jovens têm uma outra conseqüência, que só diz respeito a mim, mas à qual estou particularmente ligado. A cada vez que volto, converso com meus filhos, os meus, aqueles que Marie e eu tivemos juntos. Descrevo-lhes o país onde nasci, o orfanato, o trabalho realizado, para que eles nunca esqueçam que são privilegiados. Mais tarde, farão o que quiserem com meus ensinamentos. Mas, por ora, enquanto ainda viverem sob meu teto, quero que saibam da sorte que têm antes que se acostumem, antes que caiam na armadilha que consiste em achar normal, apenas normal, o que os cerca... Sua dupla cultura é uma sorte. Uma sorte muito grande. E isso também eu quero que eles entendam. Eles já conhecem bem a história de seu pai. É claro que a conhecerão ainda melhor lendo este livro. Gostaria também que descobrissem a África por outros meios que não Marie e eu. Tanto mais porque tomei consciência de que nem sempre foi fácil para eles ter um pai como eu. De fato, tive a sorte de viver não uma, mas algumas vidas extraordinárias. De conhecer um destino fora do comum. Eles sabem disso pelo que eu lhes conto, mas também pela atitude dos que me cercam no trabalho, no seio da família... Sou um pouco sufocante para eles, às vezes. Então, é importante que eu sempre possa confiar neles. E, até agora, devo dizer que a vida não me decepcionou. Minhas sete pequenas maravilhas, do nosso mundo, atenção, tome fôlego, Pierre, Gustave, Maryam, Aminata, Fatoumata, Tracy e Sam, fazem a nossa felicidade todos os dias.

Será que nós os "educamos bem"? Como responder a uma pergunta dessas? "Educar": o que isso significa? A mesma pergunta que me faço quando chego ao CPI de manhã. É possível definir uma boa educação em relação à qual todas as demais seriam más educações? Não. Em todo caso, Marie e eu demos aos nossos filhos muito amor. Talvez demais, talvez de uma forma errada, é possível... Mas, pelo menos, nunca medimos esforços. Talvez eu tenha desejado que eles se sentissem tão amados, protegidos e apoiados quanto eu fui.

Não sei responder... Mas não suporto ouvir que amor demais sufoca, prende, paralisa. Se me sinto autorizado a falar sobre o assunto, é por causa de minha infância, e também desses vinte anos passados junto com jovens que sofrem de falta de amor. Amor demais nunca mata. Falta de amor, sim. Eu vi. Aos que não acreditam, tenho vontade de dizer: venham passar uns tempos conosco. Venham viver um pouco com nossos pássaros aprisionados no petróleo derramado dos navios, agonizando nas areias da vida. Dispam-se de seus preconceitos e observem-nos, escutem-nos, decifrem-nos. Aprendam a compreendê-los. Muito rapidamente vocês se darão conta de que todos, sem exceção, chegaram até aqui porque, em algum momento de sua história, não lhes disseram, ou não disseram o bastante, que eram amados... Simples demais? Não estou afirmando que a causa única do problema esteja aí, digo simplesmente que quando remontamos o filme da vida deles, sempre chegamos a esse ponto, mais cedo ou mais tarde.

Acabei por imaginar a educação como algo assim: o amor que se dedica aos filhos é uma rede. Se as malhas forem fortes e bem tecidas, a pesca da existência terá todas as chances de ser boa. Se forem mal-entrelaçadas, se faltarem fios, se tiverem sido arrancados, será difícil trazer à superfície algo de bom ou bonito.

Para tecer a rede de minha vida, tive Boli. Ela nunca pensou no que era preciso fazer para ser uma boa educadora. Entrelaçava seus fios sem sequer pensar nisso, com seu sorriso, suas carícias, as esperanças, e sobretudo com o amor que tinha por mim. Graças a ela, fui um pescador feliz. E queria tanto poder distribuir o transbordante amor que ela me deixou como herança. Agindo assim, haveria como devolver o sorriso a todas as crianças perdidas da Terra.

Obrigado, Boli.

AGRADECIMENTOS

Quero homenagear mais particularmente Max Longeron, diretor regional da Proteção Judiciária da Juventude; Bernard Gerbet, diretor departamental da PJJ em Marselha; Marc Brzegowy, diretor departamental da PJJ de Essonne; Christine Manuel, psicóloga; a todos os meus colegas do Centro de Ação Educativa da Fazenda de Champagne, Nona Goasguen, Évelyne Frémont e Marie-Ange Abadie; a Christel Mouchard por seus conselhos iluminados e amigos; a René Gouverneur, educador; a Stéphanie Andrieu e a Georges Moreau.

Minhas últimas palavras são, finalmente, para Fred Muller, que foi minha voz ao longo desta aventura literária. Sem a fé que ele depositou em minha história, sem sua confiança, esta obra, sem dúvida, jamais teria vindo à luz. Obrigado a você, Fred, que soube tão bem revelar minha alma...

Impresso no Brasil pelo
Sistema Cameron da Divisão Gráfica da
DISTRIBUIDORA RECORD DE SERVIÇOS DE IMPRENSA S.A.
Rua Argentina 171 – Rio de Janeiro, RJ – 20921-380 – Tel.: 2585-2000